Guerra das Rosas

HERANÇA DE SANGUE

OBRAS DO AUTOR PUBLICADAS PELA EDITORA RECORD

O livro perigoso para garotos (com Hal Iggulden)
Tollins – histórias explosivas para crianças

Série **O Imperador**

Os portões de Roma
A morte dos reis
Campo de espadas
Os deuses da guerra
Sangue dos deuses

Série **O conquistador**

O lobo das planícies
Os senhores do arco
Os ossos das colinas
Império da prata
Conquistador

Série **Guerra das Rosas**

Pássaro da tempestade
Trindade
Herança de sangue
Ravenspur

CONN IGGULDEN

Guerra das Rosas

HERANÇA DE SANGUE

Tradução de
MARIA BEATRIZ DE MEDINA

2ª edição

Editora Record
RIO DE JANEIRO • SÃO PAULO
2020

CIP-BRASIL. CATALOGAÇÃO NA PUBLICAÇÃO
SINDICATO NACIONAL DOS EDITORES DE LIVROS, RJ

I26h

Iggulden, Conn, 1971–
 Herança de sangue / Conn Iggulden; tradução de Maria Beatriz de Medina. – 2ª ed. –
2ª ed. Rio de Janeiro: Record, 2020.
 (Guerra das Rosas; 3)

 Tradução de: Bloodline
 Sequência de: Trindade
 Continua com: Ravenspur
 ISBN: 978-85-01-40462-6

 1. Romance inglês. I. Medina, Maria Beatriz de. II. Título. III. Série.

16-38371

CDD: 823
CDU: 821.111-3

TÍTULO ORIGINAL:
BLOODLINE (War of the Roses vol. 3)

Copyright © Conn Iggulden, 2015

Mapa da Inglaterra impresso no verso da capa copyright ©Andrew Farmer, 2015

Texto revisado segundo o novo Acordo Ortográfico da Língua Portuguesa.

Todos os direitos reservados. Proibida a reprodução, no todo ou em parte, através de quaisquer meios. Os direitos morais do autor foram assegurados.

Direitos exclusivos de publicação em língua portuguesa somente para o Brasil adquiridos pela
EDITORA RECORD LTDA.
Rua Argentina, 171 – Rio de Janeiro, RJ – 20921-380 – Tel.: (21) 2585-2000, que se reserva a propriedade literária desta tradução.

Impresso no Brasil

ISBN 978-85-01-40462-6

Seja um leitor preferencial Record.
Cadastre-se no site www.record.com.br e receba informações sobre nossos lançamentos e nossas promoções.

Atendimento e venda direta ao leitor:
sac@record.com.br

EDITORA AFILIADA

Ao meu pai, por sua paciência e por seu humor.

Agradecimentos

A perda do meu pai, em setembro de 2014, foi um golpe terrível. Como ele tinha 91 anos, não deveria ter sido inesperada, mas foi. As árvores da infância simplesmente não caem — até que elas caem, e o mundo não mais as sustenta.

Sem o apoio de algumas pessoas fundamentais, sem dúvida este livro jamais seria terminado. Com o apoio delas, acho que talvez seja o melhor que já escrevi. Foi uma grande ajuda estar escrevendo sobre Eduardo de York e Ricardo, conde de Warwick, pouco depois de eles terem perdido os pais, há quinhentos anos.

Agradeço, então, à minha agente, Victoria Hobbs, ao meu irmão, David Iggulden, ao meu amigo Clive Room e, principalmente, à minha esposa, Ella.

Conn Iggulden

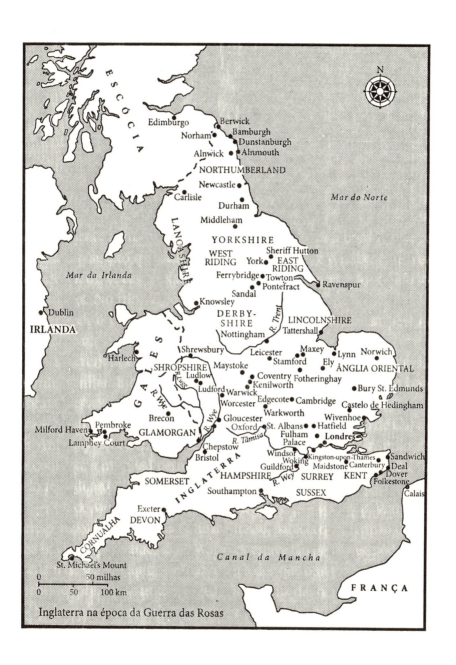

Inglaterra na época da Guerra das Rosas

Linhas de sucessão ao trono da Inglaterra

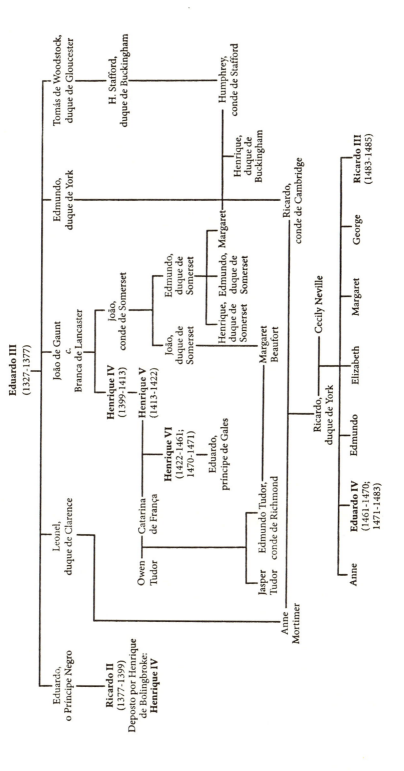

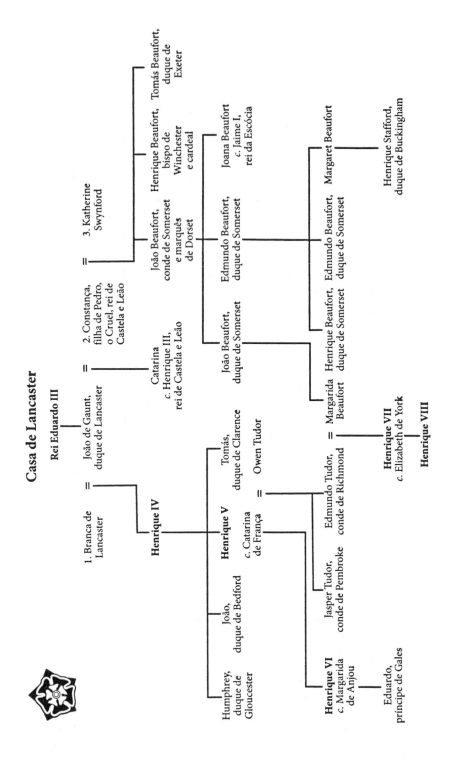

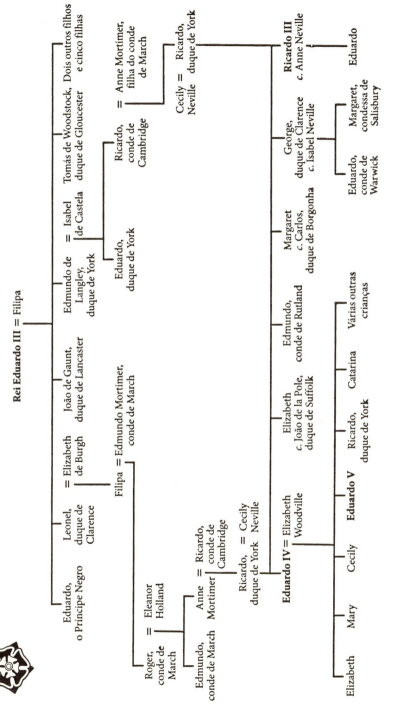

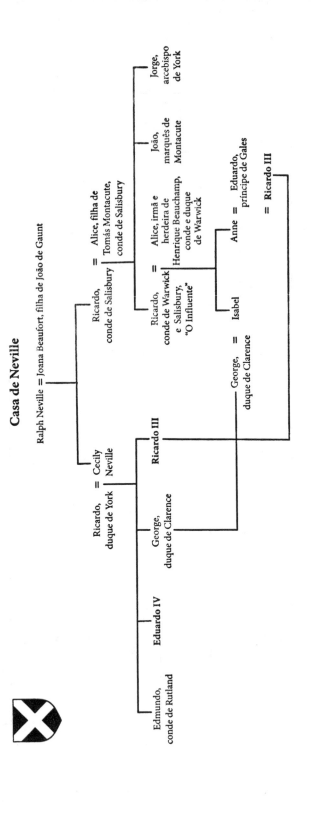

Casa de Percy

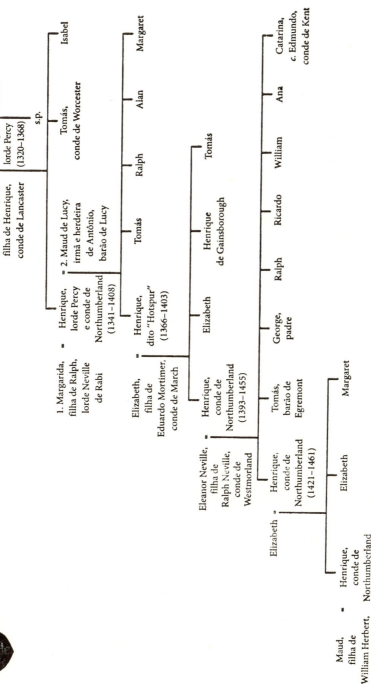

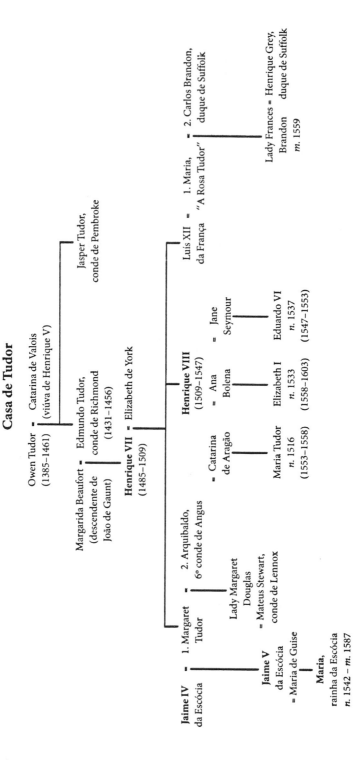

Lista de personagens

Rainha Margarida/ Margarida de Anjou	Esposa de Henrique VI, filha de Renato de Anjou
Derry Brewer	Espião-mor de Henrique VI e da rainha Margarida
George, duque de Clarence	Irmão de Eduardo IV e de Ricardo, duque de Gloucester
João Clifford, barão Clifford	Partidário de Henrique VI, assassino de Edmundo, filho de Ricardo de York
Andrew Douglas	Nobre escocês e aliado de Henrique VI
Eduardo IV	Rei da Inglaterra, filho de Ricardo Plantageneta, duque de York
William Neville, lorde Fauconberg	Tio do conde de Warwick
Ricardo de Gloucester	Filho de Ricardo de York, irmão de Eduardo IV e George, duque de Clarence
Sir John Grey	Partidário de Henrique VI, primeiro marido de Elizabeth Woodville

Maria de Gueldres	Viúva de Jaime II da Escócia
Henrique VI	Rei da Inglaterra, filho de Henrique V
Sir Thomas Kyriell	Guarda-costas de Henrique VI durante sua captura
Albert Lalonde	Chanceler do rei Luís
Rei Luís XI	Rei da França, primo da rainha Margarida
João Neville, barão de Montacute	Irmão do conde de Warwick
Anne Neville	Filha do conde de Warwick
Jorge Neville	Arcebispo de York, irmão do conde de Warwick
Isabel Neville	Filha do conde de Warwick
João de Mowbray, duque de Norfolk	Partidário de Eduardo IV
Henrique Percy, conde de Northumberland	Chefe da família Percy, partidário de Henrique VI
Henrique Percy	Herdeiro deserdado do conde de Northumberland
Hugh Poucher	Mordomo de Ricardo de York, feitor de Eduardo IV
Ricardo Woodville, barão de Rivers	Pai de Elizabeth Woodville
Edmundo, conde de Rutland	Filho de Ricardo, duque de York; morto na batalha do Castelo de Sandal
Alice Montacute, condessa de Salisbury	Esposa do conde de Salisbury, mãe do conde de Warwick

Ricardo Neville, conde de Salisbury	Neto de João de Gaunt, pai do conde de Warwick; morto na batalha do Castelo de Sandal
Henrique Beaufort, duque de Somerset	Partidário da rainha Margarida; herdou o título depois da morte do pai na primeira batalha de St. Albans
Owen Tudor	Segundo marido de Catarina de Valois (viúva de Henrique V); morto depois da batalha de Mortimer's Cross
Anne Beauchamp, condessa de Warwick	Esposa do conde de Warwick
Ricardo Neville, conde de Warwick	Chefe da família Neville depois da morte do conde de Salisbury, mais tarde conhecido como Fazedor de Reis
Eduardo de Westminster	Príncipe de Gales, filho de Henrique VI e da rainha Margarida
Abade Whethamstede	Abade de St. Albans
Anthony Woodville	Irmão de Elizabeth Woodville
Elizabeth Woodville/Grey	Esposa de Eduardo IV
John Woodville	Irmão de Elizabeth Woodville
Cecily Neville, duquesa de York	Esposa de Ricardo, duque de York, neta de João de Gaunt, mãe de Eduardo IV
Cecily de York	Filha de Eduardo IV e Elizabeth Woodville
Elizabeth de York	Filha de Eduardo IV e Elizabeth Woodville
Ricardo Plantageneta, duque de York	Bisneto de Eduardo III; morto na batalha do Castelo de Sandal

Prólogo

O vento tentava levá-los, agitado e malicioso. Enchia o peito deles com lufadas súbitas e fazia com que a boca doesse de frio. Os dois homens tremiam sob a investida, mas continuaram a escalar os degraus de ferro que faziam as mãos arderem. Embora não olhassem para baixo, sentiam a multidão atenta no chão.

Ambos eram de muito longe, do sul, da mesma aldeia, no condado de Middlesex. Estavam muito, muito distantes de casa, mas, junto de seu senhor, receberam uma tarefa da rainha Margarida em pessoa. Era isso que importava. Eles cavalgaram para o norte desde o Castelo de Sandal, deixando para trás o campo coberto de sangue e os corpos pálidos e despidos que nele jaziam. Tinham levado sacos de pano para a cidade de York, enquanto a ventania ficava cada vez mais forte em volta deles.

Sir Stephen Reddes observava lá de baixo, uma das mãos erguidas para se proteger das partículas de gelo ao vento. A escolha do Portão de Micklegate não foi por acaso. Os reis ingleses sempre o usaram para entrar em York pelo sul. Não importava que o granizo fustigasse seus homens nem que a escuridão fosse densa como poeira no ar. Eles tinham sua carga, suas ordens — e os três eram leais.

Godwin Halywell e Ted Kerch chegaram a uma estreita plataforma de madeira acima da multidão. Subiram nela com cuidado, inclinando-se para trás quando temiam que uma lufada de vento pudesse derrubá-los. O número de pessoas aumentou lá embaixo, cintilando um pouco com as partículas de gelo que descansavam sobre os cabelos escuros.

Algumas ainda saíam de casas e estalagens arrastando os pés, e outras exigiam explicações dos moradores locais nas muralhas. Não se ouviram respostas. Os guardas não foram avisados.

Pequenas lanças de ferro tinham sido instaladas a quase quatro metros do chão, alto demais para que fossem alcançadas por amigos de homens executados. Eram seis no total, enfiadas bem fundo na boa alvenaria romana para pender sobre a cidade. Quatro delas tinham cabeças podres enfiadas, boquiabertas para a noite.

— O que fazemos com elas? — gritou Halywell.

Ele fez um gesto desamparado para Kerch sobre a fila de cabeças entre eles. Não tinham recebido ordens sobre o que fazer com os restos mortais de criminosos. Halywell praguejou entre os dentes. Estava ficando mal-humorado, e o granizo parecia soprar com mais força ainda, um açoite na pele.

Ele deixou a raiva sufocar o nojo, estendeu a mão para a primeira cabeça e a pegou. A boca estava cheia de pedrinhas de gelo que se mexiam. Embora soubesse que era idiotice, o medo de ser mordido o impediu de colocar a mão entre os maxilares. Em vez disso, Halywell segurou a cabeça pelo queixo e simplesmente a ergueu da pequena lança e a jogou na escuridão. O esforço necessário quase fez Godwin Halywell cair junto. Ofegante, ele se agarrou nas pedras com os dedos brancos. Houve gritos lá embaixo, e a multidão se agitou, alarmada com a ideia de que coisas pesadas e perigosas pudessem cair da torre do portão.

Halywell fitou Kerch do outro lado da muralha e eles trocaram um breve olhar austero de resignação, apenas dois homens realizando um serviço desagradável enquanto eram observados e julgados por pessoas em relativa segurança. Levou tempo para remover e jogar lá embaixo as cabeças restantes. Uma delas praticamente se estilhaçou nas pedras, com um ruído de cerâmica se quebrando.

Halywell achou que eles não *precisavam* limpar todas as lanças. Levavam apenas três cabeças nos dois sacos que carregavam, mas de certo modo não parecia correto pôr sua carga ao lado de criminosos comuns. De repente pensou em Jesus dividindo o calvário com os ladrões, mas balançou a cabeça e se concentrou na tarefa.

Enquanto o vento uivava, Halywell ergueu o saco até o ombro direito e remexeu no interior dele até agarrar tufos de cabelo. O sangue havia grudado as cabeças no tecido, por isso quase teve de virar o saco do avesso, desequilibrando-se novamente com o esforço. Ofegante de medo e cansaço, Halywell segurou o saco com firmeza suficiente para arrancar de lá a cabeça de Ricardo Neville, conde de Salisbury.

O cabelo enrolado em seus dedos era cinza-férreo, e os olhos não tinham se revirado, de modo que o rosto flácido parecia examiná-lo à luz das tochas. Halywell murmurou uma oração que quase havia esquecido e quis fazer o sinal da cruz ou pelo menos fechar os olhos. Achava que tinha se acostumado com horrores, mas ser observado por um morto era novidade.

Não era fácil prender uma cabeça numa lança. Halywell não tinha recebido instruções, como se todo homem de bom senso soubesse imediatamente o que fazer. Na verdade, quando criança ele havia passado um verão matando porcos e ovelhas com vários outros rapazes para ganhar alguns centavos de prata ou um fígado lustroso para levar para casa. Tinha uma vaga noção de que havia um espaço na base do crânio, mas não conseguia encontrá-lo no escuro. Estava quase chorando de soluçar enquanto mexia a cabeça de um lado para o outro, as mãos escorregadias, batendo os dentes. O tempo todo, a multidão observava e murmurava nomes de homens.

De repente, a haste de ferro se afundou, perfurando o cérebro e entrando no crânio. Halywell suspirou de alívio. Abaixo de seus pés, muitos na multidão fizeram o sinal da cruz, como um bater de asas.

Ele tirou do saco a segunda cabeça pelo cabelo bom e escuro, muito mais espesso que os tufos grisalhos da primeira. Ricardo, duque de York, estava de barba feita no momento da morte, porém Halywell tinha ouvido falar que ela continuava a crescer por algum tempo depois. Na verdade, ele sentia uma aspereza desagradável na mandíbula. Tentou não olhar para o rosto e, de olhos bem fechados, enfiou a cabeça na ponta de ferro.

Com as mãos sujas de uma gosma nojenta, Halywell fez o sinal da cruz. Na outra ponta, Kerch espetava a terceira cabeça ao lado de York. Diziam que havia sido cruel. Corria o boato de que Edmundo, filho de York, estava fugindo do campo de batalha. O barão Clifford o havia pegado e matado só para punir o pai.

Todas as cabeças tinham sido arrancadas havia pouco tempo, as mandíbulas pendendo abertas. Halywell ouvira falar de papa-defuntos que costuravam a mandíbula inferior na bochecha para que se mantivesse fechada, com a boca cheia de alcatrão. Ele achou que não importava. Mortos eram mortos.

Viu que Kerch voltava para os degraus de ferro presos na pedra, o serviço feito. Halywell estava prestes a fazer o mesmo quando ouviu Sir Stephen gritar. Por causa do vento, mal entendia o que o homem dizia, mas a lembrança voltou, viva, e ele xingou.

Havia uma coroa de papel aninhada no fundo do saco, rígida e escura devido ao sangue seco. Halywell a desdobrou, olhando de soslaio para a cabeça de York. Ele tinha um punhado de prendedores feitos de junco seco numa bolsa à cintura. Murmurando sobre tolice, abaixou-se perto da cabeça e prendeu a coroa no cabelo escuro, tufo a tufo. Achou que ela poderia ficar presa por um tempo sob o abrigo da torre ou ser soprada pela cidade assim que ele chegasse à terra firme. Não se importava. Morto era *morto*, era isso que importava. As hostes do céu não se preocupariam se alguém usava ouro ou papel, não naquela hora. Qualquer que fosse o insulto pretendido, Halywell não o entendia.

Com cuidado, ele se virou para a escada e desceu os primeiros degraus. Quando seus olhos ficaram no nível da fila de cabeças empaladas, ele parou, olhando para elas. York havia sido um bom homem, um homem corajoso, tinham lhe dito. Salisbury também. Juntos, desafiaram o trono e perderam tudo. Halywell pensou em poder dizer aos netos que ele havia prendido a cabeça de York na muralha da cidade.

Por um instante, sentiu uma presença, um sopro no pescoço. O vento pareceu parar um pouco, e ele encarou em silêncio os três homens humilhados.

— Que Deus esteja convosco — sussurrou. — Que Ele perdoe seus pecados, se não tiveram tempo de pedir no fim. Que Ele os receba ao Seu lado. E abençoe a todos. Amém.

Então Halywell desceu, afastando-se do aterrorizante momento de imobilidade, de volta à multidão que se agitava, ao barulho dos homens e ao frio do inverno.

PARTE I

1461

O sorridente com a faca sob a capa.

Geoffrey Chaucer, "O conto do cavaleiro"

1

— Você se importa demais com isso, Brewer! — exclamou Somerset, irritado, erguendo o rosto para o vento enquanto cavalgava. — "E o Senhor ia adiante deles, de dia numa coluna de nuvem", não é? "*Columna nubis*", se é que você conhece o Êxodo. Fios negros no ar, Brewer! Isso instila o temor a Deus Todo-Poderoso naqueles que ainda podem se levantar contra nós. E não há nada de errado *nisso*. — O jovem duque se virou para olhar para trás, para as nuvens escuras que ainda se erguiam às costas deles. — Os homens têm de ser alimentados: isso é o que importa. O que são algumas aldeias camponesas agora, depois de tudo o que conquistamos? Eu queimaria o céu, se isso garantisse boa comida aos rapazes. Não é? Seja como for, com esse frio acho que eles gostariam de uma boa fogueira.

— Mas a notícia correrá à nossa frente, milorde — retrucou Derry Brewer, ignorando o chiste grosseiro.

Ele se esforçava para ser cortês, embora estivesse de estômago vazio e fosse dominado pela fome. Em momentos como esse, sentia saudades do pai de Somerset pela sutileza e pela compreensão do velho. O filho era bastante inteligente, mas lhe faltava perspicácia. Com 25 anos, Henrique Beaufort tinha um pouco da confiança militar que os homens gostavam de seguir. Seria um excelente capitão. Infelizmente, estava sozinho no comando do exército da rainha. Com isso em mente, Derry tentou mais uma vez explicar seu ponto de vista.

— Milorde, já é ruim o bastante ter mensageiros correndo para o sul com a notícia da morte de York enquanto paramos em cada cidade para arranjar suprimentos. Nossos batedores saqueiam e matam, e os homens passam o dia inteiro tentando igualar o feito deles... enquanto os rapazes locais correm para alertar a próxima aldeia em nosso caminho. Fica cada vez mais difícil encontrar comida, milorde, quando aqueles que preferem manter seus bens a escondem. E tenho certeza de que o senhor sabe por que os homens atearam fogo. Se eles esconderem seus crimes em cada aldeia por onde passarmos, teremos o reino inteiro em armas antes mesmo de chegarmos a Londres. Não acredito que seja essa sua intenção, milorde.

— Tenho certeza de que você convenceria um homem a lhe vender os próprios filhos. Não duvido disso, Brewer — respondeu Somerset.

— Parece que você sempre tem um bom argumento já preparado. No entanto, faz muito tempo que você é um homem da *rainha*. — O duque tinha tanta confiança em sua posição e força que achou que não era nada de mais acrescentar certa ênfase insultuosa às palavras. — É, acho que o problema é esse. Há tempos para seus longos planos, com certeza, para seus... cochichos franceses, Brewer. Talvez quando chegarmos a Londres. Não duvido de que você nos faria aguardar pacientemente em todas as feiras locais, barganhando ou implorando pratos de guisado ou alguns bons capões. E nos veria *passar fome*. — Somerset ergueu a voz para que ela chegasse às fileiras que marchavam em volta. — Hoje o dia é desses homens, você entende? Veja nossos rapazes marcharem por uma trilha pelo campo: quilômetros de extensão de arqueiros e homens de armas vindos da vitória. Com as armas prontas para o combate! Basta olhar para eles e ver que tiveram uma bela batalha. Veja o orgulho deles!

O crescendo na voz exigia resposta, e os homens ao redor de Somerset deram vivas a suas palavras. O duque voltou a encarar Derry Brewer com ar presunçoso.

— Eles foram iniciados, Brewer. Mataram inimigos. Agora os alimentamos com carne de carneiro e bifes e os soltamos contra Londres, entende? Vamos fazer com que o conde de Warwick traga o rei Henrique e peça perdão humildemente por todos os problemas que causou.

Somerset riu ao pensar nisso, levado pela própria imaginação.

— Vou lhe dizer: colocaremos o mundo em ordem outra vez. Você entende, Brewer? Se os homens cometeram alguma loucura em Grantham e Stamford, ou Peterborough, ou Luton, não importa! Se eles pegaram os presuntos que foram guardados para o inverno, ora, talvez seus donos devessem estar *conosco*, dando cabo de York! — Ele teve o bom senso de passar a murmurar quando continuou. — Se cortaram algumas gargantas ou roubaram a virtude de algumas moças do campo, imagino que isso inflamará ainda mais seu sangue. Somos *vitoriosos*, Brewer, e você o é tanto quanto nós. Deixe seu sangue ferver desta vez, sem estragá-lo com temores e intrigas.

Derry olhou para o jovem duque, mal escondendo a raiva. Henrique Beaufort era bonito, encantador e sabia falar num grande fluxo de palavras para curvar alguém a sua vontade. Mas era um homem muito *jovem*! Somerset tinha descansado e comido bem enquanto as cidades que pertenceram ao duque de York eram reduzidas a cinzas. Grantham e Stamford foram destruídas, e Derry havia testemunhado naquelas ruas horrores tão cruéis quanto o que tinha visto na França. Amargurava-o ter um nobre jovem e petulante lhe dizendo que os homens mereciam sua recompensa.

Derry olhou de relance para a rainha Margarida, que cavalgava à frente com uma capa azul-escuro, a cabeça inclinada para o conde Percy enquanto conversavam. O filho Eduardo, de 7 anos, trotava num pônei do outro lado, os cachos pálidos do menino encharcados de cansaço.

Somerset percebeu o olhar do espião-mor e deu um sorriso feroz, confiante em sua juventude comparada ao homem mais velho.

— A rainha Margarida quer o marido de volta, mestre Brewer, e não ouvir suas preocupações de mulherzinha com a conduta dos homens. Talvez você devesse permitir que ela fosse a rainha, não é? Só desta vez.

Somerset respirou fundo, ergueu a cabeça e riu da própria piada. Quando fez isso, Derry levou a mão enluvada até a bota do duque, segurou a haste da espora e lhe deu um empurrão para cima. Com um rugido, Somerset sumiu do outro lado do cavalo, fazendo o animal se agitar para a frente e para trás com o movimento das rédeas. Uma perna ducal apontava para o céu, e Somerset lutou ensandecidamente para voltar à sela. Por alguns instantes estupefatos, sua cabeça se sacudiu com uma boa visão do balanço da genitália coriácea do cavalo.

— Cuidado aí, milorde — gritou Derry, incitando seu pangaré a trotar, abrindo uma pequena distância entre eles. — A estrada é muito irregular.

A maior parte de sua irritação era consigo mesmo por perder a paciência, mas Derry também estava furioso com o duque. A força de Margarida e grande parte de sua autoridade se deviam a ela estar *certa*. A Inglaterra inteira sabia que o rei Henrique havia sido aprisionado pela facção yorkista, toda ela traidora. Havia simpatia pela rainha e por seu filho pequeno, forçados a perambular pelo reino em busca de apoio para sua causa. Talvez fosse uma visão romântica, mas havia atraído homens bons como Owen Tudor e tinha levado a campo exércitos que, de outra forma, teriam ficado em casa. Margarida havia lhes dado a vitória no fim, com a ascensão da casa de Lancaster depois de tanto tempo alquebrada.

Permitir aos nortistas e aos escoceses que saqueassem, assassinassem e estuprassem no caminho até Londres não ajudaria a causa de Margarida nem traria mais homens para seu lado. Eles vinham de um triunfo recente, ainda meio embriagados com ele. Todos viram Ricardo Plantageneta, duque de York, ser forçado a se ajoelhar e ser executado. Todos viram a cabeça de seus inimigos mais poderosos ser levada e espetada nos muros da cidade de York. Para quinze mil homens, depois de apaziguados o pânico e a fúria selvagem da batalha, ainda havia a vitória, como moedas numa bolsa. Dez anos de luta chegaram ao fim, e York estava morto no campo de batalha, suas ambições, frustradas. A vitória era *tudo*, conquistada a muito custo. Os homens que ofereceram a cabeça de York à lâmina da execução esperavam alguma recompensa — comida, vinho e taças de ouro, qualquer coisa que encontrassem.

Atrás de Brewer, a coluna se estendia pela névoa, mais longe do que a vista alcançaria num dia de inverno. Escoceses de pernas nuas andavam ao lado dos baixos arqueiros galeses e dos altos guerreiros ingleses, todos magros, com capas esfarrapadas, mas ainda caminhando, ainda orgulhosos.

Quase cinquenta metros atrás, o jovem duque de Somerset, com o rosto corado, tinha voltado à sela com a ajuda de um dos homens. Ambos olharam com raiva para Derry Brewer, que tocou a testa com um falso sinal de respeito. Cavaleiros de armadura sempre erguiam a viseira quando seu senhor passava para mostrar o rosto. O gesto havia se tornado uma espécie de saudação. Derry pôde ver que, no entanto, não tinha aliviado o ultraje que sentia o rapaz pomposo que ele havia derrubado. Mais uma vez, Derry amaldiçoou seu temperamento, um ímpeto de fúria que tomava conta dele de forma tão súbita e completa que lhe dava vazão sem hesitar. Sempre fora uma fraqueza sua, embora, na verdade, o abandono de toda a cautela pudesse ser bastante satisfatório. Mas estava velho demais para isso, pensou. Seria morto por um frangote caso não tomasse mais cuidado.

Derry meio que esperava que Somerset viesse à toda exigir reparação, mas viu o companheiro do duque falar com urgência a seu ouvido. Não havia dignidade em rixas mesquinhas, não para alguém na posição de Somerset. Derry suspirou, sabendo que seria melhor escolher com muito cuidado onde dormir por algumas noites... e evitar ir sozinho a qualquer lugar. O espião-mor havia lidado com a arrogância de nobres a vida inteira e sabia muito bem que eles consideravam seu direito, quase sua principal ocupação, exigir retratação de qualquer ressentimento, às claras ou às escondidas. De certo modo, os homens que causavam a ofensa tinham de entrar no jogo, esquivando-se e se desviando da melhor forma possível, até que a ordem natural fosse restaurada e eles se vissem espancados até perder a consciência ou talvez com dedos e orelhas mais curtos.

Havia algo no envelhecimento que tinha roubado a paciência de Derry para esse tipo de jogo. Ele sabia que, se Somerset mandasse alguns rapazes fortes para agitar um pouco as coisas, sua resposta seria cortar a garganta do duque à noite. Se Derry Brewer havia aprendido alguma coisa nos anos de guerra era que duques e condes morriam com a mesma facilidade que plebeus.

Esse pensamento lhe trouxe a imagem do pai de Somerset, caído na rua em St. Albans. O velho duque havia sido um leão. Tiveram de derrubá-lo porque ele não cedeu.

— Que Deus o tenha, meu velho — murmurou Derry. — Maldição. *Tudo bem*, por você, ele está a salvo de mim. Mas mantenha o franguinho presunçoso longe do meu caminho, pode ser? — Ele ergueu os olhos para o céu e respirou fundo, torcendo para que a alma do velho amigo o escutasse.

Derry sentia cheiro de cinzas no ar, tocando o fundo de sua garganta como um dedo coberto de cera. Os batedores faziam com que novas linhas de fumaça e dor subissem à frente, levando dos celeiros quartos de animais e cabeças salgadas ou conduzindo bois que seriam abatidos na estrada. Ao fim de cada dia, a coluna da rainha chegava aos pontos mais distantes das terras à frente. Eles marchavam em torno de trinta quilômetros e, pela imagem de um capão se debatendo antes de ser assado e comido, permaneceriam cegos a mais alguns solares ou aldeias queimados, com todos os pecados ocultados em chamas e fuligem. Quinze mil soldados tinham de comer, Derry sabia disso, senão o exército da rainha iria se reduzir ao longo da estrada, fosse por deserção ou por morte nas valas verdes. Ainda assim, era difícil para ele.

O espião-mor continuou em frente com uma expressão de raiva no rosto, e baixou a mão para dar uns tapinhas no pescoço de Represália, primeiro e único cavalo que jamais teve. O animal idoso virou a cabeça para olhá-lo, à procura de uma cenoura. Derry mostrou as mãos vazias e Represália perdeu o interesse. À frente, a rainha e o filho cavalgavam com doze lordes, ainda empertigados de orgulho, embora semanas tivessem se passado desde a queda de York em Wakefield. O avanço para o sul não era uma grande corrida em busca de vingança, mas um movimento medido de forças, com cartas enviadas a partidários e inimigos todas as manhãs. Londres ficava à frente, e Margarida não queria que o marido fosse assassinado em silêncio enquanto ela se aproximava.

Recuperar o rei vivo não seria uma tarefa fácil, disso Derry tinha certeza. O conde de Warwick havia perdido o pai no Castelo de Sandal. Enquanto as terras continuassem geladas, e as noites, longas, Warwick sentiria a dor do pesar tanto quanto Eduardo, filho do próprio York. Dois rapazes furiosos perderam o pai na mesma batalha — e o destino do rei Henrique estava em suas mãos.

Derry tremeu ao se lembrar do grito de York no momento da execução: tudo que conseguiram foi libertar os filhos. Ele balançou a cabeça, limpando o catarro frio que havia pingado no alto do lábio superior e tinha endurecido. A velha guarda ia embora do mundo, um por um. Aqueles que ficavam no lugar não eram de uma estirpe tão boa, pelo que Derry Brewer podia dizer. Os bons estavam enterrados.

Um vento forte golpeava a lateral da tenda enquanto Warwick encarava seus dois irmãos e erguia a taça.

— Ao nosso pai.

João Neville e o bispo Jorge Neville repetiram as palavras e beberam, embora o vinho estivesse frio, e o dia, mais frio ainda. Warwick fechou os olhos numa breve oração pela alma do pai. Ao redor deles, o vento fazia a lona estalar e ondular, o que dava a impressão de que eram atacados por todos os lados, bem no meio da tempestade.

— Que tipo de louco vai à guerra no inverno, hein? — perguntou Warwick. — Este vinho é ruim, mas todo o resto já foi bebido. Pelo menos fico alegre de estar com vocês, seus dois grosseirões, sem nenhum *fingimento*. Sinto *saudade* do velho.

Ele pretendia continuar, mas uma onda súbita de pesar lhe causou um aperto na garganta e sua voz falhou. Apesar do esforço para respirar, ficou sem fôlego, e sua vista se embaçou de repente. Com enorme esforço, Warwick inspirou uma vez lentamente, depois outra, até perceber que conseguia voltar a falar. Durante todo esse tempo, os dois irmãos não disseram nada.

— Sinto saudade dos conselhos dele, do afeto — prosseguiu Warwick. — Sinto saudade do orgulho e até da decepção que sentia de mim, porque pelo menos ele estava aqui para senti-lo. — Os outros dois deram uma risadinha de algo que ambos conheceram. — Agora tudo é definitivo, sem mais mudanças. Não posso voltar atrás de nenhuma palavra nem fazer com que ele saiba de mais nada que fiz em seu nome.

— Deus ouvirá suas orações, Ricardo — disse o irmão Jorge. — Depois disso fica o mistério sagrado. Cometeríamos o pecado da soberba se acharmos que podemos descobrir o plano de Deus para nós ou para esta família. É impossível, irmão... E você não deve chorar pelos que só sentem alegria.

Warwick colocou a mão na nuca do bispo com afeto. Para sua surpresa, as palavras trouxeram um pouco de consolo. Ele se orgulhava do irmão mais novo.

— Tem notícias de York? — continuou Jorge Neville, a voz calma.

Dos três filhos de Neville, o bispo parecia ser quem menos tinha se abalado com a morte do pai, sem sinais da fúria que consumia João nem do desprezo lúgubre que fazia Warwick abrir os olhos toda manhã. O que quer que os aguardasse, havia um preço a pagar por todos os problemas, por toda a dor que suportaram.

— Eduardo não escreve — respondeu Warwick, mostrando sua irritação. — Eu sequer saberia que ele havia derrotado os Tudors se meus homens não capturassem e interrogassem os refugiados esfarrapados. Pela última notícia que tive, Eduardo de York estava sentado numa pilha de arqueiros galeses mortos, bebendo pela morte do pai e do irmão. Ele tem ignorado as mensagens que lhe mandei falando da falta terrível que faz aqui. Sei que ele só tem 18 anos, mas com a idade dele... — Warwick suspirou. — Às vezes acho que aquele tamanho todo esconde o menino que ele ainda é. Não consigo entender por que ele permanece em Gales e se entrega ao pesar enquanto a rainha

Margarida vem me confrontar aqui! Ele só se preocupa consigo, com sua própria fúria e tristeza nobres. Sinto que ele não se importa conosco nem com nosso pai. Compreendam-me, rapazes: digo isso a vocês e a ninguém mais.

João Neville havia se tornado barão de Montacute com a morte do pai. A ascensão era percebida na opulência da nova capa, nas calças grossas e nas botas de qualidade, compradas a crédito de alfaiates e sapateiros que emprestavam a um lorde como nunca emprestariam a um cavaleiro. Apesar das camadas de tecido quente, Montacute olhou de relance para as paredes enfunadas e estremeceu. Era difícil imaginar algum espião capaz de ouvir em meio ao tamborilar e ao assovio do vento, mas não custava nada demonstrar cautela.

— Se a ventania ficar mais forte, esta tenda será arrancada e levada por sobre o exército como um falcão — comentou Montacute. — Irmão, precisamos daquele garoto York, mesmo com toda a sua juventude. Estive com o rei Henrique esta manhã, enquanto ele entoava hinos e ladainhas debaixo do carvalho. Você sabia que um ferreiro pôs uma corda na perna dele?

Warwick desviou o olhar de seus pensamentos, e João Neville ergueu as mãos abertas para aliviar sua preocupação.

— Algemas não, irmão. Só uma corda com nós, uma trava para impedir que nosso inocente real saia perambulando por aí. Você fala do menino que há em Eduardo, mas pelo menos é um menino bom e forte, com disposição e firme em suas atitudes! Esse Henrique é uma criança chorona. Eu não conseguiria segui-lo.

— Silêncio, João — ordenou Warwick. — Henrique é o rei ungido, seja ele cego ou surdo, seja ele aleijado ou... simplório. Não há maldade nele. É como Adão antes da Queda... Não, como Abel antes que Caim o matasse por inveja e despeito. Dizer que foi amarrado traz vergonha sobre todos nós. Ordenarei que o libertem.

Warwick foi até as amarras da tenda e puxou os cordões até que uma aba aberta deixou o vento entrar. As folhas de papel num canto saíram voando como passarinhos, fugindo dos pesos de chumbo que as prendiam.

Quando a entrada se escancarou, os irmãos viram uma cena noturna que poderia ser uma pintura do inferno. St. Albans ficava logo ao sul. Diante da cidade, na escuridão iluminada por tochas, dez mil homens trabalhavam ao redor deles, construindo defesas em três grandes "batalhões" blindados de homens. Fogueiras e forjas se estendiam em todas as direções, como as estrelas no céu, embora oferecessem uma luz taciturna. A chuva se lançava sobre aquela multidão em fortes rajadas que a encharcavam ainda mais, deliciando-se com seu sofrimento. Acima de seu ruído ouviam-se os gritos dos homens, curvados sob vigas e pesos, conduzindo os bois que mugiam enquanto puxavam carroças pelas trilhas.

Warwick sentiu os dois irmãos ficarem ao seu lado, observando a atividade com ele. Umas duzentas barracas redondas formavam o centro do acampamento, todas voltadas para o norte, de onde sabiam que viria o exército da rainha Margarida.

Warwick voltava de Kent quando soube da morte do pai em Sandal. Havia tido um mês e meio desde aquele dia difícil para se preparar para o exército da rainha. Ela queria o marido, disso Warwick sabia muito bem. Apesar dos olhos vazios e de toda a fragilidade, Henrique ainda era o rei. Havia apenas uma coroa e um homem para reinar, mesmo que ele não entendesse nada disso.

— Toda vez que o sol nasce, vejo novas linhas de chuços e valas e...

O bispo Jorge Neville fez um gesto com as mãos, sem palavras para descrever as ferramentas e as máquinas de morte que o irmão tinha reunido. As fileiras de canhões eram apenas parte delas. Warwick havia consultado os armeiros de Londres em busca de qualquer aparelho cruel que já tivesse demonstrado seu valor em batalha — dos sete reinos bretões aos invasores romanos. O olhar dos três atravessou as redes com chuços, os estrepes, as armadilhas com valas e as torres. Era um campo de morte, pronto para receber uma grande hoste.

2

Margarida estava de pé à porta da tenda, observando o filho lutar com um garoto local. Ninguém tinha ideia de onde o garoto de olhos negros tinha vindo, mas ele havia passado a ficar grudado com Eduardo o tempo todo, e agora os dois se enfrentavam com varas empunhadas como espadas, chocando-as e grunhindo no chão molhado. Eduardo e o garoto bateram num suporte de armas e escudos, suas cores vivas no crepúsculo, os estandartes de vários lordes ondulando com a brisa.

Margarida viu Derry Brewer se aproximar; o espião-mor parecia em boa forma enquanto corria pelo mato alto. Eles escolheram um prado para acampar naquele dia, perto de um rio e com poucos morros à vista. Quinze mil homens eram praticamente uma cidade em movimento, com todos os cavalos, carroças e equipamento ocupando um espaço imenso. No fim do verão, teriam despido pomares e hortas cercadas, mas havia pouco a roubar no início de fevereiro. Os campos estavam escuros, a vida, escondida nas profundezas. Os homens começaram a se assemelhar a mendigos, com as roupas surradas parecendo trapos e os músculos enfraquecidos. Ninguém lutava no inverno, a menos que fosse para salvar um rei. A razão estava ao redor dela, na terra congelada.

Derry Brewer chegou à entrada da tenda da rainha e fez uma reverência. Margarida levantou a mão para que esperasse e ele se virou para observar o príncipe de Gales vencer o adversário, derrubando o menino mais fraco de costas no chão. O outro garoto guinchou como um gato sendo estrangulado.

Nem Derry nem a rainha disseram nada para interromper, e o príncipe Eduardo mudou o modo como segurava a vara e a enfiou pela defesa do garoto, afundando-a com força no peito do menino. O garoto se encolheu, enquanto o príncipe erguia a vara como uma lança, colocava a mão em concha em torno da boca e imitava um lobo. Derry sorriu para ele, surpreso e achando graça ao mesmo tempo. O pai do menino jamais havia demonstrado nenhuma gota de fervor marcial em toda a sua vida, e ali estava o filho, sentindo a onda de empolgação que surge apenas quando alguém se ergue acima de um homem vencido. Derry se lembrava bem da sensação. Ele viu Eduardo esticar o braço para ajudar o menino a se levantar e falou rapidamente:

— Príncipe Eduardo, talvez Vossa Alteza devesse permitir que ele se levante sozinho.

Derry pensava nos ringues de luta em Londres e falou sem pensar.

— Mestre Brewer? — indagou Margarida, os olhos reluzentes de orgulho.

— Ah, milady, os homens têm opiniões diferentes. Alguns chamam de honra demonstrar misericórdia pelos vencidos. Eu acho que é só mais uma forma de orgulho.

— Entendo... Então os homens *fariam* meu filho ajudar esse rapaz a se levantar? *Você*, fique onde está.

A última frase foi dirigida, com um dedo em riste, ao moleque em questão que tentava se levantar, seu rosto ardendo com a atenção. O menino ficou apavorado por uma dama tão nobre se dirigir a ele e caiu de volta na lama.

Derry sorriu para Margarida.

— Fariam, milady. Eles cumprimentariam o inimigo e mostrariam sua grandeza ao perdoar os pecados contra eles. O pai de seu marido costumava agir assim, milady. E é verdade que seus homens o amavam por isso. Há grandeza em atos como esse, algo que vai além da maioria de nós.

— E você, Derry? O que você faria? — perguntou Margarida com a voz suave.

— Ah, eu não sou um homem assim tão grande, milady. Talvez eu quebrasse um osso do meu oponente ou faria cócegas nele com a minha faca... Há lugares que não matam um homem, mas fazem um estrago bem grande. — Ele sorriu com a própria piada, a expressão sumindo aos poucos sob o olhar da rainha. Derry deu de ombros. — Se eu tivesse vencido, milady, não gostaria que o inimigo ficasse de pé, talvez ainda mais irritado que antes. Eu descobri que é melhor garantir que ele fique no chão.

Margarida inclinou a cabeça, satisfeita com a franqueza dele.

— Acho que é por isso que confio em você, mestre Brewer. Você entende essas coisas. Nunca vou perder para meus inimigos só para manter a honra, caso a honra seja o preço. Prefiro a vitória... e pago o preço.

Derry fechou os olhos por um instante, baixando a cabeça ao entender. Ele a conheceu quando ela era uma menina, mas Margarida foi temperada por conluios, batalhas e negociações, tornando-se uma mulher engenhosa e vingativa.

— Acredito que a senhora tenha falado com lorde Somerset, milady.

— Falei, Derry! Eu o escolhi para comandar meu exército, e não escolhi um tolo. Ah, eu sei que ele não gosta de pedir minha opinião, mas ele o fará se você o forçar. Creio que o jovem Somerset seja um pássaro feroz, de coração e nervos fortes. Os homens o adoram por seus rugidos. Mas o pai dele teria criado um tolo? Não. Ele acredita que você teria nos retardado no norte para juntar comida em vez de tomá-la, esse tipo de preocupação. Milorde Somerset só pensa em chegar a Londres e manter os homens fortes. Não há nada de errado em cuidar bem do meu exército, Derry.

Enquanto a rainha falava, Derry escondeu a surpresa. Ele não esperava que Somerset engolisse seu orgulho de rapaz e pedisse a Margarida que decidisse o assunto. Isso indicava uma lealdade e uma maturidade que, estranhamente, deram esperança a Derry.

— Milady, Warwick é mais forte no sul. Seus seguidores, em sua maior parte, são homens de Kent e de Sussex, esses condados rebeldes e esquecidos por Deus. Temos de vencê-los e recuperar seu marido ou...

Seus olhos vaguearam até os dois meninos quando as varas voltaram a se chocar. Se o rei Henrique não sobrevivesse, quase toda a casa de Lancaster seria o príncipe de 7 anos com um galo acima do olho, um garoto que, naquele momento, tentava com todas as forças estrangular o adversário até a morte.

O olhar de Margarida acompanhou o dele e voltou, as sobrancelhas erguidas numa pergunta.

— Aconteça o que acontecer — disse Derry —, o rei terá de governar a Inglaterra em paz a partir desse dia, milady. Com a história certa nos ouvidos certos, o rei Henrique poderia ser... Artur de volta de Avalon, Ricardo de volta das Cruzadas. Poderia ser o rei ungido e restaurado... ou outro rei João Sem-Terra, milady, com histórias sombrias em seu encalço como sombras. Deixamos um rastro de destruição com metade do comprimento da Inglaterra. Centenas de quilômetros de mortes e roubos, e todos os que nos amaldiçoaram passarão fome agora. Crianças como esses meninos morrerão porque nossos homens roubaram seus animais e comeram sua colheita de cereais sem lhes deixar nada para plantar na primavera!

Com a indignação, Derry se soltou da pressão da mão da rainha no antebraço. Enquanto falava, ele observava os meninos rolando na lama em vez de se dirigir diretamente a Margarida. Então se virou para ela e viu certeza e resignação em seus olhos.

— Eu... não posso pagar os homens, Derry. E a situação continuará assim até chegarmos a Londres, e talvez não mude nem lá. Eles com certeza vão voltar a lutar antes que eu tenha moedas suficientes para encher seus bolsos, e quem sabe como isso se desenrolará? Enquanto não são pagos, você sabe que eles esperam liberdade, como cães de caça, esperam saquear pelo caminho.

— Foi isso que Somerset disse? — retrucou Derry, a voz fria. — Se ele é um senhor assim tão bom, que segure esses cães pela nuca...

— Não, Derry. Você é o conselheiro em quem mais confio e sabe disso. Desta vez, você está pedindo demais. Estou com antolhos, Derry. Só vejo Londres à frente e mais nada.

— Então a senhora não sente o cheiro de fumaça no ar nem ouve os gritos das mulheres? — perguntou Derry.

Era imprudente questioná-la dessa maneira, apesar de toda a sua longa associação. Viu pontos rosados surgirem na face da rainha e se espalharem num rubor que cobriu sua pele até o pescoço. O tempo todo, Margarida o encarava como se ele guardasse os segredos do mundo.

— Este é um inverno rigoroso, mestre Brewer, e ainda não terminou. Se for preciso desviar os olhos do mal para recuperar meu marido e o trono, serei cega e surda. E você, mudo.

Derry respirou fundo.

— Milady, estou ficando velho. Às vezes acho que meu trabalho é mais adequado a um homem mais jovem.

— Derry, por favor. Eu não queria ofendê-lo.

O espião-mor ergueu a mão.

— E não me senti ofendido; nem deixaria a senhora sem a teia que passei tanto tempo tecendo. Milady, às vezes corro grandes perigos em meu serviço. Não digo isso para me gabar, mas apenas como uma constatação da verdade. Encontro homens desagradáveis em lugares escuros, e faço isso todo dia. Se algum dia eu *não* retornar, a senhora deve saber tudo o que preparei para acontecer em seguida.

Margarida o observou com olhos grandes e escuros, fascinada com o desconforto de Derry, parado diante dela como um menino nervoso, torcendo as mãos na altura da cintura.

— Milady, existe a possibilidade de que a senhora mesma corra perigo se me pegarem. Outro então virá procurá-la, trazendo palavras que a senhora conhecerá.

— Como será esse seu homem? — sussurrou Margarida.

— Não sei dizer, milady. São três. Jovens, inteligentes e totalmente leais. Um deles vai sobreviver e tomar as rédeas se eu as largar.

— Então você vai fazer com que eles se matem para ficar ao meu lado? — indagou Margarida.

— É claro, milady. Nada tem valor, a menos que seja conquistado com dificuldade.

— Muito bem. E como saberei que posso confiar no seu homem?

Derry sorriu com a rapidez do raciocínio dela.

— Algumas palavras, milady, que significam algo para mim.

Ele parou, olhando para o passado através dela — e para o futuro, enquanto imaginava a própria morte. Derry balançou a cabeça, incomodado.

— Alice, a esposa de William de la Pole, ainda está viva, milady. O avô dela talvez tenha sido o primeiro erudito de toda a Inglaterra, mas nunca tive a oportunidade de conhecer o velho Chaucer. Ela usou um verso dele para se referir a mim certa vez. Quando lhe perguntei o que queria dizer, ela disse que não era importante e que eu não deveria me sentir ofendido. Mas guardei aquela frase na memória. Ela disse que eu era "o sorridente com a faca sob a capa". Acho que é uma descrição justa do meu trabalho, milady.

Margarida estremeceu, esfregando um braço no outro.

— Você faz minha pele se arrepiar com esse verso, Derry, mas será como diz. Se alguém me procurar e disser essas palavras, lhe darei ouvidos. — Os olhos dela faiscaram, a expressão no rosto endurecendo. — Em sua *homenagem*, Derry Brewer. Você conquistou minha confiança, e não é qualquer um que a recebe.

Derry baixou a cabeça, lembrando-se da mocinha francesa que havia atravessado o canal para se casar com o rei Henrique. Com 30 anos, Margarida ainda era esguia e de pele clara, com o cabelo castanho e longo preso numa trança com uma fita vermelha. Por causa da raridade que era ter passado por apenas uma gestação, não era uma velha égua de carga com as costas curvadas, como tantas mulheres da mesma idade. Não tinha perdido a cintura fina e musculosa que a mantinha ágil. Para quem havia conhecido tanta dor e perda, Margarida tinha envelhecido bem aos olhos de qualquer um. Derry, no entanto, a via com a experiência de dezesseis anos ao seu lado. Havia nela certa dureza, e ele não sabia se a louvava ou lamentava. Havia um grande poder na perda da inocência, principalmente nas mulheres. Elas se tornavam melhores depois disso, apesar das manchas vermelhas em suas roupas íntimas todo mês. Derry sabia que as mulheres escondiam essas coisas. Talvez fosse o âmago dos segredos e da vida privada delas. Elas tinham de esconder sangue — e compreendiam isso.

3

Derry Brewer sentiu o vinho temperado aquecer a barriga e o peito, aliviando algumas dores. O cavaleiro diante dele fez que sim devagar e se recostou no banco, sabendo muito bem a importância da notícia. Estavam sentados no canto de uma taverna tumultuada, com soldados em pé se apertando por todo lado. O estabelecimento já havia chegado ao ponto em que servia borra e cerveja ruim, enquanto homens esperançosos na estrada ainda olhavam lá para dentro.

Derry tinha escolhido a estalagem para o encontro, sabendo que seus nobres senhores pouco entendiam seu trabalho. Parecia não lhes ocorrer que um homem podia ir de um exército ao outro e passar informações absolutamente vitais. Derry se recostou nas tábuas de carvalho do canto, olhando para Sir Arthur Lovelace, sem dúvida seu informante mais arrogante. Sob o escrutínio de Derry, o homenzinho alisou o bigode floreado que caía sobre os lábios e que devia fazer com que qualquer coisa que fosse enfiada naquela boca contivesse pelos. Eles se conheceram depois da batalha de Sandal, quando Lovelace era um dos cem cavaleiros e comandantes derrotados que Derry havia chamado a um canto. O espião-mor tinha dado algumas moedas aos homens que não possuíam nenhuma e alguns aconselhamentos a quem quisesse escutar. O fato de o espião-mor estar no séquito do rei Henrique havia ajudado. Ninguém poderia duvidar da lealdade de Brewer — nem questionar a correção de sua causa, não depois daquela vitória.

Em consequência do incentivo de Derry, vários soldados de York foram convencidos a se demorar em Sheffield com o exército da rainha e se unir aos homens contra os quais lutaram. Talvez parecesse loucura, se os homens não precisassem comer e ser pagos. Quando se revelou que não seriam pagos, talvez aí se revelasse uma loucura. Centenas daquele exército ajudaram a saquear cidades leais a York só para encher a bolsa e a pança.

Lovelace não usava cores, nenhum tabardo nem armadura pintada que o destacassem e talvez o entregassem quando atravessasse o acampamento. Ele havia recebido uma senha e sabia perguntar por Derry Brewer. Isso bastaria para que ele passasse por guardas inquisitivos, mas a verdade era que tinha chegado ao centro do exército da rainha Margarida sem ser questionado nenhuma vez. Em outra ocasião, isso irritaria o espião-mor e o faria chamar os capitães do exército para explicar *novamente* a importância de manter espiões e assassinos longe de onde pudessem causar danos indizíveis.

Lovelace se inclinou para a frente, sua voz um murmúrio empolgado. Derry sentia o cheiro do suor do homem enquanto o calor dele emanava quase incandescente. O cavaleiro havia cavalgado muito para chegar ao espião-mor do rei levando o que sabia.

— O que lhe contei é *fundamental*, mestre Brewer, entende? Entreguei ao senhor Warwick depenado, untado e amarrado, prontinho para o espeto.

— O Marinheiro — disse Derry, ausente, enquanto pensava.

Warwick havia sido comandante de Calais diversas vezes por anos, e diziam que amava o mar e os barcos que o singravam. Lovelace tinha concordado em não usar nomes de homens importantes, mas é claro que se esquecia disso o tempo todo. Nessas ocasiões, Derry preferia agir como se seu pior inimigo estivesse ao seu lado, pronto para transmitir tudo o que pudesse descobrir.

A estalagem estava ficando menos amistosa conforme os soldados bebiam todo o estoque. No tumulto e no aperto, de repente um homem ruivo desconhecido caiu sobre a mesinha deles, indo na direção de Derry e evitando a queda estendendo ambos os braços diante do espião-mor. O homem deu uma gargalhada. Estava se virando para reclamar com quem o havia empurrado quando sentiu o fio de metal frio que Derry encostou em sua garganta e sua voz sumiu.

— Cuidado aí, filho — murmurou Derry em seu ouvido. — Circulando.

Ele deu um empurrão no soldado e o observou sumir na multidão, de olhos arregalados. Apenas um acidente, portanto. Não um daqueles "acidentes" tão trágicos, mas que, em última análise, são apenas a vontade de Deus, e que azar ele ter caído em cima da lâmina, e Brewer está no chão gelado, e vamos continuar com nossa vida alegre, lembrando-nos dele com frequência e carinho...

— Brewer? — chamou Lovelace, estalando os dedos no ar.

Derry piscou com irritação.

— O que foi? O senhor passou sua informação, e, se estiver dizendo a verdade, ela é útil para mim.

Lovelace se inclinou ainda mais para perto, e Derry sentiu o cheiro de cebola de seu hálito.

— Eu não traí o "Marinheiro" por nada, mestre Brewer. Quando nos encontramos na taverna de Sheffield, o senhor foi muito generoso com moedas de prata e promessas. — Lovelace respirou fundo, a voz trêmula de esperança. — Eu me recordo de que o senhor mencionou o condado de Kent ainda vazio, sem nenhum homem leal por lá para cobrar impostos e dízimos para o rei. O senhor me disse então que mesmo um fruto tão bom e doce poderia ser a recompensa para quem entregasse Warwick.

— Entendo.

Ele só estava esperando pelo ardil de Lovelace, fingindo não ter entendido suas intenções. Em parte, porque o cavaleiro tolo havia usado o nome de Warwick mais uma vez, embora estivessem cercados por tanta gente, que homens se curvavam sobre eles e um quase tinha acabado no colo de Derry.

— E eu fiz isso! — exclamou Lovelace, enrubescendo e ficando com o pescoço e o rosto um pouco inchados. — Então suas promessas não têm valor?

— Eu lhe avisei que viesse a este campo sem bandeira, sem tabardo nem pintura no escudo que pudesse ser lembrada. O senhor passou por dez mil homens para chegar a esta estalagem. Nenhum deles o pegou pelo braço e quis saber quem era o senhor?

Lovelace fez que não, desencorajado pela intensidade das palavras do espião-mor.

— E, bom cavaleiro, já lhe ocorreu que, se conseguiu vir até mim, eu poderia ter homens perambulando pelo acampamento que o senhor deixou para trás? Que eu poderia ter vários camaradas no sul, carregando água e polindo armaduras, só observando, contando e registrando o tempo todo? Ora, o senhor pensou que eu estava cego sem seus olhos?

Derry observou a esperança escoar do cavaleiro à frente, a ponto de Lovelace se curvar no assento. Tornar-se conde, um companheiro do rei, ora, essa era uma fantasia impossível para um soldado comum ou mesmo para um cavaleiro com uma casa senhorial e algumas terras arrendadas. No entanto, em tempo de guerra, coisas mais estranhas já aconteceram. Derry imaginou que Lovelace tinha esposa e filhos em algum lugar, todos dependendo de seu soldo, de sua inteligência e talvez de um pouco de sorte.

A pobreza era uma mestra exigente. Derry observou com mais atenção o cavaleiro desapontado e viu o desgaste de sua capa. Perguntou-se se a barba desalinhada era apenas resultado da falta de dinheiro para pagar alguém para cortá-la. Derry suspirou. Quando jovem, ele se levantaria, daria um tapinha no ombro de Lovelace e o deixaria ali, para ser espancado e roubado quando saísse ou o que quer que lhe acontecesse.

Em vez disso, furioso, Derry sabia que a idade havia suavizado suas arestas mais duras, e ele tinha passado a ver e ouvir a dor dos outros — e dificilmente ainda ria dela. Talvez estivesse na hora de se aposentar. Seus três rapazes estavam dispostos a lutar se ele não voltasse para casa alguma noite. Em teoria, nenhum sabia o nome dos outros, mas ele apostaria sua última moeda que os três descobririam. Uma boa maneira de escapar de um golpe é matar o homem que empunha a lâmina. Os homens do ramo de Derry sabiam que o melhor era matar o homem antes mesmo que ele soubesse que era seu inimigo.

Nenhum desses pensamentos apareceu em sua expressão enquanto Derry observava Lovelace, o homem ainda tentando fazer as pazes com o fato de que tinha vendido Warwick por apenas uma caneca de cerveja preta. O espião-mor não ousaria deixar prata ou ouro na mesa com tantos soldados em volta. Se o fizesse, sabia que seria melhor derrubar Lovelace ele mesmo e poupar as moedas. Em vez disso, ele esticou o braço e segurou a mão de Lovelace, pondo nela meia moeda de ouro. Viu os olhos do pobre cavaleiro se apertarem de alívio e vergonha quando se voltaram para a mão. Era uma moeda pequena, mas compraria algumas refeições ou, talvez, uma capa nova.

— Fique com Deus, filho — disse Derry, levantando-se para partir. — Confie no rei, que você não errará.

Era uma noite de lua nova, mas Eduardo de York conseguia ver as mãos à luz das estrelas. Ele virou a mão esquerda diante do rosto, observando os dedos se mexerem como uma asa branca. York estava sentado num penhasco galês cujo nome não tinha se dado ao trabalho de perguntar. Seus pés balançavam no vazio, e, quando deslocou uma pedra, ela caiu para sempre, parecendo nunca chegar ao fundo. A profundeza se abria abaixo de seus pés, mas a escuridão era tão densa, que ele teve a sensação de que quase conseguiria pisar nela.

Eduardo sorriu meio bêbado com a ideia, esticando um pé e tateando com ele, como se pudesse encontrar uma ponte de sombras que o levaria por sobre o vale. A ação fez seu peso se deslocar da borda do penhasco e ele se debateu de repente num espasmo, mas o pânico se foi tão rapidamente quanto surgiu. Ele *não* cairia, tinha certeza. Podia ter bebido uma quantidade de álcool que mataria um homem pequeno, mas Deus o impediria de cair de uma pedra galesa. Seu fim não era ali, não com tudo o que ainda tinha a fazer. Eduardo fez que sim, a cabeça tão pesada que continuou oscilando para cima e para baixo por muito mais tempo do que ele pretendia.

Ouviu os passos e os sussurros de dois de seus homens que conversavam uns dez passos atrás dele. Lentamente, Eduardo ergueu a cabeça, percebendo que eles não conseguiriam vê-lo na escuridão que havia perto do chão. Com seus braços e pernas brancos como neve, achou que talvez parecesse um espírito. Em outro momento, talvez se levantasse de repente com um grande uivo, só para fazê-los sair correndo aos gritos, mas estava com o humor sombrio demais para isso. A noite ao redor se instalou nele ao tocar em seus braços. Sem dúvida era por isso que via a pele tão branca: ela havia sugado a escuridão e ainda a sugava, preenchendo-o completamente. A ideia era bela, e Eduardo ficou ali sentado, pensando, enquanto os homens conversavam.

— Eu não gosto deste lugar, Bron. Não gosto dos morros, da chuva nem dos malditos galeses. Eles zombam de nós em suas cabaninhas. Eles também são ladrões, roubam tudo o que não estiver bem amarrado. O velho Sem Nariz perdeu uma sela dois dias atrás, e ela não saiu andando sozinha. Esse não é um bom lugar para ficar, mas ainda estamos aqui.

— Bom, se você fosse duque, parceiro, talvez nos levasse de volta à Inglaterra. Até lá, esperamos mestre York dizer que devemos ir. Estou contente, devo dizer. Não, parceiro, mais que contente. Prefiro estar sentado aqui a marchando ou lutando na Inglaterra. Deixe o grandalhão afogar o luto pelo pai e pelo irmão. O velho duque era um bom homem. Se ele fosse meu pai, eu também passaria o dia inteiro bebendo. Ele vai sair dessa bem ou então seu coração vai explodir. Não há por que se preocupar com o que acontecerá.

Eduardo de York estreitou os olhos na direção da dupla. Um deles estava encostado numa pedra, fundido a ela como uma grande sombra. O outro estava de pé, olhando para o campo de estrelas que ardia ao norte enquanto a noite avançava. York ficou irritado porque seu luto, sua dor particular, era discutida por meros cavaleiros e piqueiros como se falassem do clima ou do preço do pão. Ele começou a se levantar, quase caindo da borda quando se pôs de pé, e ali ficou, cambaleando.

Com mais de um metro e noventa de altura, York era uma figura imensa, de longe o maior homem de seu exército. Ele tampava um bom pedaço do céu, e os dois homens ficaram paralisados ao perceber a aparição calada ali de pé, assomando escura contra a escuridão, delineada por estrelas.

— Quem são vocês para dizer como mostrar minha tristeza, hein? — indagou Eduardo, a voz arrastada.

Os homens reagiram com pânico total, virando-se ao mesmo tempo, correndo para o alto do morro e descendo a encosta do outro lado, menos íngreme. Eduardo vociferou palavras incoerentes atrás deles, dando alguns passos cambaleantes, e caiu ao virar o pé numa pedra que não tinha visto. Ele começou a vomitar, vinho velho e um destilado misturados no ácido, com tanta violência que sua pele ardia.

— Eu vou encontrar vocês! Eu vou encontrar *vocês*, seus filhos da puta insolentes...

Ele rolou de costas e caiu no sono, meio consciente de que não os reconheceria. York roncou alto com uma montanha galesa embaixo, ancorando-o à terra enquanto o céu girava lá em cima.

Chovia quando os lordes de Margarida se reuniram, o aguaceiro sibilando na lona e fazendo os mastros rangerem com o peso do pano encharcado. Derry Brewer cruzou os braços, olhando para o rosto dos comandantes mais graduados da rainha. Henrique Percy havia perdido mais que todos que estavam dentro daquela grande estrutura. O conde de Northumberland carregava a família no rosto: o grande nariz Percy o destacava em qualquer grupo. O preço que a família Percy tinha pagado garantiu ao jovem conde certa gravidade entre eles — aos olhos de Derry, a perda do pai e do irmão o fizeram amadurecer, de modo que ele raramente falava sem pensar e usava sua dignidade como uma capa em torno dos ombros. O conde Percy poderia facilmente comandá-los contra Warwick, mas o ainda menos experiente Somerset tinha sido colocado no comando. Derry se permitiu dar uma olhada na rainha, sentada com muito recato no canto, ainda esguia e de faces rosadas. Se fosse verdade que a rainha tinha se valido de Somerset nos meses de ausência do marido, ela havia sido extraordinariamente discreta. Somerset ainda era solteiro aos 25 anos, algo tão raro que por si só já chamava a atenção. Derry sabia que devia aconselhar o duque a desposar alguma novilha bem-disposta e produzir bons bebês gorduchos antes que línguas demais se agitassem.

Seis barões menores se reuniram com a convocação da rainha. Derry gostou de ver lorde Clifford entre eles nos bancos, onde se sentavam como garotos irrequietos chamados para a aula. Clifford tinha matado o filho de York em Wakefield e depois havia brandido a adaga ensanguentada para o pai, demonstrando seu triunfo e seu desdém. Seria difícil gostar do homem depois disso, mesmo se ele fosse um modelo de virtude. No caso, Derry achava Clifford ao mesmo tempo fraco e pomposo: um idiota vazio.

Era estranho como a história da morte do filho de York tinha se espalhado tanto e tão depressa, quase com asas próprias, de modo que a teia de informantes de Derry havia relatado tê-la ouvido muitas vezes desde então. A rainha também ia para o sul com um exército de nortistas que uivavam e latiam, acompanhado por selvagens pintados das montanhas escocesas. Aparentemente, ela havia cortado cabeças e marcado seus homens com o sangue de York, deliciando-se com a destruição de meninos inocentes. As histórias foram bem plantadas, e tudo que Derry podia fazer era imaginar se havia uma mente como a sua por trás delas ou se era apenas a crueldade irrefletida de boatos e fofocas.

O escriturário de Derry havia terminado de ler a longa descrição das forças de Warwick, recolhida de uns dez homens como Lovelace para montar um quadro que Derry acreditava ser bastante preciso. As posições mudariam, e sem dúvida o movimento dos exércitos poderia alterar a batalha inteira antes que começasse, mas por enquanto ele estava confiante. Warwick tinha se entrincheirado. Ele *não poderia* se mover de novo. O espião-mor agradeceu ao seu homem assentindo com a cabeça e aguardou para discutir ou defender suas conclusões.

Foi o barão Clifford quem decidiu questioná-lo, vociferando o suficiente para fazer Derry rilhar os dentes.

— Você quer que nós desloquemos o exército como peças num tabuleiro, Brewer? É assim que você acha que a guerra deve ser travada?

Derry percebeu o "nós". Durante seis anos, Clifford vinha tentando se incluir nas fileiras dos nobres que perderam o pai, ao lado do conde Percy de Northumberland e Somerset. Aqueles dois não pareciam vê-lo com maus olhos mas também não lhe demonstravam nenhuma cordialidade especial, até onde Derry sabia. Ele não respondeu às primeiras perguntas de Clifford, desconfiando de que fossem retóricas. Decidiu deixar que o barão se desgastasse.

— E então? Espiões e ladrões sorrateiros deveriam decidir como um exército real vai a combate? — indagou Clifford. — Acho que nunca ouvi nada parecido! Pelo que você diz, parece que *Warwick* é quem entende o que é honra, mesmo que você não! Você diz que ele se posicionou na estrada para Londres para nos desafiar. Sim! É *assim* que homens de honra vão à guerra, Brewer: sem subterfúgios sorrateiros, sem mentiras nem traições. Estou horrorizado com o que ouvi aqui hoje, estou mesmo.

Para irritação de Derry, Margarida se manteve calada. Ela havia experimentado um pouco da alegria e do pesar do comando direto no extremo norte e não tinha achado de seu agrado. Além disso, ele acreditava que Somerset havia apresentado algum argumento particular para que ela cedesse a sua autoridade. Era Somerset quem ele teria de convencer, não Clifford, nem mesmo o conde Percy, embora fosse mais fácil se um deles concordasse com o rumo que Derry havia delineado.

— Milorde Clifford — começou Derry. Ele poderia não dizer que o homem era um simplório pomposo, porém falou mais devagar para ser compreendido. — Com seu treinamento e experiência, o senhor sabe que já foram travadas batalhas em que um dos lados movimentou seus homens antes que as armas se chocassem. Fortalezas já foram tomadas pelos flancos, milorde. Isso é tudo o que propus. Minha tarefa, minha responsabilidade, é oferecer aos milordes todas as informações de que possam precisar.

Clifford abriu a boca para falar, mas Derry prosseguiu, forçando-se a manter uma calma ainda mais fria.

— Milorde, Warwick fez da estrada de Londres uma fortaleza, com canhões e redes farpadas, diques, contrafortes e tudo mais que os homens têm de superar para dar um passo além dele. Todos os meus relatórios... — Ele parou quando Clifford bufou. — *Todos* os meus relatórios dizem que ele está virado para o norte, milordes. Que ele dispôs lanças e canhões para destruir um inimigo vindo do norte. O *mais simples* bom senso diz que devemos contorná-lo e evitar a pior parte de suas defesas.

— E demonstrar *medo* de uma força menor! — retrucou Clifford, exasperado. — Mostrar aos nossos camaradas que levamos os cães Neville a sério, que respeitamos traidores e os tratamos como iguais, e não como vespas mortas a serem varridas e queimadas. Nesses mesmos relatórios, mestre Brewer, consta que temos cinco *mil* homens a mais em campo! Vai negar isso? Os nossos são os vitoriosos contra York! Somos mais numerosos que os agricultores de Kent e os mendigos de Londres que estão com Warwick, e você quer que nos esquivemos como um menino que rouba maçãs? Digo a todos os senhores: onde está a *honra* disso?

— O senhor formula belas frases, milorde Clifford — respondeu Derry, a voz e o sorriso se enrijecendo —, mas temos aqui a oportunidade de manter a vida dos homens que o senhor comanda... de causar dano a Warwick ou mesmo destruí-lo sem lançar suas fileiras para a morte nas defesas que ele ergueu. Milorde, vejo *pouca* honra em...

— Acredito que já basta, mestre Brewer — murmurou Somerset, erguendo a mão. — Seu argumento não fica mais forte se for repetido. Tenho certeza de que compreendemos a ideia principal.

— Sim, milorde. Obrigado.

Ele se sentou numa cadeira bamba, fazendo uma careta ao sentir uma fisgada no joelho direito, que ameaçou ter uma cãibra. Estava com frio, dolorido e farto de discutir com idiotas e jovens superiores a ele. Havia passado tanto tempo longe do rei Henrique, que a fonte de sua autoridade tinha secado. Houve um tempo em que todos os homens temiam Derry Brewer por sua ligação com os poderosos — e com a própria fonte do poder. Agora, ele tinha de discutir com imbecis como Clifford, que precisavam de alguém para baixar o nariz empinado.

— Eu não tenho o exército de Warwick — declarou Somerset.

— É claro que não! — murmurou Clifford, silenciado por uma olhadela.

— É verdade que eles tiveram um mês, mais ou menos, para preparar as defesas enquanto nós marchamos para o sul lentos como um bando de lavadeiras. — Somerset ergueu a mão para sufocar um murmúrio crescente de objeção. — Paz, cavalheiros. Sei que os homens têm de se alimentar, mas o resultado é que Warwick ganhou tempo. E, com sua riqueza, não duvido que ele tenha aproveitado os recursos de Londres. Além disso, ele tem o rei Henrique e um estranho tipo de... influência por isso. Embora o rei seja prisioneiro, acredito que todos saibamos que ele não está chorando nem tentando escapar. Ainda assim, apesar de tudo, eles são uma força pequena demais de rapazes de Kent e Londres, e alguns de Sussex e Essex. Eu não tenho *esse* exército, mas é claro que há outro.

Somerset observou os homens ali reunidos, e sua atenção repousou rapidamente em Margarida, embora ela não desviasse o olhar que mantinha nas mãos dispostas no colo.

— Eduardo, o filho de York... Devo chamá-lo de York agora? Ele, que era o conde de March, que tinha apenas alguns milhares de homens em Gales e mesmo assim conseguiu derrotar as forças de três Tudors, matando o pai e dispersando os filhos. Talvez ele não tenha recrutado outros sob seu estandarte depois daquela vitória, embora haja homens descontentes em todo o reino que podem se juntar a ele se forem chamados. York é uma casa real e ele pode nos ameaçar. Se York se juntar a Warwick, eles serão páreo para nós; sem dúvida, um número próximo demais do nosso efetivo para nos sentirmos confortáveis. — Ele balançou a cabeça. — Como Warwick, eu gostaria de um inimigo diante de mim, disposto a lutar e morrer, mas, com o tempo, não há dúvida de que o filho de York virá contra nós... e poderá atingir nosso flanco.

Somerset parou para respirar e olhou em volta.

— Milordes, milady, mestre Brewer, não podemos dançar com Warwick e ser pegos entre os dois. Não podemos deixar que ele escolha a música. Se os informantes de mestre Brewer trouxeram a notícia de uma fortaleza com o flanco vulnerável, minha ordem será aproveitar qualquer vantagem que nos ofereçam. Não vejo nenhuma honra em mandar milhares de homens para a morte contra uma posição bastante fortificada, lorde Clifford. César movimentou seu exército em campanha. Talvez nestes mesmos campos, João!

Derry viu Clifford sorrir e baixar a cabeça. Por alguma razão, de repente ele não suportou ver aquele homem à vontade naquela companhia. Podia ser outro aspecto da velhice, mas o espião-mor não conseguiu deixar o momento passar.

— Se me permite explicar ao barão Clifford, milorde, há uma diferença entre matar um menino ferido em fuga e atacar uma defesa maciça que...

— Brewer! Dobre a *língua*! — interveio Somerset antes que Clifford conseguisse fazer mais do que encará-lo em choque. — Não, saia! Como *ousa* falar dessa maneira na minha frente! Pensarei em sua punição. *Fora*!

Derry fez uma profunda reverência a Margarida, mais furioso consigo do que com os outros na tenda. Ele encontrou alguma satisfação sombria em dar voz ao crime de Clifford. O filho de York tinha 17 anos e não ameaçava ninguém quando tentou fugir do campo de batalha de Sandal. Derry não sabia se o rapaz havia sido ferido, mas acrescentou o detalhe para que Clifford parecesse ainda mais o homem arrogante, violento e desdenhoso que realmente era. Era dessa maneira que as histórias cresciam.

Derry manteve as costas rígidas ao sair da tenda, sabendo que tinha ido longe demais. No ar mais frio, conforme a raiva se desfazia, sentiu-se velho e cansado. Clifford poderia desafiá-lo, embora Derry desconfiasse de que o barão não se rebaixaria nem correria o risco de participar de um duelo diante de testemunhas. Os melhores anos de Derry tinham ficado para trás, isso era certo, mas ele ainda transformaria Clifford numa pasta sem cérebro se tivesse a oportunidade, e o barão sabia disso. Não, seria uma faca no escuro, ou bigodes de gato na comida para fazê-lo vomitar sangue.

Derry ergueu miseravelmente os olhos para a torre da capela da aldeia, construída em terras pertencentes à família Stokker de Wyboston. Não era alta o suficiente para protegê-lo de homens violentos que o procurassem à noite. Seria preciso permanecer acordado e acompanhado. Ele não se amaldiçoou por ofender Clifford nem Somerset. Desde a morte de York, havia uma ausência de poder ao redor de Margarida. Com o principal inimigo morto e o marido ainda em cativeiro, ela tinha perdido um pouco da ferocidade que a havia impelido durante anos, quase como se não soubesse direito como continuar. Nesse vazio, surgiram homens como Somerset, jovens inteligentes e ambiciosos que enxergavam longe no futuro. Sujeitos mais fracos como Clifford não faziam mais do que escolher um campeão para lisonjear.

Era difícil não ter esperanças, e Derry sabia. York estava morto, assim como Salisbury, depois de anos com as mãos no trono, como se tivessem algum maldito direito a ele. A perda do rei Henrique era a única ponta solta: um pobre inocente preso por homens com todos os motivos para odiá-lo. A verdade era que, se Henrique fosse morto, sua rainha não choraria por muito tempo. Derry via como os olhos dela se iluminavam quando pousavam em Somerset. Era difícil não notar quando se tentava ver.

4

O anoitecer trouxe um vento gelado, ainda mais frio que o dia. Arqueado contra as rajadas gélidas, o exército da rainha se afastou da estrada de Londres. Por ordem de Somerset, os homens deixaram as pedras planas e largas e seguiram para o oeste, com as botas esmagando a terra gelada. Batedores os aguardavam a cavalo, agitando tochas para mantê-los no caminho certo, perto da cidade de Dunstable. Essa havia sido uma sugestão de Derry para fazer quinze mil homens desaparecerem da noite para o dia enquanto os batedores de Warwick aguardavam em vão seu primeiro vislumbre na estrada para o sul.

Nos dias passados desde que Derry tinha visto lorde Clifford se reduzir a um homem frustrado e enrubescido, ninguém havia se aproximado do espião-mor nem o tinha ameaçado. No entanto, ele não relaxara a vigilância, pois conhecia muito bem homens como Clifford e seu despeito. Também não houve notícias de Somerset, como se o jovem duque preferisse apenas ignorar e esquecer qualquer insulto que tivesse testemunhado. Derry sabia que, se Somerset mudasse de ideia, o resultado seria algo como um açoitamento em público, realizado sem embaraço, na presença dos homens. Clifford não tinha autoridade nem hombridade para arranjar uma coisa dessas. Dele, Derry esperava um ataque quando estivesse distraído. Em consequência, sem intenções claras e definidas, Derry havia começado a planejar o desaparecimento silencioso do homem. Mas, até para um espião-mor, remover do mundo um barão do rei não era uma tarefa fácil.

As fileiras de homens em marcha despertaram os aterrorizados habitantes de Dunstable com um desfile de tochas e a exigência já cansativa de "entregar vitualhas ou animais de criação". Não era como se restasse muito ao povo da cidade no fim do inverno. A maior parte do estoque tinha sido consumida durante os meses mais difíceis.

Dessa vez, a rainha Margarida e o filho estavam ali, a cavalo, para supervisionar a passagem do exército pela cidade. Não haveria destruição na presença dela, pelo menos à luz das tochas. Derry não tinha dúvida de que, por causa disso, os homens não conseguiriam recolher tantos bens. Ele ouviu alguém gritar numa rua distante e teria mandado alguns rapazes para lá com porretes se Somerset não reagisse primeiro e desse a ordem. Uns dez homens foram levados para a estrada principal, gritando enquanto eram golpeados e açoitados. Alguns ergueram a voz para reclamar até que um dos capitães, furioso, disse que, se quisesse, poderia considerá-los desertores. Isso os calou como uma mordaça. As penas por deserção pretendiam desestimular quem pensasse em fazê-lo, talvez nas horas escuras e frias de um turno de vigia no inverno. Fazia-se muita menção a ferro e fogo nessas tradições, decoradas e recitadas por homens que não sabiam ler nem escrever.

As noites de fevereiro eram longas a ponto de esconder a maioria dos pecados. Quando o exército inundou Dunstable, todas as lojas e casas da rua principal foram despojadas de comida. O ar era dominado por vozes chorosas, e o último dos soldados seguiu caminhando de cabeça baixa contra o vento, as armas seguras em mãos dormentes.

Fora da cidade, a escuridão empalideceu. Havia ali uma antiga e densa floresta de carvalhos, azevinhos e bétulas, capaz de engolir até uma hoste daquelas. Na escuridão sob os ramos, os homens puderam comer e descansar, sabendo que simplesmente reuniam forças para o combate. As lâminas foram afiadas, o couro, oleado. Dentes podres foram arrancados por ferreiros com suas pinças de ferro negro. Sargentos e ajudantes de campo ferveram caldeirões de cebola e tendões rijos de veado. A maioria recebia uma porção que mal passava de uma água rala e gordurosa. Ainda assim, eles enchiam as canecas com bastante cuidado, poupando cada gota e lambendo os beiços.

Os homens capazes de caçar saíam para procurar coelhos e tetrazes, raposas ou ouriços ainda hibernando, qualquer coisa. No começo, os caçadores eram pagos pelo esforço. Quando não havia mais moedas, eles continuaram a trabalhar, ficando com uma parte maior para si como pagamento. Uma vez, um cavaleiro tinha feito questão de manter tudo da caçada para si, quando já não havia mais dinheiro para pagá-lo. Ele tinha passado a noite comendo uma bela lebre junto a uma fogueirinha, observado por muitos. Encontraram o corpo dele pendurado na manhã seguinte, e ninguém ouviu um grito sequer. Homens morriam em longas marchas, a vida era assim. Eles caíam ou se afastavam, o rosto vazio de fome ou exaustão. Alguns eram açoitados para que voltassem à linha. Outros ficavam onde caíam para dar o último suspiro enquanto o restante do exército passava marchando e encarava, sem se envergonhar, aquela vista interessante na estrada.

Depois de alimentar-se de sopa, o exército da rainha partiu, avançando pela aurora cinzenta rumo ao horizonte enquanto o sol começava a nascer. Ainda estavam fortes o bastante, rijos o bastante. Eles contornaram St. Albans pelo flanco direito durante a noite para que a investida partisse do sudoeste. Alguns deles exibiam os dentes enquanto davam passos largos, imaginando a surpresa e o medo dos homens de Warwick quando vissem um exército esfarrapado inteiro chegar por trás deles.

Sentado no alto de um belo castrado negro, Warwick fitava a estrada que se estendia para o norte. O sol nascia num céu claro, embora o vento fosse gelado e soprasse diretamente sobre ele. A colina e a cidade de St. Albans estavam às suas costas, encimadas pela abadia. Esse pensamento trouxe uma pontada de irritação quando ele se recordou do abade Whethamstede com todos os seus paramentos dando conselhos sábios por ter assistido à batalha na colina seis anos antes. Embora tivesse desempenhado um papel fundamental naquela vitória de York, Warwick não conseguia entender por que o velho tinha achado sensato lhe explicar os detalhes mais uma vez.

O abade havia ocupado boa parte da noite anterior com descrições pavorosas, contadas com o que parecia ser grande ternura.

Warwick balançou a cabeça para afastar os pensamentos. Sua única preocupação era a rainha e o exército que vinha para o sul contra ele. Era espantoso eles não terem chegado ainda. De certa forma, Margarida tinha lhe dado tempo — e ele o havia usado, contorcendo sua fúria e seu pesar para transformá-los em valas e contrafortes. Não havia mais estrada para Londres. Seu exército tinha cavado profundas valas na terra para impedir qualquer carga de cavalaria contra eles. Redes de cordas cravejadas de farpas saíram das fundições de Londres, cada lâmina ereta torcida à mão nos nós. Não é como se nenhum homem fosse capaz de atravessar essas defesas, mas, se tentasse, teria seu coração arrancado. O plano de Warwick era reduzir o maior exército da rainha fileira por fileira até que os remanescentes ficassem exaustos e ensanguentados. Só então ele mandaria seus três batalhões, dez mil homens, para dilacerar a força de vontade e as últimas esperanças da casa de Lancaster. Ele franziu a testa ao pensar nisso, considerando a pouquíssima força de vontade que restava ao próprio rei Henrique.

O rei descansava não muito longe de onde Warwick examinava o campo grande e extenso. Henrique estava sentado à sombra de um carvalho sem folhas, olhando para cima através dos galhos que se cruzavam formando desenhos. O rei parecia em transe. Ele não estava mais amarrado mas também não havia necessidade disso.

Quando se deparou com a inocência simples do rei pela primeira vez, Warwick se perguntou, por algum tempo, se o homem tentava enganá-lo, de tão perfeita que era a representação de Henrique. Cinco anos antes, houve histórias do jovem rei que havia retornado de seu estado adormecido com algo parecido com o vigor de um homem. Warwick deu de ombros ao pensar nisso. Se havia sido assim, agora não era mais. Enquanto ele fitava Henrique, algum ruído chamou a atenção do rei. Henrique segurou a terra nas mãos e observou com fascínio a agitação ao redor. Warwick sabia que, caso se aproximasse, Henrique faria perguntas e pareceria entender as respostas, mas nenhuma fagulha de vontade o faria se levantar de um lugar depois que se instalava. Ele estava alquebrado. O conde talvez até sentisse pena, se aquela criança amistosa não tivesse provocado a morte de seu pai. Nessa circunstância, ele só sentia um desdém frio. A casa de Lancaster não merecia o trono, não se só tivesse Henrique para ocupá-lo.

Warwick virou o cavalo com um estalido suave na bochecha e um puxão nas rédeas. Ele tinha visto três figuras cavalgando pela borda do campo e trotou para interceptá-las. Duas delas eram seu irmão João e seu tio Fauconberg, homens Neville que se uniram à causa. O terceiro era alguém menos confiável do que Warwick desejava, embora de Mowbray, duque de Norfolk, não tivesse feito nada para provocar suspeitas. Ainda assim, o homem era superior a ele e uma década mais velho. Era verdade que a mãe de Norfolk havia sido uma Neville, mas o mesmo valia para os irmãos Percy — e eles escolheram apoiar o rei Henrique. Warwick suspirou. A guerra fazia estranhos aliados. Pela posição e pela experiência de Norfolk, Warwick havia lhe dado a prestigiada ala direita, um pouquinho à frente do restante do exército na grande linha escalonada dos batalhões. É claro que era por coincidência que Norfolk enfrentaria primeiro o inimigo na vanguarda. Se o duque planejasse algo como traição, causaria menos danos nessa posição e ainda permitiria ao conde que preparasse uma defesa desesperada mais atrás.

Warwick balançou a cabeça um pouquinho quando os três homens pararam. A morte do pai havia tirado parte da alegria do mundo, corrompendo coisas que antes ele considerava inquestionáveis. A ausência do velho representava um buraco em sua vida, uma perda tão grande que tudo que ele fazia era espiar pelas bordas. O conde de Warwick olhava para amigos e aliados, olhava até para irmãos e tios... e só via que poderiam traí-lo.

Ele inclinou a cabeça com cortesia para William, lorde Fauconberg, mas o homem aproximou o cavalo e estendeu o braço até que Warwick foi forçado a segurá-lo e se juntar ao outro num abraço rígido. Warwick não apreciava ver no tio aspectos do rosto do pai. Tornava difícil olhar para ele, e havia sempre um ressentimento fumegante quando Fauconberg falava com intimidade do irmão mais velho, como se reivindicasse alguma propriedade por conhecê-lo há muito mais tempo. No esforço de consolar os filhos, Fauconberg havia contado muitas histórias da infância do pai, mas nenhum deles confiava em suas versões sem o pai para confirmar ou negar sua veracidade. Aos olhos de Warwick, o tio era um homem inferior. Os três filhos de Ricardo ainda o reverenciavam em público, mas Fauconberg supunha que o amor dos sobrinhos por ele parecia muito maior do que realmente era.

Warwick percebeu os olhos escuros do homem sobre ele naquele momento como uma mão que tocasse seu rosto. Antes ele não se importava muito com Fauconberg, mas, desde a morte do pai, o tio William de olhos lacrimejantes conseguia deixá-lo furioso com sua compaixão repugnante e seus malditos toques.

Ao ver a tempestade que se formava em Warwick, João Neville segurou com força o ombro de Fauconberg. Os irmãos combinaram o gesto como sinal de irritação particular, a ser usado quando um ou outro não conseguisse aguentar mais o reflexo pálido do pai que havia no tio. É claro que Fauconberg aceitava tudo com bons olhos e supunha que estava sendo incluído em algum gesto masculino de apoio familiar. Mais de uma vez, os dois já haviam chegado perto de derrubá-lo da sela.

Warwick sorriu para João, embora seus olhos continuassem frios. Pelo menos João Neville havia ganhado, com Montacute, o título que tanto desejava e que lhe coube no momento da morte do pai. O condado de Salisbury havia se tornado herança de Warwick, além de algumas dezenas de solares, castelos e grandes casas, inclusive a propriedade de Middleham, onde havia passado a infância e a mãe ainda morava, vestida de preto. Warwick não dava a menor importância a isso, embora soubesse que João invejava suas terras, que o tornavam o homem mais rico da Inglaterra. Nem mesmo a casa de York era páreo para ele na época. Mas nada disso tinha valor, ao menos enquanto os assassinos do pai vivessem, bebessem, gozassem e sorrissem. Não era correto que a cabeça de Salisbury mantivesse vigia nas muralhas da cidade de York enquanto seus inimigos prosperavam. Warwick não ousava falar disso, embora o sentisse como uma ferida aberta. Qualquer tentativa de recuperar a cabeça do pai lhes traria a morte. Ela precisava ficar lá, no vento e na chuva, enquanto seus filhos perseveravam.

O olhar de Warwick retornou à figura distante do rei Henrique, sentado e sonhando naquele dia curto de inverno. É claro que João havia exigido sua morte — o Neville mais jovem via as coisas como olho por olho, pai por pai. Porém, no caso de Henrique, Warwick desconfiava que o rei não era tão amado, nem mesmo por sua própria gente. Por isso, enquanto continuasse vivo, Henrique seria um ponto fraco da rainha e de seus leais lordes. Henrique era a isca da armadilha, e seus seguidores não conseguiriam ignorá-lo. Warwick sabia que, se o rei morresse, a rainha Margarida estaria livre para defender a causa do filho e tentar de novo.

O vento penetrou Warwick como uma língua na boca e o fez perder o fôlego. Ele olhou para o rosto pálido do duque de Norfolk e percebeu que o homem o fitava e avaliava sem dizer uma palavra. Eles se uniram enquanto Warwick estava dilacerado e sofrendo de pesar, e homem nenhum poderia dizer que eram amigos. Porém, Norfolk não tinha lhe feito mal nenhum, e isso contava depois que tantos o traíram.

O duque era forte, a cabeça um pouco quadrada e com os cabelos e a barba curtos. Com 45 anos, ele mostrava no rosto as marcas e as cicatrizes de antigas batalhas — e nenhum sinal de fraqueza, apenas uma avaliação fria. Warwick sabia que o homem era parente de sangue dos Yorks e dos Lancasters. Havia primos demais em lados opostos, pensou. Observando a compleição robusta do homem montado com tanto conforto no cavalo, Warwick deu graças porque o sangue Neville de Norfolk se fizera ouvir.

— É bom vê-lo, milorde — disse Warwick a Norfolk.

O homem mais velho baixou a cabeça e sorriu em resposta.

— Achei que não seria ruim vir até você, Ricardo — disse Norfolk.
— Seu tio se preocupa com você.

Houve uma sugestão de brilho nos olhos de Norfolk quando Fauconberg concordou solenemente com a cabeça. Warwick prendeu a respiração. Não havia malícia no tio, disso tinha certeza. Era indigno de Warwick achar tão repugnante essa compaixão genuína, mas de certo modo ela havia se tornado o foco de sua raiva. Talvez Norfolk não fosse tão estúpido assim, se havia notado o que escapara a Fauconberg.

— Alguma notícia dos batedores? — perguntou Warwick, com a boca se torcendo quando ele soltou a respiração.

Norfolk fez que não, imediatamente austero com os assuntos do acampamento.

— Nenhuma. Nenhuma notícia, além de um punhado de despossuídos vindo para o sul, com todas as suas queixas. — Ele viu Warwick abrir a boca para falar e continuou: — Sim, como ordenou, Ricardo. Foram oferecidos um lugar quente e comida, eles receberam uma pequena bolsa e foram enviados para o sul, para Londres. Os rapazes fortes ficaram e se uniram às nossas fileiras, é claro, mas há velhos e crianças suficientes seguindo para Londres com histórias terríveis. A rainha não será bem-vinda no sul quando a notícia se espalhar.

— Não é pouco fazer com que ela seja vista como realmente é — acrescentou João, irmão de Warwick. — Gostaria que toda a Inglaterra conhecesse a rainha como nós. Como uma meretriz sem honra e sem fé.

Warwick estremeceu levemente. Não que não concordasse com cada palavra, mas o irmão mais novo era tão precipitado e fanfarrão quanto Eduardo de York. Havia ocasiões em que nenhum deles parecia entender sutilezas, como se os homens só precisassem de uma voz alta e um braço forte. Então Warwick pensou em Derry Brewer e se perguntou se ainda estaria vivo.

— João — disse Warwick, e depois acrescentou o título para um assunto formal —, lorde Montacute, talvez você devesse supervisionar o treinamento de seus homens com as bombardas de mão. Está chegando um novo lote de oitenta delas e ainda não tenho especialistas para ensinar aos outros. Eles ainda demoram demais para carregar as armas depois do tiro.

Ele viu as sobrancelhas do irmão mais novo se erguerem com interesse, fascinado com as armas extraordinárias vindas da cidade. Warwick havia gastado rios de prata, e metade das forjas e das fundições de Londres trabalhava dia e noite para suprir seus homens. O resultado ainda causava espanto toda manhã, quando chegavam dezenas de carroças, muitas vezes com novas invenções com lâminas ou pólvora. Todo dia antes do amanhecer, fileiras de seus novos "artilheiros" marchavam com longas armas de ferro e madeira apoiadas nos ombros. Formavam fileiras, despejavam pólvora e enfiavam no cano uma bala ou pedaços de chumbo, que depois fechavam com um tampão de lã para impedir que tudo saísse. Eles aprendiam a usar as armas conforme as usavam, e Deus sabia que as armas tinham o alcance muito menor que os arcos longos. Os arqueiros de casaca vermelha de Warwick estiveram entre os primeiros a se apresentar para experimentar as bombardas, mas no fim do primeiro dia todos as devolveram e voltaram às velhas armas. Foi o tempo entre os tiros que os deixou preocupados, comparado ao disparo de flechas a cada respiração. Ainda assim, Warwick tinha esperança nas bombardas como ferramenta de defesa, para romper um ataque em massa, digamos, ou dilacerar um grupo de oficiais. Ele via o potencial delas, se usadas na hora certa. O estrondo que faziam era espantoso a curta distância. A primeira fileira a testá-las tinha largado as próprias armas e corrido para se proteger do trovão e da fumaça. Só por isso, ele achava que teriam seu lugar no campo de batalha.

João, lorde Montacute, levou a mão ao alto da testa. Warwick assentiu em resposta, desejando sentir a mesma empolgação que via no irmão. Seu laço com João estava mais forte desde a morte do pai, isso era inegável. Enquanto o afeto pelo tio se esvaía, a amizade entre Ricardo, João e o bispo Jorge Neville criava raízes mais fortes. Afinal, eles tinham uma causa em comum.

Warwick e Norfolk se viraram quase ao mesmo tempo quando uma trombeta soou atrás deles, no alto da colina de St. Albans. Norfolk virou a cabeça para ouvir melhor, depois se enrijeceu quando o sino da Igreja de São Pedro foi ouvido através da cidade.

— O que foi isso? — perguntou João Neville ao tio, ainda sem experiência suficiente para entender o choque dos outros.

Fauconberg meneou a cabeça, sem palavras. Foi Warwick quem respondeu, suprimindo o próprio pânico para falar com calma.

— É um ataque. O sino não tocaria por outro motivo. João, seus homens estão mais perto. Mande doze cavaleiros e cem rapazes para verificar a cidade. Tenho alguns poucos arqueiros na abadia; homens feridos, que se recuperam de contusões ou fraturas. Vá, João! O sino não tocaria à toa. Eles estão vindo. Até conhecermos efetivo e posições, estou cego aqui embaixo.

Warwick pareceu desolado por um instante enquanto João saía às pressas. Ele havia passado um mês construindo uma grande paliçada de estacas, homens e canhões na estrada do norte — e os malditos tinham vindo pela retaguarda. Sentiu o rosto arder enquanto Norfolk e o tio aguardavam ordens.

— Cavalheiros, retornem às suas posições — disse Warwick. — Mandarei notícias assim que as receber.

Para sua irritação, o tio aproximou o cavalo e lhe deu um tapinha no ombro. Havia lágrimas cintilantes nos olhos do velho.

— Por seu pai, Ricardo — declarou Fauconberg. — Não falharemos.

5

As fileiras amontoadas do exército da rainha correram colina acima rumo à grande abadia. Derry não viu hesitação em Somerset e Percy na hora de usar a vantagem que seus espiões e relatórios lhes forneceram. Os homens estavam empolgados, deixando de lado o cansaço pela oportunidade de atacar um exército inimigo pela retaguarda, de cair sobre ele como o falcão mergulha para esmagar algum animalzinho no chão. Muitos já deram um soco em alguém sem aviso em algum momento da vida, quando um patife ou um mercador estava distraído. Talvez houvesse pouca honra nisso, mas a surpresa era um dos grandes fatores da guerra — ela contava quase tanto quanto a força dos braços dos homens. Derry sentiu seu próprio coração bater mais forte enquanto percorria uma rua montado em Represália. Ele olhou para o sol nascente e viu o grande acampamento de Warwick lá embaixo, na estrada do norte, em três imensos batalhões.

Os homens ao redor dele não pararam para observar a paisagem. A tarefa deles era rasgar os calcanhares do batalhão da retaguarda, com o estandarte de lorde Montacute. Esses soldados seriam os homens com menos suprimentos e qualidade; todos ali sabiam disso. Em geral, o batalhão da esquerda era o último a entrar no combate, isso se chegasse a entrar. Para os homens que se lançavam em sua direção pelas ruas surpreendidas e vazias de St. Albans, aquele corpo de soldados parecia o veado manco deixado para trás pelo rebanho.

Derry não tinha nenhum desejo de segui-los até lá. No que lhe dizia respeito, seu trabalho terminava quando a batalha começava. Ele havia levado Somerset e o conde Percy ao lugar certo. Cabia a eles enfiar a faca. O espião-mor pensou em fazer um esboço dos grandes batalhões que se estendiam para além de St. Albans, pelo menos das valas e dos grupos principais, mas pensou melhor quando vozes em pânico se elevaram perto dele, ecoando nos muros da abadia.

— Cuidado aí, seu desajeitado maldito! Lá!

Derry ouviu e virou o cavalo com as rédeas curtas para escutar e encontrar a origem da voz. Era desconhecida.

— Arqueiros! Cuidado, arqueiros! — berrou outro homem, mais alto, com mais medo.

Derry, nervoso, engoliu em seco ao sentir de repente que era um bom alvo para qualquer arqueiro que o encontrasse. Ele se abaixou na sela, pronto para meter os calcanhares nos flancos da montaria e se arriscar a sair em disparada.

Uma porta lateral se entreabriu na abadia e revelou um tufo de cabelo escuro e uma pele mortalmente branca, que se projetou e olhou em volta. A visão de Derry Brewer o encarando não pareceu preocupá-lo, então ele assoviou baixinho. Enquanto o espião-mor observava, doze homens saíram da abadia, alguns mancando e cambaleando, mas com facas desembainhadas e arcos de teixo encordoados. Todos tinham alguma parte do corpo costurada ou enfaixada com um pano sujo de sangue. Eles pareciam febris, com rubor tão intenso no rosto e tamanho brilho nos olhos que nem mesmo a mais forte emoção seria capaz de causar. Quando ergueram o olhar para Derry Brewer, ele tremeu. Era tarde demais para fugir, percebeu. Quem fugisse de arqueiros teria de começar quando estivesse a quase um quilômetro deles, não a menos de vinte metros.

Derry compreendeu que o abade Whethamstede havia permitido que os feridos fossem admitidos na abadia para serem tratados e cuidados pelos monges. Sempre havia acidentes quando homens, fogo e lâminas de ferro se reuniam. Com a mente acelerada, Derry recordou que seu velho amigo William de la Pole costumava dizer que "Burrice" era o quinto cavaleiro do Apocalipse, segundo o livro de são João de Patmos. Sem saber latim nem grego, Derry nunca pôde ler o trecho para saber se ele falava a verdade. Sob o olhar de soldados inimigos, teve a sensação de que poderia estar diante desse cavaleiro, com sua gargalhada mortal. E estremeceu.

O grupo de feridos havia saído, apenas treze homens com oito arqueiros, embora um deles tivesse perdido um olho e, sem dúvida, boa parte da pontaria. A mente de Derry tendia a se concentrar nas pequenas coisas quando ele ficava com medo. A verdade é que aqueles homens o matariam num piscar de olhos se soubessem de que lado estava.

— Rapazes, vocês não devem lutar — declarou, de repente. — Suas ordens são de descansar e se recuperar. De que servirão assim feridos?

— Mais úteis do que mortos no leito — retrucou um deles, desconfiado. — Quem é você?

— Mestre Peter Ambrose. Ajudante de milorde Norfolk — respondeu, indignado. — Tenho algum conhecimento de medicina, e me mandaram observar os gentis irmãos em seu trabalho para talvez aprender um bálsamo ou um unguento.

Derry se calou, sabendo que mentirosos divagam. Seu coração se afundou no peito ao perceber que havia se demonstrado útil para aqueles homens. Eles poderiam não querer vê-lo morto se pudesse ajudá-los com os ferimentos e os curativos.

— Então desça a colina conosco — disse o mesmo homem, olhando-o com raiva.

Ele levava um arco de teixo com leveza na mão direita, balançando-o no ponto de equilíbrio. O polegar do homem esfregava a madeira, e Derry viu uma marca mais branca ali, de anos repetindo o mesmo movimento. De repente, teve certeza de que o arqueiro estava pronto para que ele corresse. Virar-se significaria levar uma flechada nas costas. Eles se encararam friamente.

— Abaixe-se, Brewer! — disse uma voz que vinha da direita.

Derry se jogou da sela, arriscando quebrar o pescoço quando simplesmente relaxou o corpo e se deixou cair como um corpo sem vida. Ele ouviu Represália bufar e usou o animal como proteção enquanto se arrastava rapidamente apoiado nos cotovelos, tenso com a expectativa de que uma flecha o prendesse ao chão. Os golpes e os gritos diminuíram atrás dele, interrompidos com selvageria. Derry avançou até ouvir passos correndo em sua direção, aproximando-se com o equilíbrio fácil de um jovem.

Sem que ninguém visse, Derry puxou uma adaga do casaco e meio que se agachou, preparando-se para se lançar em quem viesse atrás dele. Percebeu que não tinha sido rápido o bastante. Movimentos que, na juventude, eram rápidos como um gato se tornaram desajeitados, pesados, *lentos*. Para quem já havia se gabado da própria força e agilidade, ter consciência disso era desalentador.

O soldado em pé acima dele estendeu ambas as mãos, uma delas com uma machadinha ensanguentada. Ele era de uma juventude repugnante e visivelmente se divertia com a raiva de Derry, ofegante e coberto de poeira.

— Calma aí, mestre Brewer! Somos *pax*, ou seja lá como se diz. Do mesmo lado.

Para além dele, Derry viu um grupo de corpos amontoados que exibiam flechas novas com boas penas brancas. Um ou dois ainda se mexiam, as pernas se agitando nas pedras da pavimentação como se tentassem se levantar. Os arqueiros de Somerset já estavam entre eles, cortando as hastes com uma eficiência implacável. Cada flecha era uma obra feita por mão especializada, valiosa demais para ficar para trás. Derry sentiu uma pontada de pesar por aqueles feridos. Às vezes, viver ou morrer era uma questão de sorte. Ele não sabia se essa noção o levava a dar mais ou menos valor à própria vida. Se a morte podia vir porque escolhemos a porta errada para sair ao sol, talvez não houvesse sentido nenhum nisso — apenas o quinto cavaleiro. Ele deu de ombros, deixando essas ideias de lado. Uma coisa em sua vida ele apreciava: havia sempre alguém que gostaria que morresse antes. Não importava o que acontecesse, Derry Brewer queria morrer *por último*. Este era o caminho da felicidade, bem ali: sobreviver a cada um dos canalhas.

Seu cavalo, Represália, havia perdido um pedaço de couro. Uma flecha tinha arrancado uma tira dos quartos do animal que ainda pendia dele, pingando sangue. Com uma careta de nojo, Derry soltou a tira de pele por completo e a recolocou, acalmando o cavalo com a voz. Pelo menos, no inverno não havia moscas para se instalar nos ferimentos.

Mais fileiras de arqueiros e guerreiros passaram por ele marchando para se unir à multidão que descia a colina rumo às formações lá embaixo. Derry conseguia ouvir o choque das armas e as ordens gritadas na base da colina, onde já tinha visto o exército muito menor de Ricardo de York. O espião-mor ouvia os tambores de Warwick incitando a morte aos homens da rainha, naquele momento e seis anos antes, as lembranças se misturando enquanto o vento tentava congelar seus olhos abertos.

Os tambores não conseguiriam rechaçar o ataque. Enquanto observava, Derry viu que um grande buraco foi aberto no batalhão mais à esquerda, que foi atacado e recuou. Um exército ágil teria dado meia-volta para enfrentar as forças da rainha — talvez alguns homens o tivessem feito. No entanto, metade dos homens de Warwick estava em trincheiras e valas voltadas para o norte, incapazes de manobrar rapidamente para a nova direção.

O duque de Somerset, o conde Percy de Northumberland e até lorde Clifford e os outros barões levaram seus homens num ritmo implacável, reconhecendo a oportunidade. Os batalhões de Warwick *se virariam*; seus arqueiros recuariam para desacelerar a descida do exército da rainha. O resultado da batalha dependia do dano e da destruição causados ao batalhão da retaguarda antes que as forças de Warwick se reorganizassem para enfrentar seus algozes.

Derry descansou o rosto no focinho macio e peludo de Represália e fitou quilômetros de terra agrícola, contente de estar longe da confusão. Poderia ser um momento de calma e beleza se dois exércitos não estivessem se enfrentando em campo aberto. Àquela distância, Derry mal conseguia ver os estandartes. Sem dúvida estava longe demais para discernir os homens ou qualquer coisa além dos principais movimentos e das cargas, como rebanhos se movendo pela terra.

Ele havia feito parte de linhas como aquela quando jovem. Derry sacudiu a cabeça ao sentir um frio na espinha e um arrepio na pele. O espião-mor sabia que havia uma carnificina terrível acontecendo lá embaixo, os ofegantes momentos finais que se resumiam a dois homens correndo um para o outro com uma maça ou uma lâmina, com a força de vontade de se manter de pé até que um deles caísse. E outra vez, e mais outra, até que o homem mal conseguisse erguer a espada e outro rapaz se apresentasse, descansado e sorridente, convidando-o a avançar.

Warwick montava com as mãos dormentes nas rédeas, os dedos semicongelados, agarrados ao couro. A respiração era visível, mas, com o casaco de lã grossa sob a armadura, estava bastante aquecido, um calor alimentado pela raiva e pela vergonha. Ele ouvia seus capitães berrando ordens para se virar e enfrentar o inimigo, mas, acima de todos, claramente visíveis, as ruas de St. Albans tinham se tornado torrentes rápidas de soldados que se lançavam na planície e acabavam com as fileiras de Montacute como um ácido corrosivo. Warwick balançou a cabeça, tão furioso consigo e com eles que mal conseguia controlar seus pensamentos para comandar. Mas conseguiu. Seu cavalo e sua guarda pessoal se tornaram o centro dos mensageiros a galope que corriam para receber suas ordens e voltavam à toda, gritando para que os outros saíssem da frente. Seus capitães conheciam o ofício, mas os soldados de Kent e Londres eram novatos, desacostumados a manobras rápidas em campanha. Essa era uma das razões pela qual Warwick dependia tanto de uma posição fortificada contra o exército mais experiente da rainha. Ele sabia que os seus tinham coragem, mas era preciso lhes dizer quando resistir ou recuar, quando flanquear ou reforçar uma linha, quando atacar. Os grandes movimentos eram preocupação dos oficiais superiores, enquanto trabalhadores de mãos grandes e combatentes decidiam os detalhes com ferro afiado.

Warwick mandou todos os seus arqueiros voltarem em dois grupos que trotavam pelos flancos. O conde cerrou o punho quando eles começaram a disparar em arco contra os homens que ainda desciam o morro. Nem um em vinte acertaria àquela distância, mas as forças da rainha viriam com mais cautela sob a barragem que zumbia e sibilava.

Warwick mandou um menino dar seus cumprimentos a Norfolk. Embora sem culpa nenhuma, a vanguarda do duque estava o mais longe possível do combate. Norfolk não havia se movido desde que ele retornara aos seus homens. Warwick não fazia ideia se o colega retornara paralisado de choque ou se simplesmente aguardava para ver o melhor uso de suas forças. O mensageiro partiu sem ordens, apenas com a expectativa de trazer alguma palavra do duque.

Isso feito, Warwick se livrou do resto da letargia que tinha tornado seus pensamentos vagarosos. Seu batalhão de três mil homens havia se virado da melhor maneira possível, saindo das trincheiras e dos contrafortes. Partiu seu coração ver que metade dos obstáculos que havia criado para o inimigo se tornou um incômodo para seus próprios homens, forçados a andar sobre eles. Estrepes espalhados pelo chão afundaram parcialmente e ficaram invisíveis na lama. Os cavalos tinham de contornar qualquer campo coberto desses artefatos por medo de que o animal fosse incapacitado por causa de alguns pregos de ferro unidos e jogados no chão. Era um serviço lento, e Warwick continuou a comandar e incitar seus oficiais. O irmão João estava no meio do combate, seus estandartes pareciam conter uma enchente que ameaçava envolvê-lo.

Então Warwick pensou no rei Henrique. Ele ainda via a árvore onde o rei estava sentado sem algemas. O homem estava perto o bastante das forças da esposa para caminhar até elas se tivesse capacidade ou vontade para isso. Warwick levou a manopla à testa, apertando com tanta força acima dos olhos fechados que deixou a marca das camadas da armadura. Seus bombardeiros formavam fileiras desajeitadas. Os arqueiros tinham retardado o inimigo. Seus homens de armas estavam prontos para marchar.

Warwick enviou uma ordem simples a Norfolk, mandando-o entrar em combate. Ele não sabia se poderia salvar seu irmão João, nem mesmo a ala esquerda, mas ainda poderia virar a batalha e impedir a derrota. O conde murmurou as palavras para si, com desespero crescente.

6

O rei Henrique se levantou quando uma torrente de homens em marcha passou correndo por ele. Seus joelhos doíam, mas ele desejava se confessar com o abade Whethamstede. O velho ouvia seus pecados toda manhã, numa cerimônia de grande pompa e esplendor, com o coração em silêncio enquanto Henrique sussurrava seus erros e suas culpas. Ele sabia que havia perdido bons homens por causa de sua fraqueza e pouca saúde, homens como William de la Pole, duque de Suffolk; homens como Ricardo, duque de York, e o conde de Salisbury. Henrique sentia cada morte como mais uma moeda na balança de seus ombros, contorcendo seus ossos, derrubando-o. Ele gostava de Ricardo de York, muitíssimo. Apreciava suas conversas. Aquele bom homem não havia entendido o perigo de se levantar contra o rei. Os céus gritavam contra a blasfêmia, e Henrique sabia que York tinha sido derrubado pelo orgulho — mas o pecado também era do rei, que não havia feito York entender isso. Se tivesse feito essa verdade soar aos ouvidos de York, talvez o homem ainda estivesse vivo.

O rei tinha ouvido as conversas no acampamento, havia tomado conhecimento do destino de York, de Salisbury e de Edmundo, filho de York. Havia testemunhado a dor e o ódio causados por essas mortes, a necessidade maltrapilha de vingança que levou todos eles a terras sombrias, começando uma espiral juntos, cada vez mais rápido, como folhas ao vento. Sob o peso dessa culpa, Henrique mal passava de um ponto brilhante no vácuo, fraco e tremeluzente.

Em volta de seu carvalho, milhares de homens da rainha trotavam, tilintavam, cavalgavam, se lançavam da cidade com o rosto ainda corado por causa da descida da colina. Dois cavaleiros permaneciam junto ao rei, uma minúscula ilha de imobilidade deixada para trás enquanto as linhas Neville recuavam. Sir Thomas Kyriell, o mais velho, parecia um grande urso, um veterano grisalho com mais de vinte anos de guerra. O bigode e a barba estavam untados e quase tão pesados quanto sua expressão estarrecida.

Henrique se perguntou se deveria chamar um dos homens de armas que passavam e dizer que gostaria de ser levado ao abade. Ele respirou fundo o ar frio algumas vezes, sabendo que isso clareava seus pensamentos. Enquanto observava os homens, muitos viravam a cabeça para a figura solitária, em pé com uma das mãos apoiadas no tronco de uma árvore antiga, sorrindo para eles enquanto marchavam para a matança. Um ou dois fizeram gestos agressivos, um tanto irritados com a paz e o bom humor que viam nele, tão deslocado naquele campo. Passavam o polegar na garganta, erguiam o punho, tocavam os dentes ou sacudiam dois dedos para o grupinho de três homens. Os movimentos lembraram a Henrique seu mestre de música em Windsor, que cortava o ar com as mãos pedindo silêncio antes de cada peça. Era uma lembrança mais feliz, e a princípio começou a murmurar e depois a cantar uma simples canção popular, quase seguindo o ritmo das fileiras em marcha.

Sir Kyriell pigarreou, ruborizando ainda mais.

— Vossa Graça, embora bela e forte, talvez essa canção não seja adequada para hoje. É doce demais para os ouvidos dos soldados, penso eu. Com certeza, doce demais para os meus.

O cavaleiro suava enquanto o rei ria e continuava a cantar. O refrão estava perto, e nenhuma canção deveria ficar sem o refrão — o velho Kyriell saberia quando ouvisse.

— E *quando* o verde puder voltar, e as cotovias cantarem a *primavera...*

Um dos homens que passavam de armadura virou a cabeça para o som de uma voz alegre num lugar daqueles. O combate não estava longe, com gritos e flechas voando e o clangor de metal em metal se misturando às vozes vociferadas dos homens. Eles conheciam bem aquela música, todos eles. O tenor agudo que cantava uma música sobre a primavera bastou para fazer o cavaleiro puxar as rédeas e erguer o elmo.

Sir Edwin de Lise sentiu o coração bater forte atrás do peitoral da armadura enquanto fitava sob os galhos desolados do carvalho. A grande árvore parecia morta, mas espalhava seus galhos retorcidos por quinze metros em todas as direções, aguardando que o verde retornasse. No pé do tronco imenso, dois cavaleiros faziam guarda de um homem, com as espadas desembainhadas descansando no chão à frente deles. Pareciam efígies de pedra, imóveis e dignos.

Sir Edwin tinha visto o rei Henrique apenas uma vez, em Kenilworth, embora a distância. Com cuidado, ele apeou e passou as rédeas por cima da cabeça do cavalo para conduzi-lo. Quando se abaixou sob os ramos mais distantes, removeu completamente o elmo e revelou um rosto jovem, corado de assombro. Sir Edwin era loiro e usava bigode e barba malcuidados, que não eram aparados havia muito tempo na marcha e na campanha. Ele colocou o elmo debaixo do braço e se aproximou dos três homens, vendo a tensão no par que flanqueava seu protegido desarmado. Sir Edwin notou a terra que manchava as roupas de excelente qualidade.

— Rei Henrique...? — murmurou ele, maravilhado. — Majestade?

Henrique parou de cantar ao ouvir as palavras. Ergueu os olhos, tão vazios quanto os de uma criança.

— Sim? O senhor veio me levar para a confissão?

— Vossa Graça, se me permitir, eu o levarei à sua esposa, a rainha Margarida, e ao seu filho.

Se aguardava gratidão, o cavaleiro se desapontou. Henrique inclinou a cabeça e franziu a testa.

— E o abade Whethamstede? Para minha confissão.

— É claro, Vossa Graça, o que for de sua vontade — respondeu Sir Edwin, que ergueu os olhos ao sentir uma mudança sutil na postura do cavaleiro mais velho.

Sir Kyriell balançou a cabeça devagar.

— Não posso permitir que o leve.

Sir Edwin tinha 22 anos e a certeza de sua força e de seu direito.

— Não seja tolo, senhor. Olhe em volta. Sou Sir Edwin de Lise, de Bristol. Como o senhor se chama?

— Sir Thomas Kyriell. Meu companheiro é Sir William Bonville.

— Os senhores são homens de honra?

A pergunta provocou uma fagulha de fúria nos olhos de Sir Kyriell, mas mesmo assim ele sorriu.

— Sim, já me chamaram assim, rapaz.

— Entendo. Mas os senhores mantêm prisioneiro o *legítimo rei* da Inglaterra. Deixem Sua Graça aos meus cuidados e farei com que retorne à família e aos seus lordes leais. Senão, terei de matá-los.

Sir Kyriell suspirou, sentindo a idade diante da fé simples do homem mais novo.

— Eu dei minha palavra de que não o entregaria. Não posso fazer o que me pede.

Ele sabia que o golpe viria antes que começasse. Um guerreiro mais experiente que o rapaz talvez tivesse pedido apoio das fileiras, quem sabe até alguns arqueiros para lhe garantir uma força avassaladora. Mas, com a juventude e a energia, Sir Edwin de Lise não havia imaginado um futuro no qual pudesse fracassar.

Quando Sir Edwin começou a sacar a espada, Kyriell avançou depressa e enfiou a lâmina estreita na garganta do cavaleiro; depois, recuou com a tristeza profundamente marcada nas linhas do rosto. A espada do jovem cavaleiro voltou para a bainha. Os dois se encararam, os olhos de Sir Edwin arregalados com o choque enquanto sentia o sangue quente jorrar e a respiração fazer borrifar pela garganta.

— Sinto muitíssimo, Sir Edwin de Lise, de Bristol — disse Kyriell baixinho. — Vá com Deus agora. Rezarei por sua alma.

A ação não passou despercebida. Quando Sir Edwin caiu com um estrondo, homens gritaram com raiva e alerta. Aqueles que passavam estavam prontos para lutar, a pulsação em disparada, o rosto enrubescido. Eram como cães selvagens que farejavam sangue, e nem assim avançaram sobre a figura grisalha de armadura prateada que observava todos com fúria no olhar. Vários daqueles homens preferiram desviar os olhos, deixando a tarefa para outros. No entanto, eles eram o suficiente. Homens com alabardas se aproximaram da árvore e atacaram o cavaleiro de armadura que tinha matado um dos seus. Começava a chover, a água cobrindo o campo e num instante os deixando com frio e encharcados.

Sir Thomas Kyriell não voltou a levantar a espada. Com pesar e vergonha, apenas ergueu levemente a cabeça para oferecer o pescoço, e assim o primeiro golpe o matou. Seu companheiro lutou e rugiu até ser derrotado, sofrendo diversos golpes até ter o gorjal amassado pelo cabo de um machado, então Sir William Bonville sufocou até a morte em sua armadura.

O rei Henrique, descansando um ombro no carvalho, tremia de leve, embora fosse por causa do frio e da chuva, que deixavam sua pele como a de um ganso no Natal. Ele observou a morte de seus captores com o mesmo horror ou interesse que demonstraria ao ver uma ave daquelas ser depenada para a mesa. Quando a violência chegou ao fim e os presentes se voltaram para ele, o rei pediu em voz baixa, mais uma vez, para ser levado ao abade para uma confissão. Superiores vieram então para levá-lo embora, assombrados com sua fortuna. Eles vieram resgatar o rei, que tinha caído em suas mãos no começo do combate. Se houve um momento em que parecia que Deus estava do lado dos Lancasters, sem dúvida foi aquele.

João Neville, lorde Montacute, cambaleou, com a respiração tão pesada que ele sentia o pulmão se encolher como um rim no espeto. O sangue escorria sobre a armadura, formando veios que corriam e mudavam de direção no óleo. Confuso, ele olhou para as linhas rubras, recordando-se lentamente de um poderoso golpe que tinha feito sua cabeça latejar. As bordas de sua visão foram tomadas por fagulhas brancas, que sumiam enquanto o ruído do combate voltava. Um dos seus guardas pessoais o fitava, apontando para seu olho.

— Consegue enxergar, milorde? — perguntou o homem, a voz estranhamente abafada.

João fez que sim, irritado. É claro que conseguia enxergar! Ele se sacudiu de novo e viu que seu escudo tinha caído no chão. A chuva transformava tudo em lama, mas a luta continuava. Montacute piscou, a obscuridade desaparecendo, substituída por gritos e choques. Ele compreendeu que havia levado um golpe no elmo. Podia vê-lo aos seus pés, com uma grande mossa na cimeira e no alto do elmo. Montacute ergueu o olhar quando um menino parou de repente à sua frente. Ele tinha vindo através das linhas em marcha como um coelho pelo tojo, segurando um novo elmo para seu lorde e senhor.

O menino baixou a cabeça ao apresentar o elmo polido, ofegando visivelmente.

— Obrigado — conseguiu dizer Montacute.

Ele o enfiou na cabeça, sentindo o sangue desgrudar das faces e a nova dor despertá-lo ainda mais. Montacute desembainhou a espada e olhou para a lâmina, perfeitamente imóvel enquanto ao redor dele as forças da rainha avançavam sem parar.

— Milorde, *por favor*, venha comigo agora. Temos de recuar por algum tempo.

O cavaleiro havia segurado seu cotovelo e o puxava. Montacute o afastou com um empurrão, sentindo-se fraco, mas irritado novamente. Engoliu o vômito, quase sufocando quando ele subiu de repente até a garganta, queimando o interior do nariz. Ferimentos na cabeça eram coisas estranhas. Conhecia um homem que havia perdido o olfato depois de um golpe desses e outro que tinha perdido toda a bondade, até com a própria família.

Como um jovem cavaleiro em boa forma, João Neville sabia que a fúria faz o homem realizar façanhas maravilhosas. Ele não achava nada de mais ficar de pé para enfrentar fileiras armadas. Já o tinha feito antes em St. Albans, quando os lordes Somerset e Percy caíram. Seus filhos não eram homens tão grandiosos e não o deixariam com medo. Embora tivesse sido surpreendido pela aparição súbita das fileiras do batalhão da rainha, o mês de espera construindo as defesas do irmão tinha sido pesado. Ouvir os sinos da igreja havia sido quase um alívio, apesar da surpresa de sofrer um ataque vindo do sul. João Neville apertou o couro do punho da espada, sentindo que tinha a força necessária para continuar. Aquela ainda era a sua oportunidade de pegar a espada e enfiá-la no rosto de um inimigo, talvez do mesmo homem que havia massacrado seu pai. Atordoado e sentindo dores, ele se lembrou de vociferar ordens e mandar mensageiros voltarem para pedir apoio. Sentia o gosto do sangue, que grudava nos lábios. Eles já haviam rompido suas primeiras linhas desfalcadas, correndo e gritando.

Milhares de homens se lançaram morro abaixo rumo à sua posição, uma inundação de soldados da rainha com machados, espadas e arcos. Seu ódio tinha dado lugar a uma sensação de temor quando as fileiras próximas dilaceraram seu flanco imóvel. Ele se lembrou de que um cavaleiro moribundo o havia derrubado, e do grito e do impulso que tinha dado para lançar o homem longe. Outro tinha vindo correndo, dependendo da velocidade e do peso da armadura para romper os escudos erguidos para detê-lo. Os cavaleiros de João Neville foram derrubados, embora tivessem golpeado o atacante até que ele caísse. Dois outros rapazes com alabardas pesadas vieram correndo. E havia começado a chover.

Montacute se lembrava desse momento com total clareza quando de repente o céu se encheu de gotas pálidas até onde a vista alcançava, transformando a colina de St. Albans num borrão. Na água e na lama, os homens escorregavam e caíam, os membros em posições não naturais, seus guinchos mais lastimáveis que um grito de morte.

João Neville balançou a cabeça outra vez, percebendo que tinha ficado parado tempo demais, como uma estátua ensanguentada. Sentia o couro cabeludo latejar, mas os pensamentos velozes se desaceleravam e ficavam mais claros. Ele era João Neville. Ele era lorde Montacute. Ele podia se mover. Às suas costas, soaram trompas, e ele soube que Warwick estava virando o exército e tirava o batalhão central das trincheiras e fortificações. Norfolk viria cavalgando pelos flancos abertos, caminhando com cuidado no terreno coberto de armadilhas e estrepes, para chegar ao que havia sido o acampamento, às carroças e ao ponto mais seguro do campo.

João Neville piscou para afastar a chuva e o sangue dos olhos. Seus guardas pareciam ter sumido; ele estava sozinho. Virou-se para ver o inimigo e, nesse momento, foi atingido e derrubado de costas na lama com um machado semienterrado no peitoral da armadura, com o pé pesado de um homem pressionando sua cabeça.

— *Pax*! Sou Montacute! — gritou ele acima da dor, cuspindo lama e sujeira. — João Neville. *Pax*.

Lorde Montacute não sabia ao certo se havia proferido o grito de misericórdia e oferta de rendição em voz alta ou somente na abóbada repleta de ecos que era sua cabeça. Seus olhos se reviraram e ele não sentiu o corpo ser erguido ainda preso ao machado e cair de volta na lama quando a lâmina se soltou do metal.

7

De pé nos estribos, Warwick assistiu com horror à posição do irmão ser engolida. A ala mais distante foi vencida, mas Warwick conseguiu ver João em pé sozinho. Talvez não tivesse durado mais que alguns instantes, mas pareceu uma eternidade, com a batalha girando em torno daquele único ponto imóvel.

Os guardas do irmão fugiram ou foram massacrados, e os estandartes de Montacute foram derrubados e pisoteados. Warwick se viu com a respiração rápida, incapaz de desviar o olhar enquanto segurava as rédeas da montaria e esperava para ver o irmão mais novo ser morto. O momento foi silencioso, mesmo com todo o clamor de seus mensageiros e capitães que não recebiam nenhuma resposta. Warwick inspirou uma lufada súbita de ar gelado, quase soluçando ao ver uma linha de machadeiros aos berros pisotear João. À distância de mais de meio quilômetro, os dois estavam separados por milhares de soldados, com trincheiras, carroças e canhões. Ele não conseguiu ver mais nada.

Warwick cerrou os olhos com força. Abriu-os injetados de sangue, os lábios apertados. A chuva caía com mais força, moldando dobras em sua capa ensopada e fazendo seu cavalo bufar, lançando gotículas no ar.

Ele se virou para os capitães e viu que o tio Fauconberg vinha cavalgando, um ar genuíno de raiva no rosto enrubescido. Warwick começou a dar uma torrente de ordens, imaginando a disposição de forças no campo de batalha e enviando a unidades específicas o comando de manter a posição. Metade das forças da rainha ainda descia a colina. Se conseguisse reforçar as fileiras rompidas de João, talvez ainda pudesse manter a linha. Os selvagens nortistas de Margarida seriam como ovelhas correndo para uma linha de açougueiros. Então não importaria quantos ela havia conseguido pôr em campo. Ele os reduziria fileira por fileira — e tinha armas para isso.

— Tio, isto é para você. Traga o canhão — gritou para Fauconberg. — Deixe os meus besteiros e bombardeiros como apoio. Escolha uma linha e prepare os homens. Entendeu? Braseiros e suprimentos. Rabadoquins, bombardas e colubrinas. Quando eu der a ordem, quero uma cadência de fogo constante até que eles recuem em *farrapos*.

— Nós os deteremos aqui, Ricardo — declarou o tio. — Eu juro.

Warwick o fitou friamente até que o homem virou o cavalo com um floreio e saiu em disparada, reunindo atrás dele sargentos e homens de armas para executar as ordens.

O combate continuava à esquerda de Warwick, enquanto os soldados hesitantes de João eram forçados a recuar passando por cima de seus mortos. Não era bom para o moral. Aqueles homens sabiam que eram os piores do exército de York — os velhos, os meninos, os caolhos, os criminosos. Era verdade que não eram covardes, mas nenhum comandante arriscaria sua defesa na capacidade daqueles homens. Eles não tinham muito orgulho — e o orgulho era importante.

Warwick ergueu o olhar quando ouviu o estalo do disparo de arcos longos, respirando aliviado ao ver que partia de seus arqueiros de casaca vermelha formados em longas fileiras. Ele sabia que estariam praguejando e amaldiçoando a chuva, odiando a umidade que entortava os arcos e estirava as cordas de linho. Aqueles homens tinham orgulho para dar e vender. Aguentariam para sempre, com sua fúria e honra, a investida dos homens que os faziam se levantar. Ele assentiu para si mesmo, animando-se com o barulho constante das flechas.

O ataque reduzia o ritmo, ficava atolado, dando aos seus capitães o tempo necessário para formar uma linha de canhões. Fossem de ferro ou de bronze, as grandes armas eram pesadíssimas. Algumas foram montadas em reparos com rodas, mas outras precisavam ser arrastadas sobre trenós de madeira com quilhas, como as de um barco, e os bois gemiam sob o jugo. As armas exigiam um grande número de combatentes, às vezes até vinte, para serem deslocadas e carregadas e para dar *um único* tiro — homens que, se não fosse caso, estariam na linha com o restante. No entanto, aqueles canhões eram sua alegria — seu orgulho.

Warwick limpou o suor e a chuva da testa. Apesar de toda a confiança que demonstrava, ele ainda encarava um desastre. Não podia se permitir pensar na queda de João. Tão perto da perda do pai, era demais para aceitar.

Ver os canhões sendo arrastados pelo campo era o suficiente para fazer um homem chorar, pensou Warwick. Eles foram acomodados em estruturas de terra e tijolo, preparados, apontados e cercados por abrigos de lona para o estoque precioso de pólvora e projéteis. Os tubos pretos e bronze reluziam na chuva, meio cobertos por lonas que tinham a mesma chance de ficarem presas sob uma roda e serem arrancadas e de proteger o ouvido da culatra. Ainda assim, doze das maiores bombardas formavam uma imagem aterrorizante quando alinhadas, postas no lugar com colubrinas menores entre elas. Os braseiros foram trazidos por grupos de quatro homens, que carregavam traves que pareciam remos, com a gaiola de ferro cheia de carvão presa entre eles. Warwick ouvia o fogo sibilar e crepitar com o aumento da chuva. Alguns braseiros caíam devido à pressa dos soldados e provocavam uma grande onda de vapor no chão molhado.

Atrás das guarnições dos canhões vinham centenas de bombardeiros, trotando com o rosto tenso e as armas enroladas em panos apoiadas no ombro. Alguns já haviam carregado as longas armas, despejando grãos negros e acendendo a mecha lenta que se enrolava como uma cobra, pronta para ser baixada. As armas eram muito mais baratas que as bestas, e os homens levavam apenas um dia para aprender a usá-las. Warwick balançou a cabeça, consternado com o aumento da chuva, as nuvens se adensando no alto enquanto jorravam água. Os novos canhões seriam um belo espetáculo de se ver, caso conseguissem atirar.

De uma fileira esfarrapada para outra, o exército de Warwick se virou para os sons de ferro. Os arqueiros de vermelho lhes deram tempo nas alas, enquanto a ala esquerda de Montacute recuava sem seu comandante, parando para ofegar, praguejar e sangrar depois de passar pela linha de canhões.

As fileiras de bombardeiros avançaram para encontrar o inimigo, com a cabeça baixa na chuva. O terreno estava escorregadio, e os homens deslizavam e praguejavam enquanto levavam as armas ao ombro e estreitavam os olhos para mirar.

— Fogo — sussurrou Warwick.

Os sargentos berraram a ordem, e nuvenzinhas de fumaça se espalharam pela linha quando os homens tocaram as mechas na pólvora úmida. As fileiras de soldados da rainha sequer hesitaram, avançando em ordem. Não viam ameaça naqueles que os enfrentavam.

Houve uma onda de estalos, como se as armas sibilassem. A fumaça fedorenta assustou e deteve alguns homens da rainha. Surgiram lacunas onde soldados caíram, atingidos e moribundos. Antes que o restante pudesse reagir, os artilheiros de Warwick viravam as costas e corriam para recarregar atrás da linha de canhões pesados. As forças da rainha deram gritos de fúria e confusão — e a linha de canhões respondeu. À queima-roupa, até um tiro enfraquecido rasgava suas fileiras formando um enorme caos de ossos e membros. Com o inimigo bem em cima deles, as equipes de artilheiros de Warwick encostavam um arame em brasa ou uma vela na pólvora do ouvido do canhão e saíam correndo enquanto o mundo tremia.

Warwick sentiu o coração bater loucamente enquanto clarões dourados surgiam na fumaça e na terra em meio aos soldados da rainha, encobertos na mesma hora por nuvens cinzentas. Os homens se jogaram no chão em pânico, tapando as orelhas contra o golpe sonoro que pressionava a pele e os ensurdecia. Alguns que estavam mais perto dos canhões, e mesmo assim tinham escapado, saíram correndo numa espécie de loucura, gritando com as armas erguidas e o olhar selvagem de morte.

Depois que os canhões dispararam, a linha foi subjugada. Um último tiro soou, atrás das fileiras da rainha, talvez por causa de uma mecha mais comprida ou de pólvora mais molhada. O projétil esmagou homens que corriam. Todos os outros tinham se calado. Warwick cerrou os punhos enquanto seus bombardeiros eram eliminados, as armas tão úteis quanto varetas. Uns trinta deles tentaram bater em retirada, e Warwick observou com desespero a linha que formaram para erguer as armas e mirar. Seu ânimo afundou quando eles miraram, posicionaram as mechas curvas e viram apenas uma nuvenzinha de fumaça ou nada.

A chuva havia arruinado o momento, e as forças da rainha só sabiam de uma coisa: arqueiros e besteiros tinham de ser atacados. Era o velho equilíbrio entre o poder da lança, da flecha e do dardo e o conhecimento ancestral de que, desde que se chegasse perto, um golpe de alabarda seria a melhor resposta.

As fileiras da rainha gritaram, e o som foi terrível para todos os bombardeiros que ainda tentavam lidar com a pólvora úmida, raspando-a com os dedos e procurando uma quantidade seca na bolsa ou no chifre. Os soldados que avançavam sobre eles traziam machados e facões que não falhariam na chuva. Alguns poucos canhões estalaram e derrubaram soldados, mas o restante dos bombardeiros foi ceifado, esfaqueado, anulado.

Todo o batalhão de Montacute tinha sido forçado a recuar, e seus restos alquebrados corriam para se intrometer no centro, a parte mais forte do exército. Era formado pelos cavaleiros de Warwick com as melhores armaduras, seus capitães e veteranos de Kent.

Warwick estava cercado de porta-estandartes e doze guardas cuja única tarefa era protegê-lo. Ele olhou em volta quando ouviu vozes irritadas à sua direita, então ordenou aos seus homens que deixassem o duque de Norfolk passar.

Norfolk trouxe seu próprio grupo de cavaleiros, todos com suas cores. Seu senhor não usava elmo outra vez. Ele encarou Warwick por sob as sobrancelhas grossas, a cabeça um bloco sobre o pescoço grosso.

Com um gesto, Warwick lhe pediu que se aproximasse. Como um homem na casa dos 40, Norfolk ainda estava no auge de sua força, embora estivesse estranhamente pálido. Warwick desejou outra vez que pudesse confiar no duque. Não seria a primeira traição entre as casas de York e Lancaster. Com todas as estrelas alinhadas a favor da rainha Margarida, Warwick não podia se dar ao luxo de fazer outra avaliação errada.

— Milorde Norfolk — chamou Warwick quando ele se aproximou, admitindo sua posição inferior ao falar primeiro. — Apesar do mau começo, acredito que possamos detê-los.

Para sua irritação, Norfolk não respondeu imediatamente, e pareceu fazer sua própria avaliação enquanto seu olhar varria a retaguarda rompida, os canhões abandonados e o amontoado de fileiras que ainda descia da cidade. Norfolk balançou a cabeça e ergueu os olhos para a chuva, que lavou seu rosto e o alto de sua cabeça.

— Eu concordaria, se a chuva não tivesse arruinado todos os canhões. Milorde, o rei foi recapturado?

Foi a vez de Warwick olhar para trás, para onde ficava o carvalho, bem atrás das fileiras de soldados da rainha.

— A sorte do diabo pôs Henrique no caminho deles — respondeu. — Achei que ele estaria seguro na retaguarda, onde nenhum homem conseguiria alcançá-lo.

Norfolk deu de ombros, tossindo na mão.

— Então eles têm tudo o que queriam. Esta batalha acabou. O melhor que podemos fazer agora é recuar. Só perdemos algumas almas; menos de seiscentas, com certeza.

— Meu irmão João entre elas — acrescentou Warwick.

Sua estimativa de baixas era muito maior, porém Norfolk na verdade tentava evitar o anúncio do desastre. Warwick não foi capaz de sentir a indignação que seria justificada ao receber um conselho desses. A chuva caía forte, e todos estavam com frio, molhados e tremendo, montados em seus cavalos e se entreolhando. Norfolk falava a verdade:

a captura do rei Henrique nos primeiros momentos significava a derrota na batalha antes mesmo que ela começasse de fato. Warwick amaldiçoou a chuva e fez Norfolk sorrir.

— Se quiser recuar, milorde Warwick, será com o exército quase intacto e com pouca honra perdida. Eduardo de York logo nos alcançará, e então... Bem, então veremos.

Norfolk era um homem persuasivo, mas Warwick sentiu uma nova pontada de irritação invadir seu humor já deplorável. Eduardo de York seria uma parte retumbante, teimosa e caótica de qualquer campanha, disso ele tinha certeza. Mas, como no pai de Eduardo, havia em York o sangue dos reis, uma pretensão ao trono mais forte que todas as outras, com exceção do próprio rei Henrique. Aquela linhagem tinha poder, essa era a pura verdade. Warwick ocultou seu desagrado. Se a casa de Lancaster fosse derrotada, só York poderia ocupar o trono, merecendo ou não.

Naquele momento, Warwick tinha preocupações mais urgentes. Ele observou o campo de batalha por um longo tempo, estremecendo ao pensar que a retirada para o norte o obrigaria a passar por cada metro das defesas inúteis que havia preparado.

Seu olhar se deteve onde tinha visto o irmão cair. Se ainda estivesse vivo, João seria tomado como refém. Warwick podia torcer por isso. Então encheu os pulmões de ar gelado, sabendo que era a decisão certa ao sentir uma súbita onda de alívio.

— Recuar em boa ordem! — berrou, e aguardou até que seus capitães repetissem o grito.

Ele deu um longo suspiro com a ideia de deixar para trás seus maravilhosos canhões, mas aquela parte do campo já havia sido ocupada pelo inimigo. Não havia como voltar atrás, nem mesmo para enfiar pregos nos canos para arruiná-los. Warwick sabia que teria de fundir outros no norte, canhões maiores, com cobertura à prova de chuva sobre o ouvido da culatra.

Sua ordem foi repetida uma centena de vezes pelo campo. Em outro dia, talvez as fileiras inimigas forçassem mais o avanço em resposta, deliciadas com o aroma de vitória. Sob aquele aguaceiro e naquela lama grudenta, elas pararam assim que surgiu uma lacuna entre os exércitos, para limpar a chuva dos olhos e do cabelo enquanto as forças de Warwick viravam as costas para elas e se afastavam em marcha.

Margarida estava no agradável salão de uma taverna, aquecida por uma lareira com lenha bem seca. O dono do estabelecimento tinha colocado para ferver uma cabeça de porco inteira para a rainha. Num caldeirão, ela flutuava num caldo escuro com legumes e feijões. Enquanto ela observava, alguma parte do focinho pálido subia para espiá-la antes de girar e sumir. Era estranhamente fascinante, e Margarida observava esse movimento enquanto a estalagem fervilhava com sua gente em volta. Seu filho, Eduardo, estava sentado em silêncio, de mau humor, impedido de cutucar a cabeça de porco com uma varinha.

Os clientes de sempre foram expulsos para dar espaço ao seu filho e aos guardas. Margarida tinha escutado algum tipo de briga na rua quando alguns rapazes locais reclamaram. Sua guarda pessoal de escoceses e ingleses não havia se feito de rogada ao expulsá-los, ajudando com as botas os que fossem lentos demais. A cidade havia caído em silêncio ao redor da taverna, e ela só conseguia ouvir o tamborilar da chuva no telhado, o murmúrio de vozes e o sibilar e a agitação constantes do fogo. Ela retorcia as mãos, usando as unhas de uma para limpar as da outra.

Margarida já vira batalhas suficientes para não querer mais vê-las. Ela estremeceu com a lembrança dos gritos dos homens, as vozes agudas como as de mulheres ou de animais abatidos, guinchando. Em todas as outras circunstâncias da vida, o som de agonia provocaria alguma tentativa de interrompê-lo. Uma esposa correria para o marido se ele se cortasse com um machado. Os pais correriam para o filho que ardesse em febre ou quebrasse um osso. Mas, no campo de batalha, o mais terrível dos guinchos e soluços ficava sem resposta, ou, pior, revelava a fraqueza do ferido e atraía predadores. Margarida encarou a cabeça do porco que boiava e a encarava e desviou o olhar, um arrepio passou por seus braços.

Do lado de fora, ela ouviu cavalos chegarem e vozes masculinas gritarem a senha do dia para seus guardas. Derry Brewer tinha insistido nessas coisas, dizendo que ficaria com cara de idiota se permitisse que a rainha fosse capturada por falta de senhas e protocolos infantis. Margarida franziu a testa ao ouvir a voz que combinava com o nome, perguntando-se se o espião-mor tinha voltado de St. Albans. Sem dúvida a batalha não poderia ter sido vencida tão depressa.

Seu filho se levantou e correu para a porta aberta, acenando e gritando saudações. Margarida ergueu o olhar rapidamente quando Eduardo se calou de repente, os olhos arregalados. Ela estava se levantando da cadeira quando ouviu o barulho de homens de armadura se ajoelhando nas pedras da rua. A voz de Derry soou mais alta.

— Cavalheiros, entrego-lhes Sua Graça, o rei Henrique da Inglaterra, senhor da Irlanda, rei da França e duque de Lancaster.

Margarida percebeu a satisfação na voz dele. Ela foi até a porta e passou à força pelo filho, ainda em pé boquiaberto como o idiota da aldeia. Quando seu vestido roçou no menino, Eduardo pareceu despertar e saiu correndo com ela para o vento e a chuva.

Margarida não via o marido havia oito meses, desde que tinha salvado a si e ao filho, deixando Henrique sozinho na tenda em Northampton. Ela se sentiu enrubescer com a possibilidade de sofrer uma reprimenda, mas ainda assim ergueu a cabeça um pouquinho mais. Na época, Warwick e York triunfaram, tirando tudo do caminho deles para capturar o rei Lancaster. Desde aquele revés, Margarida havia conseguido transformar suas vitórias em fracasso. York e Salisbury estavam mortos, e Warwick, acuado. Seu marido *tinha sobrevivido* à provação. Isso era tudo o que importava.

Depois de apear, Henrique se virou e cambaleou com o impacto do abraço do filho.

— Eduardo — disse ele. — *Menino*! Como você cresceu! Sua mãe está aqui? Ah, Margarida, eu a vejo aí. Não tem um abraço para mim? Faz tanto tempo.

Margarida deu um passo à frente, sentindo o vento como um tapa. Ela baixou a cabeça, e Henrique estendeu a mão, quase maravilhado, para seu rosto molhado. Margarida percebeu que ele estava magérrimo, a pele tão pálida quanto a cabeça do porco que estava sendo preparada na panela. Ela sabia que Henrique raramente comia, a não ser quando pressionado, e os homens que o mantinham refém não deviam ter se preocupado com isso. Henrique não parecia forte, e seus olhos estavam vazios e inocentes como sempre.

— Você é uma madona, Margarida — disse ele, baixinho. — Uma mãe de grande beleza.

Margarida se sentiu corar ainda mais enquanto respirava. Estava com 30 anos, e havia matronas de sua idade com uma dúzia de pirralhos e quadris largos o bastante para parir ninhadas. Ela sabia que era vaidosa, mas esse era um pecado pequeno comparado a outros.

— Meu coração se alegra em vê-lo, Henrique. Agora que está são e salvo, podemos perseguir os traidores até destruí-los.

Margarida sabia que não deveria esperar elogios, mas mesmo assim se sentiu encolher diante da necessidade deles.

— Eu trouxe um exército para o sul, Henrique — continuou, incapaz de parar. — Desde a Escócia, alguns deles.

Seu marido inclinou a cabeça, os olhos levemente intrigados, como um cachorro tentando entender os desejos da dona. Seria demais pedir ao marido que falasse com ela com amor e a elogiasse depois de uma vitória em combate e de um resgate? O coração dela pareceu encolher enquanto Henrique a fitava, vazio como um homem a quem fizessem perguntas incompreensíveis. Margarida sentiu lágrimas surgirem em seus olhos e ergueu ainda mais a cabeça para que não escorressem.

— Venha, meu marido — disse ela, estendendo a mão para conduzi-lo suavemente pelo braço. — Você deve estar com fome e frio. Há uma lareira aqui dentro e um pouco de caldo. Você gostará de ambos, Henrique.

— Obrigado, se assim diz, Margarida. Eu gostaria de ver o abade Whethamstede, para minha confissão. Ele está por perto?

Margarida emitiu um sonzinho sufocado, quase uma risada, quando chegaram ao interior aquecido da estalagem.

— Ah, Henrique, que pecados você poderia ter cometido em seu cativeiro?

Para sua surpresa, o braço dele se enrijeceu sob sua mão. Henrique se virou para ela com a testa franzida no rosto pálido.

— Somos *criaturas* de pecado, Margarida, capazes de mentiras e fraquezas imundas mesmo nos pensamentos mais íntimos. Temos a *mente* fraca, e assim o pecado se esgueira. E temos o *corpo* fraco, que pode ser varrido do mundo num instante, sufocado... e é o fim! Com pecados não revelados e a alma condenada para sempre! Você gostaria que eu ficasse sem absolvição, enquanto nos meus ombros jaz a eternidade? Pelo quê? Uma sala aquecida? Um prato de sopa?

O marido tinha corado com a paixão em suas palavras. Margarida o puxou para junto do ombro, consolando-o e ninando-o como faria com o filho, até que a respiração de Henrique se acalmou.

— Mandarei chamar o abade, Henrique. Se a batalha não permitir que ele venha, farei com que tragam um padre até você. Entendeu?

Ele fez que sim, visivelmente aliviado.

— Até lá, Henrique, eu ficaria muito contente se você comesse e descansasse.

— Farei como diz — declarou Henrique.

Margarida viu que Derry Brewer se aproximava lentamente, aguardando para falar. Ela deixou o marido aos cuidados de seu mordomo e de um dos guardas ingleses, assegurando-se de que ambos tivessem alguma ideia de como se dirigir ao rei e falar com ele. Assim que Henrique se sentou com um cobertor sobre as pernas, ela atravessou o salão às pressas até o espião-mor.

— Obrigada por meu marido, Derry. Notícias da batalha?

— Ainda não vencida, milady, embora o começo tenha sido bom. Foi por pura sorte que puseram o rei na retaguarda. Metade dos nossos rapazes passaram direto por ele. Veja bem, a boa sorte vem depois do trabalho duro, não como um presente misterioso, como pensam alguns.

— Descobri que minhas orações são respondidas com mais frequência quando são reforçadas com moedas, planos e os homens certos, isso mesmo. "Tenta tu primeiro, e *depois* clama a Deus", Derry. Ele não gosta de preguiçosos.

Margarida apertou com o nó do polegar uma das órbitas, e o manteve ali, sobre os olhos fechados. Derry aguardou pacientemente, preferindo o calor e o cheiro de caldo a tudo o que poderia encontrar lá fora.

— Derry, estou atônita com tudo isso vindo tão depressa sobre mim. Meu marido são e salvo, inteiro... ou pelo menos não pior do que já esteve. Meu filho comigo, os meus lordes Somerset e Percy levando represálias àqueles que ainda se levantam contra nós. Fomos *restaurados*, mestre Brewer! O rei está... ora, a menos de vinte quilômetros de Londres? Chegaremos lá amanhã, e toda a Inglaterra saberá que a casa de Lancaster sobreviveu. Verão meu filho e saberão que há um belo herdeiro. Mal consigo acreditar, Derry! Chegamos tão longe...

— Milady, saberei mais hoje à noite. Até lá, a senhora pode manter seu marido a salvo, aquecido e confortável. Ele sempre foi a chave do cadeado, milady. E ainda é. Eu acho...

O alarido dos cavalos se fez ouvir muito antes que chegassem à taverna — pelo menos sessenta montarias com ferraduras golpeando a estrada de pedra. Derry franziu a testa quando o som se tornou mais alto. Dunstable ficava a pouco mais de quinze quilômetros do campo de batalha, e ele tinha cavalgado devagar para levar o rei Henrique à segurança. Não seria impossível que algum inimigo o tivesse visto partir e mandado uma tropa de cavaleiros ou homens de armas violentos para levá-lo de volta.

— Milady, prepare-se para carregar o rei se esses não forem nossos homens — avisou ele.

Derry atravessou a porta rapidamente. Com a chuva e a neblina, ele não conseguia identificar os escudos dos cavaleiros que se aproximavam. Estavam todos com respingos de lama grossa, lançada pelos cascos das montarias. Em torno de Derry, trinta cavaleiros com armadura se prepararam para defender a família real até a morte.

— Paz! Calma! Somerset! — veio do cavaleiro à frente.

Ele estava tão coberto de lama quanto os outros, mas limpou o peitoral com uma das mãos e ergueu a viseira, parando a pouco mais de um metro dos cavaleiros que levantaram espadas e machados contra ele na estrada.

— Somerset! Eu já disse. Meu nome é minha própria senha, e pedirei a cabeça de qualquer homem que desnudar a lâmina contra mim, está claro? Onde está a rainha?

— É ele, rapazes — gritou Derry. — Deixem o milorde Somerset passar.

— Brewer? Pode me dar uma ajuda aqui, por favor?

Derry não teve opção senão obedecer. Ele se aproximou do duque e ofereceu apoio à bota com espora. O duque passou a perna por cima do cavalo com grande velocidade, fazendo Derry cambalear e quase cair. Diante do duque, Derry viu que Somerset se recordava de já ter sido derrubado do mesmo cavalo. O duque olhou para ele com frieza, ciente do próprio poder naquele momento.

— Leve-me à rainha Margarida, Brewer — ordenou ele.

— E ao marido dela, o rei Henrique — disse Derry.

O duque deu um passo em falso ao passar as rédeas a um criado e hesitou por apenas um instante. Todos eles deveriam se acostumar a ter o rei de volta, pensou Derry.

8

Eduardo de York apeou o mais silenciosamente possível e amarrou as rédeas num galho baixo. Ele não podia impedir que a armadura rangesse nem que a grande capa de pele de lobo que tinha passado a usar estalasse e se agitasse. Alguns ruídos seriam ocultos pelo vento e engolidos pela floresta e pelos penhascos ao redor. Ele não pensou muito nisso, mas sabia que a matilha de lobos não seria enganada. Como os predadores que eram, mesmo concentrados na caçada saberiam que ele estava ali.

Eduardo ouviu rosnados enquanto andava entre as formações de granito. O terreno era acidentado perto de Northampton, com rochas antigas como o tempo cobertas de musgo verde-escuro. Ele não tinha visto vivalma nos dois dias de caçada e não temia sofrer uma emboscada, embora o caminho se estreitasse a ponto de o céu se tornar apenas uma tira cinzenta no alto. Naquele espaço apertado, seus ombros roçavam nas paredes. Os latidos e rosnados ficaram mais intensos à frente, naquela combinação primitiva de fúria e medo, a marca típica de uma matilha. Ocorreu-lhe que não era muito sensato se aproximar furtivamente de tantos lobos selvagens, a menos que soubesse que havia outro caminho para sair dali. Se bloqueasse a rota de fuga dos animais, sem dúvida seria atacado com selvageria, como se fosse uma presa como outra qualquer.

Ele sorriu com a ideia, seguro da própria força e velocidade. O risco era algo direto, ele tinha descoberto, uma parte do mundo que ainda podia lhe dar alegria, enquanto todo o resto era doença e pesar. No perigo, era como se ele não pesasse absolutamente nada. Era uma sensação bem recebida.

Estava escuro entre as paredes de pedra, por isso a luz que vinha do alto era quase dolorosamente forte. Eduardo andou o mais rápido que pôde até que o barulho da luta e os ganidos ficaram altos como o som de uma batalha. Ele começou a correr quando o caminho se alargou e parou de repente quando se abriu num círculo com, no máximo, quarenta metros de largura. Arriscou olhar para cima brevemente e não viu nenhum ponto que pudesse escalar. A poucos passos dele, havia uma imensa matilha de lobos em movimento, uivando e mordendo o cão que tinha acuado. Este, por sua vez, latia para ela, o som perdido na cacofonia. Os lobos haviam acuado o animal contra o outro lado da parede e não deixavam espaço para que fugisse.

Os lobos sabiam que havia um homem atrás deles. Eduardo percebeu isso nos olhares que lhe lançaram. Os animais mais fracos da matilha baixaram a cabeça com medo de seu odor de suor. Três jovens machos se viraram para encará-lo, levados a um frenesi em que latiam, avançando e se afastando, as pernas rígidas e os olhos arregalados.

Eduardo sentiu o suor escorrer pelo rosto. Esperava uma matilha pequena, de seis ou talvez doze. Em vez disso, havia ali mais de trinta lobos, todos assassinos magros de dentes amarelos. Estava ali de pé no frio havia pouquíssimo tempo e os animais ainda reagiam a ele.

O cão que perseguiram era um monstro preto e branco, isso Eduardo viu; algum tipo de mastim de caça, com o bom senso de ficar perto da parede. Estava preso naquele lugar, e a matilha sem dúvida o mataria se Eduardo não tivesse aparecido. E sabia que ainda poderiam matá-lo.

Eduardo ergueu o olhar quando algo relampejou no alto, na borda das paredes do desfiladeiro. Seu primeiro palpite era de que a clareira não teria mais de cinco ou seis metros de profundidade. Sua aparência regular o fez pensar no trabalho de homens e não do curso de algum rio antigo. Ainda restavam anéis e pedras romanas a serem encontrados nas florestas; ele já os tinha visto. A clareira dava a mesma sensação.

Eduardo achou que talvez fosse um pastorzinho e temeu ver um soldado. Ele não esperava que uma moça se erguesse em meio à hera e aos fetos. Ficou boquiaberto ao vê-la se agarrando à raiz de uma tramazeira atrofiada, espiando a clareira. Ela ergueu o braço direito, e Eduardo viu que segurava uma pedra do tamanho de uma maçã. Ela pareceu sentir seu olhar e o avistou, espantada por ver um guerreiro barbado ali em pé, de armadura e pele de lobo.

— Saia daí! — berrou ela, e jogou a pedra com força no meio da matilha. A pedra atingiu uma das cadelas menores, que guinchou e pulou, mordendo-se no meio da confusão.

O coração de Eduardo se apertou ao ver a mulher erguer o braço de novo. Ele sabia que ela pretendia salvar seu cão, mas o resultado disso... Então sentiu a raiva crescer. Estava de armadura, tinha sua capa e a espada que o pai havia lhe dado. Desembainhou a longa lâmina enquanto mais pedras eram jogadas e quicavam entre os lobos. Os animais ganiram e saíram correndo sob aquele tormento, esquecendo a presa. Num instante, só queriam fugir.

Mas havia um homem no meio do caminho. Eduardo sentiu a mudança de humor nos animais quando os maiores se viraram e olharam para ele com fúria. Um grande macho correu em sua direção para desafiá-lo, a pelagem espessa, o peito robusto. Eduardo engoliu em seco, mas tinha 18 anos e os sentidos aguçados. A espada tinha sido feita especialmente para ele, com uma lâmina de aço afiada de um metro de comprimento. Era pesada demais para a maioria dos homens, mas suportaria a força de seus golpes. Ele a empunhava como se não pesasse nada.

— Então venha, garoto — vociferou ele. — Veja o que eu vou lhe dar.

Eduardo havia caçado lobos muitas vezes, mas nunca tinha visto a ação de uma matilha quando enfrentava uma escolha óbvia. Sem hesitar um instante, todos os animais se lançaram sobre ele, num ataque furioso, espumando de raiva. Apesar do tamanho, Eduardo foi jogado contra a parede do penhasco, quase caindo de joelhos com o simples peso dos animais. Foi salvo pela armadura, o metal arranhado à prova de garras e dentes. Os lobos agarraram e destruíram sua capa, abrindo buracos nela enquanto sacudiam a cabeça de um lado para o outro, puxando-o e desequilibrando-o. Eduardo deu um grito de guerra. Brandiu a espada e desferiu golpes poderosos, embora fosse capaz de causar danos comparáveis com as manoplas.

Não durou muito, acabando tão logo os líderes da matilha o arrastaram ou empurraram para longe do único caminho para a liberdade. Eduardo ofegou, as mãos apoiadas nos joelhos. Quatro lobos jaziam no chão perto dele, dois vivos e dois claramente mortos.

O restante da matilha estava longe, e não havia sinal da mulher que havia expulsado os lobos. Lentamente, com uma expressão de dor por causa dos hematomas e dos arranhões, Eduardo se acocorou, estendendo a mão para um dos animais feridos. Pôde ver que a loba havia fraturado a espinha, e seus quartos se arrastaram quando ela tentou se levantar. O animal mostrou os dentes e arregalou os olhos quando a mão dele se aproximou, até que Eduardo lhe deu um tapa forte no focinho. Ela latiu e se arrastou para longe dele, ganindo o tempo todo.

Eduardo se endireitou com cuidado, enquanto o enorme mastim se aproximava aos poucos, rosnando sempre que um dos lobos se mexia. Eles não eram uma ameaça, e o cão preto e branco não estava com medo. Coberto de poeira e de arranhões, ele caminhou até Eduardo, mancando de uma pata, de onde escorria sangue. Quando Eduardo baixou os olhos, o cão o empurrou com a cabeça, esfregando o focinho nas dobras da capa. Acreditou nunca ter visto um cachorro tão grande.

— Você *é* um rapagão, hein, garoto? — disse Eduardo. — Como eu. Era sua dona lá em cima? Aquela que fez a matilha vir toda para cima de mim? Era, sim. Aquela era sua dona, garoto?

O cachorro balançou o rabo como um chicote de couro. Para o divertimento de Eduardo, o animal, com sua imensa cabeça, estava visivelmente feliz enquanto ele coçava seu dorso. Apesar de todos os arranhões que havia sofrido, o cachorro estava simplesmente contente de ser acariciado por alguém amistoso.

Eduardo olhou para cima quando pedrinhas e folhas choveram ao seu redor. A mulher que tinha visto descia pelas pedras e pelo mato, segurando-se em raízes e pedras, onde o vestido se agarrou e mostrou as pernas até a coxa. Ele estava ferido, com calor e irritado. Apoiou-se num joelho e esfregou com mais força o cão, que, de repente, rolou e lhe ofereceu a barriga quase pelada, bastante animado, com a língua para fora.

Eduardo ouvia a respiração da mulher, um som mais alto naquela fissura do que seria lá em cima. Esperou por ela, satisfeito em acariciar e brincar com o cachorro enquanto sua própria respiração voltava ao normal. Os lobos feridos ganiam ao seu redor, e ele pensou em usar a faca para dar fim ao sofrimento dos animais, então pensou melhor. Os lobos o atacaram, e a experiência tinha sido assustadora, embora não fosse admitir isso a ninguém. Apesar da cota de malha e da armadura, lobos adultos eram pesados e muito velozes. Se ele caísse de costas, sabia que teriam rasgado sua garganta. Ainda se lembrava de dentes amarelos se fechando tão perto de seus olhos que no momento havia esperado sentir uma dor lancinante.

Durante um tempo que pareceu uma eternidade, ele esperou, consciente da presença da mulher mais acima, porém sem reagir. Ela havia descido metade do caminho e tinha parado num pedacinho íngreme de granito coberto de musgo, a uns quatro metros do chão. Ainda era alto demais para pular, e ele a ouviu buscar apoio com as mãos e com os pés de um lado para o outro, frustrada, sem encontrar nada.

Eduardo a ouviu escorregar e ergueu o olhar quando ela xingou. O lugar onde ela se apoiava com ambas as mãos tinha cedido de repente. A mulher se debateu e, no último instante, se empurrou para longe da parede, caindo na direção dele, uma forma escura contra o céu pálido. Eduardo só precisaria se levantar e dar um passo para segurá-la.

Eduardo, coçando preguiçosamente as costelas do cachorro, observou a mulher se estatelar no chão ao seu lado e ficar ali, ofegando para o céu. Não sabia se ela havia se machucado gravemente. O cão ficou de pé e correu para ela, a cauda como um borrão, ganindo e gemendo enquanto lambia seu rosto e apertava o focinho em suas mãos abertas. Eduardo desenrolou um pedaço de barbante do laço na cintura e começou a amarrar uma coleira para o animal.

— Você vai precisar de um nome, meu velho — disse Eduardo.

Ele teve uma ideia e olhou para a mulher. Ela ainda ofegava, deitada onde havia caído, apesar de o cachorro lambê-la e passar o focinho nela.

— Como você o chama?

Ela gemeu de repente ao se sentar, com o rosto e as mãos bastante arranhados e manchados de verde e marrom. Havia folhas em seus longos cabelos, ele notou. Em outra ocasião, talvez em um dia em que ela não tivesse caído e se arranhado numa parede de pedra, talvez pudesse dizer que era bonita. Mesmo assim, encarando-o com raiva, seus olhos eram impressionantes, muito grandes e brilhantes de fúria.

— Ele é meu, seja você quem for — declarou ela. — E os meus irmãos estão vindo por aquele caminho, se estiver pensando em me machucar.

Eduardo fez um gesto despreocupado na direção do caminho.

— Eu tenho um exército em algum lugar por aí e um grupo de quarenta caçadores. Não estou preocupado com os seus irmãos nem com o seu pai. Nem com você. Mas o cachorro é meu; portanto, como você o chama?

— Você vai *roubá-lo*? — questionou ela, balançando a cabeça com espanto. — Você não me segurou e agora vai *roubar* o meu cachorro? Por que não me segurou?

Eduardo olhou para ela. Seus cabelos eram de um loiro arruivado, puxados para trás e presos em um nó. Metade deles se soltaram e ficaram arrepiados como uma escova. Havia algo em seus olhos sedutores que o fez desejar tê-la segurado, mas não podia recuar da posição que tinha tomado. Deu de ombros.

— Seus lobos me machucaram.

— Não são os *meus* lobos! Eu estava tentando salvar o Bede.

O mastim ergueu as orelhas ao ouvir o nome. Ainda ao lado da moça, encostou-se nela até que coçasse seu dorso. O cão gemeu e bufou de prazer. Eduardo sentiu uma pontada de perda.

— Bede, o Estudioso? Péssimo nome para um cão. Talvez eu o chame de Brutus.

— Você é um péssimo exemplo de homem, apesar de todo o seu tamanho. Não me segurou e parece uma criança na hora de dar nome a um cachorro. "*Brutus*"!

Eduardo enrubesceu, as faces se afundando enquanto a boca se contraía.

— Ou Moisés, talvez. Ou Brincalhão, por causa do bom humor. É esse seu nome, garoto? Brin? É isso? Acho que pode ser.

Uma frieza havia se lançado sobre ele enquanto falava com o cão. Seus olhos pareceram ficar mais escuros, e Eduardo se curvou de leve, irradiando ameaça, enquanto antes parecia gentil. A mulher fechou a boca, sem mais protestos. A princípio, seu tamanho a havia enganado. Ela percebeu que ele era anos mais jovem do que tinha pensado, com uma bela barba preta cobrindo boa parte do rosto. Sua capa tinha sido rasgada e esfarrapada pelos lobos, mas ainda se agitava ao redor dele, parecendo aumentar seu tamanho naquele lugar pequeno. Ela ficou parada, ainda sem saber se ele era perigoso. Estava bem claro que seu cachorro não teria nenhuma utilidade. Ela franziu a testa, sentindo as dores começarem a latejar.

— Você não deveria roubar um cachorro, logo um cachorro. Se gostou dele, deveria comprá-lo de mim e deveria pagar um bom preço.

Eduardo se levantou com ela e pareceu cobrir o céu. Não era apenas a altura, mas sua imensa largura, os ombros e os braços modelados por anos de trabalho com espada e escudo. A barba estava bagunçada, o cabelo, comprido e sujo de terra, mas os olhos eram resolutos. Ela sentiu um frio no estômago e no ventre quando ele meneou a cabeça.

— Imagino que você seja convincente, mulher. Mas eu não vou morder a isca. Aqui, Brin. A mim.

O enorme mastim voltou para o seu lado e ficou ofegando, quase com um sorriso no focinho. Eduardo amarrou o barbante no pescoço do animal, fez uma guia com o restante e a enrolou na mão esquerda.

— Você deveria subir de volta, se conseguir — disse ele, deixando-a para trás. — Meus homens estarão à minha procura e você não vai querer ser encontrada por eles. O cão é o pagamento por meus ferimentos, milady. Tenha um bom dia.

Elizabeth Grey o viu partir. Ela sentiu a escuridão vítrea dentro do jovem gigante, além de sua força física. A combinação bastou para provocar uma estranha fraqueza depois que ele partiu. Ela se recordou de que era uma mulher casada, com dois meninos saudáveis e um marido nas fileiras de lorde Somerset. Decidiu não mencionar um encontro tão estranho a Sir John Grey. O marido às vezes era desconfiado. Ela suspirou. Teria de lhe dizer que o cachorro havia morrido.

St. Albans ficava a pouco mais de trinta quilômetros de Londres, nem mesmo um dia na estrada. Todo homem que marchava com o rei e a rainha sabia que partiria com o sol ainda nascendo e veria o Tâmisa antes de escurecer. A ideia deixou todos de bom humor. Londres significava estalagens e cerveja. Significava pagamento — e todas as coisas boas que viriam depois. Como preparativo para a última marcha, o exército de Margarida se aprumou o melhor possível, e os homens riam e brincavam enquanto arrumavam o equipamento e carregavam as carroças.

A notícia do resgate do rei havia se espalhado assim que Warwick e Norfolk se retiraram para o norte. A importância disso não passou despercebida pelos homens que lutaram. Estavam em júbilo, sentindo um alívio que não cabia dentro deles. Soaram vivas por toda a planície e até na cidade, ganhando força em ondas até os homens ficarem roucos, e depois recomeçaram quando a família real se uniu a eles naquela noite.

Alguns daqueles soldados marcharam ou lutaram desde a Escócia até o sul. O último deles havia percorrido florestas e vales para lutar duas vezes pelo rei contra seus inimigos mais poderosos — e eles triunfaram, tanto em Sandal quanto em St. Albans. Agora o sol nascia mais uma vez. Londres estava à frente — e, na capital, todos os paramentos do poder e da recompensa, dos tribunais e dos xerifes ao Palácio de Westminster e à Torre. Era o centro do poder político e econômico. Mas Londres não significava apenas poder, mas também segurança e, acima de tudo, boa comida e descanso.

Dessa vez, Margarida não fingiu consultar Somerset. Assim que a aurora iluminou o acampamento, ela deu a ordem de marchar para o sul. Com o marido e o filho ao seu lado, seus lordes se curvaram profundamente e com respeito, sorrindo o tempo todo.

A presença do rei Henrique era um talismã, Margarida podia ver. Os homens que demonstraram mau humor ou ressentimento com suas ordens estavam novamente atenciosos, de rosto impassível. Outros que se mostraram íntimos demais em sua presença mantinham uma distância respeitosa. Os tambores entoaram ritmos marciais, e os homens cantaram canções de marcha, com uma das mãos no coração. O clima era, ao mesmo tempo, alegre e frágil, uma mistura de sobrevivência e sofrimento, com a possibilidade de recompensa ainda à frente.

Não importava que Henrique nada entendesse. O rei e a rainha da Inglaterra iam com o príncipe de Gales para sua capital. O canhão pesado que capturaram em St. Albans ficou para trás quando o exército se espalhou por quilômetros na estrada da cidade.

A família real cavalgava em linha, com Somerset e o conde Percy um pouco à frente. Apesar de toda a sensação de vitória, os oficiais superiores estavam cientes de que o exército de Warwick estava por perto. Nessas circunstâncias, não poderia haver uma marcha triunfal nem poderiam permitir que Margarida e o rei Henrique seguissem nas primeiras fileiras, onde uma emboscada de arqueiros seria capaz de derrubá-los num instante. Somerset tinha seus soldados com as melhores armaduras em fileiras em torno do rei e da rainha. Ele não havia feito planos para os escoceses a pé, mas eles também estavam lá, caminhando de pernas desprotegidas com armas variadas. Aqueles homens barbudos observavam com interesse despudorado o rei pálido que resgataram, comentando entre si em sua língua estranha. O clima era leve como o de uma feira no verão, e os homens riam e ocasionalmente cantavam enquanto percorriam os quilômetros da estrada para Londres.

9

O exército que se aproximava de Londres pela estrada elevada tinha se tornado quase um desfile ou uma visita real. Mercadores e viajantes foram forçados a retirar suas carroças da estrada e viajar no terreno pantanoso enquanto cavaleiros de armadura passavam por eles em linhas de quatro, com estandartes tremulando sobre lanças acima da cabeça. Fazendeiros e comerciantes baixavam a cabeça, com o gorro apertado ao peito, quando ouviam que eram o rei e a rainha, enfim de volta. Alguns deram vivas no vento e no frio, enquanto todos fitavam Henrique e Margarida como se quisessem fixá-los na memória para sempre.

Era verdade que os estandartes reais estavam surrados e respingados de lama. Foram mantidos em cofres durante quase um ano inteiro, não podendo ser decentemente arejados. Os homens que os carregavam estavam esfarrapados, depois de tanto tempo na estrada, mas ergueram a cabeça ao avistar as imensas muralhas de Londres à frente, com um toque de trombeta para avisar à cidade que se aproximavam. Londres havia passado por tumultos e invasões no ano anterior, com a Torre invadida e canhões sendo usados nas ruas contra seu próprio povo. Durante mais de uma década, a casa de York tinha ameaçado e conspirado contra o rei legítimo.

Tudo isso havia ficado para trás. Margarida o sentia no ar limpo do inverno. Nos meses quentes, a cidade podia cheirar a podridão e esgoto, mas o vento que soprava em seu rosto trazia aromas de madeira e massa corrida, tijolos, fumaça e carne salgada. Ela se recordou da primeira vez que tinha visto a cidade, quando havia acabado de chegar da França. Levaram-na numa liteira na época, e foi preciso parar na Ponte de Londres enquanto a cidade dava vivas e gritava e os conselheiros da cidade se curvavam com suas túnicas coloridas. Aquilo a tinha deixado impressionada, uma menina de 15 anos que não sabia que podia haver tanta gente no mundo.

Margarida sentiu o pulso se acelerar quando Somerset cavalgou mais devagar até ficar ao lado dela para avançarem juntos. Eles não se falaram desde o retorno de Henrique, embora o jovem duque sempre estivesse por perto, pronto a aconselhar ou receber ordens. Henrique Percy, conde de Northumberland, cavalgava na fileira atrás da rainha, com Eduardo, príncipe de Gales. Margarida gostaria de saber se o lorde Percy pensava no pai e no irmão, perdidos nos anos de batalhas e derramamento de sangue. Talvez fosse a oportunidade para que todos deixassem para trás essas tragédias familiares. Afinal de contas, ela havia vencido. Apesar de todos os esforços e dificuldades, seu marido ainda era o rei ungido da Inglaterra, correto, vivo e mais uma vez ao seu alcance. Margarida tinha aprendido muito desde o primeiro vislumbre de Londres.

A estrada de St. Albans levava diretamente ao Portão do Bispo, paralela à estrada que ia para Moorgate, apenas algumas centenas de metros mais adiante na muralha. Havia sido a única contribuição do rei Henrique durante a viagem. Quando Somerset tinha perguntado à rainha que abordagem ele deveria escolher para entrar na cidade, alguma fagulha de lembrança havia feito o rei erguer o olhar por apenas um instante.

— Eu entraria pelo portão do meu pai — declarou ele, timidamente.

Esse era Moorgate, aberto na maciça muralha romana antes mesmo que Henrique nascesse, quando as estradas ao norte ficaram congestionadas de carroças e multidões, piores a cada ano. Sem dizer palavra ao rei, Somerset mandou novas ordens à frente, e as fileiras da vanguarda atravessaram o caminho para a estrada de Moorgate, que se elevava uns dois metros acima do solo, que era tão macio em certos pontos que poderia prender um cavalo e seu cavaleiro. Aquela estrada tinha sido construída com os impostos de Londres e era bem conservada e seca, mesmo no inverno. O séquito real manteve uma boa velocidade enquanto Moorgate assomava à frente.

A muralha de Londres era protegida por soldados da guarnição da cidade. Margarida conseguia ver seus contornos a quase um quilômetro de distância. Ela havia partido de Londres e voltado muitas vezes ao longo dos anos, indo e vindo do Castelo de Kenilworth, seu refúgio particular nos momentos mais desoladores. Ela não conseguia se lembrar de nenhuma ocasião em que os portões fossem fechados antes do pôr do sol, como claramente acontecia naquele dia. Uma ruga surgiu em sua testa, e Margarida olhou de lado para os lordes que cavalgavam ao redor dela, aguardando que um deles reagisse ou fizesse alguma observação.

Foi Somerset quem assumiu a responsabilidade: mandou homens à frente e reduziu o ritmo do restante. Os soldados que enviou seguiram com suas ordens, e estava furioso porque algum idiota tinha fechado os portões da cidade para o rei. Margarida esticou o pescoço na sela, vendo os mensageiros gesticularem à sombra da muralha. Os homens que a guarneciam se inclinaram para eles, e ela piscou, confusa, enquanto a imensa massa de ferro e carvalho continuava fechada. O exército real não podia se retardar muito mais. Margarida observou, com raiva crescente, os mensageiros de Somerset retornarem e deixarem transparecer sua surpresa. O rosto deles estava vermelho, isso a rainha conseguiu ver. O rosto de Somerset adquiriu uma tonalidade parecida ao escutar e conduzir seu cavalo na direção dela. Antes de chegar à rainha, o duque ordenou a todas as fileiras que parassem.

Havia menos de cem metros de estrada entre a vanguarda e a muralha de Londres, mas os imensos portões continuavam fechados.

Eduardo de York apertou a capa ao redor do corpo, já irritado. Estava sendo chamado de volta às suas responsabilidades, algo que ele sentia como um nó no pescoço. O primeiro toque da corda veio quando o mordomo-mor do pai foi atrás dele em Gales e aguardou três dias pacientemente enquanto Eduardo vociferava e o mandava para o inferno. Hugh Poucher era um homem de cabelos brancos de Lincolnshire que devia estar no lado errado dos 60, embora fosse impossível ter certeza. O esguio mordomo exibia uma expressão de irritação profunda, quase de dor, como se tivesse uma vespa na gengiva e, um dia, fosse cuspir aquela coisa imunda. Poucher havia suportado em silêncio e com desdém as tempestades de fúria de Eduardo até que o jovem gigante por fim concordasse em lhe dar ouvidos.

O título do pai significava que dezenas de propriedades agora pertenciam a Eduardo, com criadagem e arrendatários somando um total de centenas ou até milhares de pessoas. O pai acompanhava de perto essas posses, e os homens que as administravam entendiam perfeitamente os limites de sua autoridade — e não dariam um passo além por medo de perder seu sustento. Era um trabalho que Eduardo não desejava e com o qual não se importava, embora apreciasse a bolsa de moedas de ouro que Poucher havia trazido.

Com o funcionário do pai vinha o dever, que lhe causava um aperto no peito, o envolvia em leis e regras sufocantes e não lhe dava razões para permanecer sóbrio. É claro que Eduardo poderia ter mandado Poucher embora. Tinha chegado perto de fazê-lo ao descobrir que o homem havia reunido uma equipe de escriturários das propriedades mais próximas para auxiliar e instruir seu jovem senhor. Esse séquito de escribas agora acompanhava Eduardo aonde quer que ele fosse, com dedos sujos de tinta e pergaminhos encadernados em couro e cera. Sempre havia mais para Eduardo ler, não importava com que frequência ele saísse em disparada com seu mastim e alguns dos cavaleiros mais fortes para passar alguns dias caçando. Quando concordava com os escribas, seus pensamentos se dispersavam durante a leitura, rumando com frequência para o pai e para o irmão Edmundo.

Eduardo já havia visto muitas cabeças espetadas em mastros. Não era preciso muito esforço para imaginar o rosto do pai flácido e apodrecido nas muralhas de York. Eduardo tinha quase três mil homens, e York ficava ao seu alcance. Houve ocasiões nas caçadas em que havia descoberto ter se aproximado da cidade, e se perguntava se não deveria ir até a muralha ou se haveria alguma armadilha para capturá-lo. Em seus pensamentos íntimos, às vezes ele desejava que Ricardo Neville estivesse ali. Ele também tinha perdido o pai para a vingança da rainha. Warwick saberia o que fazer.

Em algumas manhãs, Eduardo acordava determinado a atacar York e recuperar a cabeça do pai. Mas, depois de esvaziar a bexiga, fazer o desjejum e praguejar com Hugh Poucher por lhe trazer novas contas para examinar, o medo retornava. Ricardo de York tinha sido um homem inteligente e poderoso, mas agora sua cabeça pendia das muralhas de pedra. A morte do pai havia tirado de Eduardo grande parte do ímpeto e da confiança, embora ele se esforçasse para esconder a dor da perda com brutalidade e mau humor. Sabia que os homens andavam com cautela perto dele e que era seu próprio medo que o impelia, no entanto a situação só piorava a cada tentativa forçada de fazer amizade, que sempre terminava com alguma mesa sendo chutada ou com alguém sendo nocauteado com um só golpe enquanto ele estava bêbado.

O caminho até o solar era longo, e os cavaleiros de Eduardo formaram uma coluna sólida, em linhas de três homens. O terreno estava bem-cuidado e a vegetação tinha sido aparada havia pouco para passar o inverno, e todas as árvores e arbustos ainda exibiam as marcas brancas da poda impiedosa. Então ele ouviu a voz do pai, murmurando o antigo ditado do jardineiro: "O crescimento segue a faca." Eduardo se perguntou se ela estaria lá ou se teria se mudado para outra casa e fechado aquela.

Elizabeth era outro tema regular de seus devaneios, em geral quando estava aquecido e os sentidos agradavelmente diluídos na bebida. Então ele se lembrava daqueles olhos sedutores observando-o. Quando se lembrava de seu primeiro encontro, ele sempre a segurava na queda, até quase acreditar que o tinha feito. Era surpreendente a frequência com que pensava nisso.

A casa tinha vigas de madeira e aparência sólida, o lar de um cavaleiro com bom nome, mas talvez não muito rico. Ele tinha levado bastante tempo para encontrar o lugar, mesmo com o pretexto de devolver um cão ao dono. Eduardo apeou, enquanto folhas mortas há muito giravam pelo pátio de pedra diante da porta principal. Seus homens apearam com ele ou trotaram por ali para verificar os entornos. Eles não receberam essa ordem, mas a esta altura já conheciam muito bem seus ataques de fúria e se esforçavam para evitá-los.

A porta principal dava para um pátio interno, visível através de uma grade. Eduardo teve de bater a manopla de cota de malha na madeira para que um criado viesse correndo atender, o primeiro sinal de vida que se via naquele lugar. O velho olhou de relance para os escudos com a rosa branca de York e não se conteve, gritando pela senhora e se esforçando para abrir as grandes trancas de ferro da porta.

Quando o trêmulo ancião conseguiu abri-las, a mulher estava lá. Os cabelos não estavam mais embaraçados e despenteados, sem folhas caídas nem teias de aranha. A mudança lhe caía bem, e Eduardo percebeu que havia realmente um toque ruivo nos cabelos dourados dela. Pareciam ter mais cores do que ele conseguiria identificar. Os olhos de Elizabeth eram de um castanho quase vermelho. A silhueta era voluptuosa, e a cintura...

— Trouxe meu cachorro de volta? — perguntou ela, cansada daquele escrutínio silencioso. — Aquele que o senhor roubou?

A porta estava escancarada, de modo que não havia mais nada entre os dois. Eduardo deu um passo à frente e envolveu a cintura dela com a mão. Ele havia planejado esse momento em seus sonhos e fantasias à luz do dia. Aproximou-a mais e colocou a outra mão nas costas dela, curvando-a para trás ao se inclinar. Elizabeth ficou rígida quando ele a beijou, os dentes dos dois se chocando, e ambos fizeram uma careta. No pátio dos fundos, um bebê começou a chorar. Eduardo a soltou, e Elizabeth Grey ficou ali, corada com o choque, tocando os lábios como se esperasse uma mancha de sangue.

— Você é... o homem mais *grosseiro* que já conheci.

Eduardo percebeu que, apesar da voz ofendida, havia um brilho no olhar dela. Havia sentido a maciez de sua boca e, com certa satisfação presunçosa, notou um rubor se espalhar pela pele da mulher. Era algo que homens fracos, homens mais baixos, jamais conheceriam, pensou ele com alegria. Nunca entenderiam uma linda mulher de verdade sem aquele conhecimento. Os cães podiam gemer e reclamar, ou imitar seus modos, ou até chamá-lo de demônio ou malfeitor, mas Eduardo viu o interesse de Elizabeth por ele e soube que era real. Ficou parado e a absorveu por um longo tempo.

Como Eduardo não disse nada, Elizabeth olhou para além dele, para onde estava seu cão, segurado de leve por uma corda. Assoviou, e o animal quase arrastou seu tratador até ela. Sem dúvida o homem não teve opção. Eduardo se virou para observar o mastim que pulava e ofegava, então franziu a testa.

— Se ele vem com tanta facilidade, por que me deixou ir embora com ele antes?

— Eu estava tonta por causa da queda. Havia um enorme grosseirão que não me segurou, se é que se recorda.

— A senhora queria me ver de novo — declarou ele, com um sorriso malicioso.

Elizabeth revirou os olhos.

— Claro que não. Achei que o senhor poderia ficar tão violento quanto parece se eu o chamasse de volta.

Eduardo bufou. Não tentou esconder as emoções e deixou que brincassem em seu rosto com a franqueza enternecedora de uma criança.

— Eu *sou* um homem violento, milady. Já fui e serei de novo. Mas não com a senhora. Quando penso na senhora, fico mais suave.

— Então o senhor não me serve de nada, Eduardo de York.

Ele hesitou ao ouvir isso, a boca se mexendo em confusão enquanto ficava mais ruborizado.

— Não sirvo... Sinto muito, senhora... O quê?

O bebê chorou de novo, e ela perdeu o sorriso irônico que exibia no canto da boca.

— Estão me chamando, Eduardo.

— Meu nome está nos meus estandartes. Também sei o seu, Elizabeth Grey.

— Sim, esse é o meu nome agora. Mãe e esposa de Grey.

Ela o fitou por um bom tempo, os olhos calmos enquanto tomava uma decisão sem pressa. O marido era um homem decente, mas nunca a tinha feito tremer de desejo como aquele touro havia conseguido com um único abraço desajeitado. Elizabeth enrubesceu intensamente com seu próprio flerte.

— Venha me ver de novo, Eduardo. Sem seus homens, talvez.

Antes que ele pudesse fazer qualquer coisa além de olhar para ela, Elizabeth se virou, rodopiando a saia, e se foi. O velho que tinha aberto a porta olhou para Eduardo com admiração e reverência e depois, por algum tempo, achou suas botas igualmente fascinantes.

— Devo... há... pôr o cachorro para dentro, milorde? Minha senhora não disse nada, afinal.

— O quê? Ah.

Eduardo olhou para o mastim, que tinha decidido se deitar de costas e dar pontapés no ar com uma das patas traseiras, sem demonstrar nenhum sinal de preocupação. Ele notou que o cão o observava.

Suspirou. Quando a porta se fechou depois que Elizabeth se foi, ele sentiu algo mudar dentro de si, algo que se apertava e que ele não sabia que ainda estava solto. A princípio, as responsabilidades do pai foram um fardo. Agora, algo dentro dele havia se fechado ou se amarrado, e isso não era mais verdade. Havia coisas que tinha de fazer que ninguém mais faria por ele. Eram *sua* responsabilidade, e ele percebeu que sentia não o peso, mas a força necessária para suportá-la. De repente, Eduardo compreendeu que a força *vinha* do fardo. Foi uma revelação.

Pela primeira vez que se lembrava, ele sentiu uma pontada de culpa por algo que havia feito. Não importava que Elizabeth tivesse lhe dado todos os sinais de que o aceitava. Impor sua corte a uma mulher casada estava no mesmo nível de beber até cair ou brigar com os ferreiros até que todos eles estivessem machucados demais para continuar em pé.

Eduardo deu um gemido quase inaudível, ergueu a cabeça e inspirou com força. Ele se viu como uma criança que fugia do que precisava fazer e sentiu vergonha.

O olhar de Eduardo se voltou para o sul, para além da casa e das árvores, imaginando a rainha Margarida e todos os seus nobres lordes erguendo taças de vinho e trocando congratulações pela vitória. Ele estava dividido entre o ímpeto de seguir para o sul a fim de exigir reparação e a vontade de permanecer no norte ao pensar na humilhação que o pai havia sofrido. A primavera estava a caminho. Como deixar o norte, com a cabeça do pai? Como *não* deixar o norte, com seus inimigos ainda vivos?

— Sim, leve-o — disse ao velho, que estava de olhos arregalados e desencorajado com o silêncio do grandalhão. — Partirei por algum tempo, e ele deve ficar com a dona. Dê-lhe um osso de cordeiro frio. Ele gosta.

— Espero que o vejamos de novo, milorde.

Eduardo olhou para baixo e sorriu. Não que o pesar tivesse sumido, porém não conseguia mais desumanizá-lo e abatê-lo de repente. Ele sabia que o pai o observava e que havia uma dívida a ser paga. Seus pensamentos estavam nítidos, e ele respirou devagar e com calma.

— Talvez, se eu viver. Se o senhor viver, também. Para quem já viu tantos invernos quanto o senhor, suponho que cada dia seja uma bênção.

O velho hesitou, sem saber como responder a Eduardo, que se virou e voltou para onde estava seu cavalo, que era seguro por um de seus homens. Seus capitães observaram e ouviram tudo e pareceram sentir alguma mudança, de modo que os cavalos se remexiam, inquietos, querendo partir.

— Milorde? — chamou um deles.

— Mande os homens levantarem acampamento — ordenou Eduardo. — Agora estou pronto. Falarei por York. E serei ouvido.

Um dos homens perto de Eduardo fez o sinal da cruz num reflexo, enquanto outro tremia. Eles iriam à guerra mais uma vez. Todos aqueles homens testemunharam a batalha de Mortimer's Cross, onde o sol havia nascido em três lugares lançando sombras impossíveis. Eles viram Eduardo caminhar com a espada por um campo de mortos, com a cabeça descoberta, a armadura vermelha, ensandecido de pesar. Todos os seus capitães e cavaleiros sabiam do que Eduardo era capaz e olharam para ele com assombro e admiração.

10

Não havia comida no acampamento da rainha, nem mesmo um pedaço de enguia ou de cachorro para alimentar quinze mil homens — e só havia água lamacenta e salobra para molhar a garganta. As últimas reservas de comida foram consumidas antes do confronto em St. Albans ou com as muralhas de Londres à vista. Enquanto eles fitavam a capital, as barrigas roncavam com a ideia de guisados de inverno grossos, sopas, bolinhos e assados girando devagar nos espetos das estalagens, assando no próprio suco.

Durante horas, os homens que Margarida tinha levado para o sul ficaram em pé ou sentados em suas montarias, confusos e sussurrando, assombrados com a ideia de o rei ser mantido à espera como um mendigo. Margarida não lhes deu ordem de descansar nem de relaxar, e nenhuma barraca foi retirada das carroças de equipamento na retaguarda, nem homem algum teve permissão de se sentar. Os poucos que tomaram essa decisão por conta própria foram repreendidos e postos de pé por sargentos de rosto corado.

Quando o sol tocou o horizonte e lavou as muralhas com ouro, Margarida aceitou os pedidos dos capitães para permitir que os homens caçassem ou mesmo que tomassem comida das aldeias em volta da cidade que estivessem a no máximo um dia de viagem a cavalo. Ela fez questão de só mandar pequenos grupos, apenas seis cavaleiros de cada vez, mas na verdade a situação era desesperadora. Se os portões continuassem fechados, seu exército passaria fome e seria obrigado a avançar. Ela não sabia o que aconteceria depois, com todo o poder e riqueza de Londres negados ao séquito do rei. Isso nunca havia acontecido.

Derry Brewer tinha estado ocupado desde haviam chegado, trabalhando ao lado de Somerset enquanto ambos colocavam de lado o desagrado mútuo diante de uma necessidade maior. Juntos, enviaram uma delegação formal aos portões para exigir a entrada do rei. O selo real não tinha sido encontrado, mas Somerset escreveu várias cartas com seu próprio selo, revelando claramente a frustração. Derry mandou mensagens de diferentes tipos, escritas e faladas. Ele recorria a rotas menos conhecidas, seus recados levados por moleques em torno da cidade murada, onde os guardas talvez não fossem tão cheios de si.

Não que Londres não soubesse do exército acampado fora da muralha. Nem Margarida nem seus lordes conseguiam entender. Eles eram os *vitoriosos* contra York. Eram a casa de Lancaster restaurada. Mesmo assim não podiam dar um passo dentro de Londres, enquanto soldados nervosos os observavam com as bestas ao ombro, como se fossem uma força invasora estrangeira ou mais rebeldes de Jack Cade.

A exigência formal de entrada subiu em cordas e sumiu na cidade. Somerset tinha voltado a montar para aguardar na vanguarda, ainda certo de que os portões seriam abertos. À sua direita, o sol de inverno começou a se pôr. O cavalo raspou a estrada com o casco, mas o duque se manteve no lugar. A capital do reino do rei Henrique não poderia permitir que o rei e a rainha congelassem em campo aberto. O jovem duque aguardou com seus porta-estandartes perto da estrada, pronto para incitar o cavalo a avançar e atravessar na vanguarda os portões assim que fossem abertos. A luz desaparecia depressa, e o frio ficou intenso quando a escuridão caiu e a lua apareceu baixa no céu.

Somerset percebeu que tremia dentro da armadura. Ele se mexeu, sacudiu a cabeça fazendo o metal ranger e se acomodou só um pouquinho enquanto relaxava os músculos doloridos.

— Encontrem um lugar para dormir — disse com rispidez aos seus homens. — Eles não abrirão os portões à noite. Vamos esperar até amanhã, que todos se encham de *pústulas*.

Ele virou o cavalo e trotou de volta até um acampamento improvisado que tinha surgido no meio da estrada. O terreno ao longo da estrada, macio e encharcado, não ajudava em nada o grupo real. Um homem ali em pé sentiria a água verde inundar suas botas em poucos minutos. Sem dúvida eles não poderiam dormir naquele charco, e foram forçados a se amontoar em todos os trechos secos da estrada, estendendo-se por quilômetros. Era um tormento inconveniente, mas ninguém teria imaginado que seriam impedidos de entrar na cidade.

Como esperava, Derry foi convocado à presença do rei Henrique assim que Somerset desistiu da vigília furiosa diante dos portões. Derry não sabia ao certo se o rei tinha conhecimento do motivo de terem parado, mas Margarida estava furiosa, andando de um lado para o outro numa faixa estreita entre duas carroças levadas para abrigá-la. Um toldo havia sido estendido entre elas e erguido em varas para o caso de começar a chover. Tochas foram acesas, além de um braseiro da guarnição do canhão, por isso havia uma tênue luz dourada. Derry se enfiou debaixo de uma aba de pano e aguardou que um guarda o reconhecesse antes de avançar mais. Naquela noite, todos estavam um tanto nervosos, e não seria bom levar uma facada na costela por forçar a passagem por um guarda. Derry avistou um menino que ele conhecia o procurando e estalou a língua para chamar a atenção do garoto. Um dos guardas foi rápido o suficiente para agarrar o moleque que tinha disparado na direção de Derry. O espião-mor interveio rapidamente.

— É meu — murmurou. — Um dos meus. Largue-o.

— Gosta de meninos, é? — retrucou o guarda, irritado.

Vinte anos antes, Derry teria dado uma surra no guarda. Agora ele estava cansado e com mais de 50 anos, vindo de uma longa campanha e fervilhando de raiva por ter sido detido prestes a chegar à parada final. De repente, não se importou com mais nada. Agarrou o guarda e fez com que o homem saísse correndo sob uma chuva de golpes curtos de porrete, diante da plateia surpresa da tenda da rainha. Por um breve momento, Derry esqueceu completamente todos os presentes enquanto dava pancadas na cabeça do guarda e alternava estrangulamento com socos no nariz e na boca. Ninguém o deteve, e, quando por fim soltou o guarda e o deixou cair, Derry se virou e viu que Clifford e Somerset o observavam. Lorde Clifford parecia claramente incomodado, enquanto Somerset ria e balançava a cabeça, divertindo-se.

O menino mensageiro recuperava o fôlego para falar quando tomou consciência do escrutínio silencioso da rainha Margarida. O marido dela estava sentado num canto da tenda improvisada entre carroças, a cabeça baixa de sono ou em oração. O moleque de Londres fechou a boca e ali ficou, calado, fitando o chão de pedra.

— Lá fora, rapaz — mandou Derry, ofegante.

Ele segurava seu funcionário com a mão dolorida. Os nós dos dedos ficariam inchados e roxos na manhã seguinte, ele tinha certeza. Mas, por Deus, tinha sido bom. Ele não olhou para o guarda quando passou por cima dele e arrastou o menino para a escuridão.

— Espero que tenha algo bom para mim depois daquilo — disse Derry, se abaixando. — Então? O que descobriu?

O menino ainda estava empolgado por ter assistido a uma boa surra e sorriu de admiração pelo espião-mor da rainha.

— Falei com Jemmy. Ele que ajudou eu a entrar.

Derry deu um tapa na nuca do menino com um único movimento rápido. Não estava com humor para histórias e sabia muito bem que havia uma centena de lugares por onde um escalador ágil conseguiria entrar na cidade. Ele mesmo tinha usado alguns desses lugares quando mais jovem, com joelhos menos insistentes em suas queixas.

— Por que os portões estão fechados?

O menino esfregou a nuca, irritado, o bom humor desaparecendo com a mesma velocidade com que havia surgido.

— Tá todo mundo com medo dos cão do norte e dos sovage que come criança.

— Selvagens — disse Derry.

— Issaí. O prefeito e os cão seteiros.

— Conselheiros — murmurou Derry, enquanto o menino continuava.

— É eles. Chamaro um monte de gente, cheio de mercador e gente rica. Eles falaro pro prefeito que reviravo as tripa dele se ele abrisse os portão. Então ele ficou quietinho e num fez nada.

— Você *viu* o prefeito? — perguntou Derry. — Posso lhe dar um tapinha no ombro?

O menino sabia que a expressão significava mandar matar alguém, mas deu de ombros, os ossos se movendo rapidamente.

— Pode ser, mas a cidade tá toda com medo dos seu cão feroz. Passaro um mês só ouvino historia de estrupo e sassinato. Olha... — O menino sabia que Derry não gostaria de ouvir o que ia dizer, então esfregou o nariz e fungou, tomando coragem para continuar. — Olha... eles tá tudo com medo. Quem chegar perto do portão pra abrir leva uma faca nas costa.

— O rei da Inglaterra... — começou Derry, levantando a mão com descrença.

O menino se encolheu.

— Num importa se Deus e todos os santo tá aqui fora. Ninguém vai entrar. *Ninguém*. Só na primavera.

O garoto notou o olhar vazio do espião-mor e estendeu a mão. Derry procurou no bolso e contou moedinhas minúsculas de prata de meio centavo e outras de um centavo. Passou algumas para os dedos ávidos do menino, sem dar atenção ao sorriso crescente por pagar a mais.

— Esse aqui é esquisito — comentou o mensageiro, levantando-o. — Tem uma figura esquisita.

Derry observou e viu um centavo escocês. O instinto do menino era bom, porque a moeda tinha apenas dois terços de prata. Ele se perguntou qual dos companheiros escoceses de Margarida o havia misturado aos vencimentos de alguém.

— Aqui está outra melhor — disse, erguendo um centavo inglês. — Agora pode ir. Espero que consiga gastá-los na cidade.

— Eu vou, se quiser. Mas não os seu lorde elegante. Eles não vai se mexer daqui.

— Vá — disse Derry, mergulhando de volta no bafo de fumaça, suor e corpos apertados demais no espaço minúsculo.

O guarda tinha sido substituído por outro que o encarou friamente. O murmúrio da conversa sumiu quando os homens que estavam lá dentro ergueram os olhos e lembraram que Derry Brewer poderia ter alguma informação. Somerset ergueu as sobrancelhas, e até Clifford guardou para si seus pensamentos.

— E então, Brewer? — perguntou Somerset. — Notícias? Então são todos traidores além daquele portão? Devo mandar trazer o canhão que tomei de Warwick para romper as muralhas de nossa amada capital?

Em resposta ao tom mordaz, Derry deu um sorriso melancólico e fez que não. Ele tinha falado com alguns garotos e havia lido duas cartas contrabandeadas. Todos diziam a mesma coisa. Não havia alegria em provar que estava certo, não se isso significava que o acesso deles a Londres estava impedido.

— Vossa Majestade, rainha Margarida, milordes, acredito que estejamos diante mais de medo do que de ações de traidores ou de aliados de York. Os moradores de Londres têm medo deste exército à solta em suas ruas. Eles ouviram todas as histórias e viram as *columna nubis*, os pilares de fumaça, milorde Somerset. — Derry parou de falar para dar ênfase, e Somerset baixou os olhos um momento. — O prefeito vê apenas outro exército gritando para entrar. Ele ouviu demasiadas famílias esfarrapadas falarem de nortistas que latem e escoceses de pernas nuas. O sujeito é um covarde, com toda a certeza, mas não o considero um traidor que se lançou para o lado de Warwick.

— Esse prefeito pode ser acalmado? — perguntou Margarida de repente. Somerset baixou a cabeça, sem dizer o que pretendia, permitindo que a rainha ocupasse o palco. — O que sugere, mestre Brewer?

— A cidade tem medo de nossos soldados, milady. Eu afastaria o exército um ou dois quilômetros e deixaria apenas uma pequena força de guardas e lordes com o rei Henrique. Há uma possibilidade de que o prefeito abra os portões para eles...

— Aquele *merceeiro* gordo? — interrompeu lorde Clifford. — O prefeito já teve o desplante de desobedecer às ordens e à autoridade do rei Henrique. Ele viu os estandartes reais! Prefiro trazer o canhão para a vanguarda. Que ele veja as consequências de sua traição!

Houve um grunhido de apoio naquele pequeno espaço. O simples fato de recusarem a entrada do rei ainda era chocante para todos eles. Pelo menos havia algo de satisfatório na imagem de estilhaçar Moorgate. Eles tinham armas para isso, deixadas no campo pelas forças de Warwick. Seria quase poético.

Derry pigarreou para falar de novo. Ele olhou de relance o rei Henrique para se assegurar de que o rei não participaria da discussão. Henrique permanecia imóvel e calado, embora os dedos se torcessem sobre as coxas.

— Milady, é possível que lorde Clifford não tenha levado em consideração o modo como o reino inteiro veria o uso de canhões contra as muralhas de Londres — comentou Derry, o rosto fechado e o olhar fixado na rainha. — Com um pouco mais de reflexão, milorde Clifford talvez perceba que, mais que qualquer outra coisa, isso enfraqueceria a autoridade do rei Henrique. Talvez como último recurso, mas essas muralhas têm quatro metros de espessura e os portões são reforçados com ferro.

Clifford bufou, e Derry continuou rapidamente, antes que o homem conseguisse interrompê-lo.

— Não digo que *não* cairão. Só que levará tempo. Se o canhão de ferro for trazido, a guarnição ficará vulnerável aos arqueiros na muralha e a todos os canhões que eles conseguirem levar para a passarela e os suportes lá em cima. Afinal de contas, todos aqueles canhões são de fundições de Londres. Com a altura, eles podem igualar nosso alcance e até ultrapassá-lo.

Derry deixou a ideia se infiltrar na cabeça dos homens ali reunidos. Ela pareceu apagar um pouco da raiva crescente.

— Portanto, antes de ficarmos aqui socando o portão como um bêbado, deveríamos pensar em outras maneiras de entrar. O prefeito temerá alguma traição nossa... algum truque ou armadilha, ou simplesmente uma punição terrível quando abrir o portão e nos permitir a entrada. Ele retardará, discutirá, trocará cartas. — Derry baixou a cabeça na direção de Margarida. — Desconfio de que ele aceitará sua garantia de segurança, milady. Pelo que me lembro do homem, milorde Clifford tem razão. O prefeito Richard Lee não é um guerreiro. Sem dúvida está suando de medo neste momento. Devemos simplesmente lhe mostrar um caminho para sair dessa encrenca... e ele o seguirá.

Derry não precisou recordar aos presentes as sombras que pendiam sobre eles. Derrotaram Warwick numa batalha, mas o exército inimigo não tinha sido destruído, apenas ferido e forçado a sair correndo. O homem estava em algum lugar nas florestas e vales, lambendo as feridas como qualquer cão selvagem. Derry esfregou os olhos, torcendo para poder dormir. Warwick esperaria que eles marchassem diretamente para Londres. Quanto tempo se passaria até o conde descobrir que eles ainda estavam na estrada, com toda a família real vulnerável a ataques?

Além dessa possibilidade preocupante, havia outro exército e outro filho furioso na escuridão. Derry havia tido esperanças de estar com o rei e a rainha em segurança atrás das muralhas de Londres quando Eduardo de York se juntasse a Warwick. O espião-mor não havia se permitido nenhuma falsa sensação de vitória, não enquanto dois filhos tão poderosos ainda estavam à solta. Ainda havia espaço no Portão de Micklegate, em York. Até que fosse ocupado, Derry desconfiava que nunca teria um descanso verdadeiro.

O sol nasceu com novas trocas de cartas e exigências furiosas, todas ignoradas pelo prefeito e por seus conselheiros. Como principal magistrado da cidade, o prefeito era bem versado em leis e costumes. No entanto, não tinha nenhum direito de impedir a entrada do rei, e Derry desconfiava que o homem lamentava ter deixado que essa situação insustentável chegasse a esse ponto. Nesse momento, mesmo que a multidão nervosa dentro das muralhas apoiasse a abertura dos portões, o próximo e último destino do prefeito sem dúvida seria a

Torre, sua vida mensurada em dias. O povo de Londres teria uma bela noção da raiva que o exército e os lordes que aguardavam no lado de fora sentiam. Cada hora de espera piorava a represália na imaginação de todos — e mantinha os portões fechados.

À tarde, arautos reais foram até os imensos portões e bateram no ferro com cajados, mas, como não houve resposta, tiveram de dar meia-volta. Os homens conseguiram recolher um pouco de comida em aldeias, como Chelsea, longe demais de Londres para que seus moradores soubessem da presença do exército antes que os soldados aparecessem para esvaziar seus estoques de inverno. Porém aquelas parcas rações só alimentaram algumas centenas. A maioria dos quinze mil estava no segundo dia sem comida — e antes disso os homens já eram só pele e osso. Quando o sol se pôs de novo, a situação ficou completamente desesperadora. Todos passavam fome.

Na segunda noite, a reunião em torno da rainha não estava tão cheia de energia e movimento quanto antes. A fome cobrava o preço de todos eles, embora parecesse que Clifford havia comido muito bem, de algum estoque particular que tinha preferido não compartilhar. Derry jurou que conseguia ver uma mancha de gordura no queixo do homem e quis estrangulá-lo. Todos estavam mal-humorados.

Margarida andava de um lado para o outro, três passos de cada vez, sopesando as opções. Seus cabelos roçavam no toldo acima, com um som que lembrava um sussurro. Pelo menos não chovia. Essa era a única bênção, embora, na Inglaterra, a chuva de inverno fosse certa.

— Cavalheiros, milordes. Os que passam fome têm pouca opção — começou Margarida.

Derry via que ela cerrava o punho na manga comprida do vestido. O tecido estava tão marcado e sujo quanto a jaqueta dos soldados, e a rainha tremia, se de frio ou de falta de comida ele não sabia.

Margarida parou de repente para encará-los. O marido estava presente como símbolo de seu poder, mas a verdade era que Henrique não fazia nenhuma diferença para o domínio dela sobre os homens. Da carranca barbuda do *laird* escocês Andrew Douglas, com o *léine* e o *brat* enrolados no corpo, até Somerset, o conde Percy, Clifford, Derry Brewer e todos os reunidos na escuridão, *ela* os tinha levado àquele campo e àquela faixa estreita de estrada. A decisão seria de Margarida, e Derry achava curioso ver como todos olhavam para ela como homens que aquecessem as mãos numa fogueira. Sua beleza tinha algo a ver com isso, é claro. Os homens sempre foram tolos diante de um lindo rosto. No entanto, alguns dos presentes conheciam Margarida desde que ela era muito jovem — e nesse período nenhum ano inteiro se passou em paz. Ela estivera presa a uma pedra de moinho que girava — e tinha deixado nela seu sangue. A luta, sem dúvida, a havia enrijecido, mas isso era verdade para todos eles nos anos de guerra.

— Aqueles que se encolhem atrás dos portões da cidade são tolos ou traidores — prosseguiu Margarida. Sua voz era suave e baixa naquele lugar pequeno. Os lordes espicharam o pescoço para ouvi-la. — Seja como for, não podemos permanecer aqui. Os homens estão adoecendo, reduzidos a pele e osso depois de tanto esforço, sem comida para mantê-los saudáveis. Não vai demorar para que comecem a morrer à nossa volta. Ou isso ou Warwick e York nos encontrarão presos diante das muralhas... e virão com ferro e fogo. Portanto, as ordens de meu marido são para marcharmos para o norte, para Kenilworth e terras melhores, mas primeiro para cidades onde possamos encontrar comida e recuperar as forças.

Ninguém discutiu com a vontade do rei transmitida por sua rainha. O brilho nos olhos de Margarida não era natural, como se ela ardesse em febre ou lágrimas. O coração de Derry se condoeu da frustração dela, que compartilhava. Eles tinham vencido! Chegaram tão *perto* da segurança e foram deixados no frio e no escuro.

Os dias ainda eram curtos em fevereiro. O toldo se agitava acima da cabeça deles, e ouviram-se pingos de chuva que fizeram todos olharem para o alto. Derry sentia a luz desaparecendo ao redor deles. Aquilo combinava com o clima de humilhação e desespero causado pela exaustão. Foi dada a ordem de levantar acampamento e se preparar para marchar ao amanhecer, mais uma vez sem comida para começar o dia.

11

Warwick achou difícil conciliar a imagem de Eduardo que tinha na memória com o gigante barbado que o encarava, vestindo uma casaca cravejada de bronze, meias de lã grossas e botas encouraçadas. Com um prazer taciturno, Eduardo estendeu o braço entre os dois. Deu um tapinha no ombro de Warwick com luvas imensas, cada pedacinho seu coberto de terra, fedendo a cavalo e às noites passadas na estrada.

Havia poucos sinais de civilização no jovem duque de York quando ele parou a montaria, apeando com tamanha graça e facilidade, que Warwick se sentiu velho aos 32 anos. No chão, eles trocaram um abraço rápido, preferindo a reserva ao risco de abrir a porta do pesar. A consciência estava ali, em ambos. Na última vez em que se encontraram, os pais dos dois estavam vivos.

Ao redor deles, o exército menor de York montou acampamento para seu nobre comandante, papel que Eduardo parecia gostar de exercer enquanto assoviava e transmitia ordens. Warwick pensava que a barba negra e os olhos profundos do outro seriam adequados a um bandoleiro ou ao líder de um grupo de guerreiros. Não tinha dúvidas de que o jovem duque conseguia ser violento. As histórias do filho guerreiro de York já haviam começado a se espalhar, contadas e recontadas em torno das lareiras de mil aldeias. Com certeza os relatos eram adornados pelo caminho, mas ainda assim Warwick sentiu seu olhar ser atraído pela espada que Eduardo portava. Corria o boato de que ela havia se partido ao meio com a força de um golpe. Algumas histórias diziam que tinha se quebrado com um som que lembrava o de um sino com a chegada da notícia da morte do pai.

— Vê-lo me faz bem — comentou Warwick com sombria satisfação. — Agradeço por nos livrar dos Tudors.

Warwick tinha de olhar para cima quando estavam juntos. Era estranhamente irritante, mas ele não mentia. A derrota desastrosa em St. Albans tinha custado a Warwick parte de sua confiança. De repente, seu exército de oito mil homens não pareceu suficiente para as tarefas que o aguardavam, não com aquilo por trás. Ele sabia que tinha sido vencido, mas, muito pior, que o exército inimigo havia contornado sua posição, levando-o a fazer papel de bobo. Warwick ainda fervilhava de raiva por isso, e fez bem ao seu coração ver os três mil homens de Eduardo somados aos seus.

Warwick decidiu naquele instante que não seria prepotente. Sabia que Eduardo era mais jovem e menos experiente, apesar da posição hierárquica superior. Ainda assim, o jovem duque não devia esperar comandar a força maior. Por direito, Eduardo estava atrás do duque de Norfolk para uma honraria como essa, no entanto Warwick prometeu não o humilhar. Havia cem maneiras de fazê-lo, mas Warwick decidiu incluir o filho de York em todos os planos futuros, em homenagem ao pai de Eduardo e também para treinar o rapaz.

O fato de os homens de Eduardo terem vencido sua batalha teve parte nessa decisão. Isso se via na postura deles e nos olhares desdenhosos que lançavam aos homens de Kent. Algumas rixas começaram quando houve troca de insultos, e vozes se ergueram com surpresa e indignação. Warwick não reagiu quando seus capitães saíram com porretes para levar um pouco de paz e tranquilidade às fileiras ociosas. Ao sentir o escrutínio, ele virou a cabeça e viu que Eduardo de York o observava.

— Não o culpo pelo que aconteceu em Sandal — disse Eduardo. Sua voz estava estranhamente alta, o que fez Warwick piscar. — Você não podia dar asas aos seus homens para chegar lá e oferecer apoio, e sei que você compartilha de minha perda. Sei que seu pai morreu com o meu, pela mesma causa e no mesmo campo. Alguém lhe contou as palavras de meu pai?

— Ele disse à rainha que ela não havia obtido nenhuma vitória — respondeu Warwick, quase sussurrando. Ele havia conhecido Eduardo quando era um menino de 13 anos, aprendendo a beber e lutar com a guarnição inglesa de Calais. Havia uma intensidade perturbadora no guerreiro extremamente musculoso que o encarava com olhos tão azuis. — Ele disse que ela só havia liberado os filhos.

— Ele disse mesmo — comentou York. — Ele *disse* isso mesmo, como ouvi de vários homens que vieram me contar seus últimos momentos. E ele saberia que eu o *ouviria*, muito depois do dia de sua morte. Ele sabia que eu ouviria o que me disse. — Eduardo respirou fundo e soltou o ar com força pelo nariz. — Sejamos todos liberados então, Ricardo, diante desses homens que nos seguem. Não admitamos rédeas nem arreios, nenhuma restrição, nenhuma mão no braço até tomarmos tudo o que nos devem de todos aqueles que nos devem.

Enquanto falava, Eduardo se sentiu oscilar entre a confiança crescente e os nervos trêmulos. Ao menos era claro em sua fúria, que podia ser plenamente compreendida. Nas horas de silêncio, contudo, não sabia o que dizer, o que ordenar. Naqueles momentos, ele sentia que seus homens deviam saber que seguiam alguém que fingia ser um soldado, um homem que se sentia como um menino, vestido mais como fora da lei do que como duque. Perdido nos próprios medos, Eduardo não viu como os homens olhavam para ele, o orgulho reluzente que sentiam de seu gigante.

Sob aquele olhar penetrante, Warwick fez que sim devagar. Eduardo suspirou com alívio.

— Temos... o quê? Doze mil no total? — perguntou Warwick, esfregando os pelos do queixo. — A rainha, Somerset e Percy comandam mais, porém talvez não sejam tanto assim.

— Sou o duque de York — declarou Eduardo, a testa franzida com o som ainda estranho do título. — Assim como agora você é o conde de Salisbury. As cidadezinhas do campo estão cheias de grandes ferreiros e ferradores musculosos e garotos que trabalham em mercearias com vontade de erguer a cabeça com orgulho. Eles se juntarão a nós, Ricardo, se eu lhes pedir em nome de meu pai, se você pedir em nome do seu. Eles virão para vingá-los. Eles virão pelas malditas lanças nas muralhas de York.

Warwick viu o rapaz estremecer. Os olhos de Eduardo se fecharam por causa de alguma imagem desagradável e se abriram de novo com ainda mais fogo e ferocidade.

— A rainha estará em Londres — disse Warwick.

Seu pescoço começou a corar enquanto ele contornava o tema da batalha perdida. Eduardo não notou e cortou o ar com a mão como um cutelo.

— Então é para lá que eu quero ir. Vê? Simples assim. Sempre que nossos inimigos pararem ou dormirem, estaremos lá. A que distância fica Londres?

— Sessenta quilômetros, no máximo. Dois dias de marcha, talvez, se os homens estiverem alimentados e em boa forma.

Eduardo deu uma risadinha.

— Os meus não ficarão para trás. Eles andaram ou correram comigo todo o caminho desde Gales e trouxeram rebanhos de centenas de ovelhas quando partimos. Comemos tanto cordeiro que não sei se consigo comer mais. Seus homens podem ficar com as poucas dezenas que restaram, embora os animais tenham emagrecido enquanto engordávamos.

— Meus homens ficarão gratos pelo presente. Mais do que pensa — disse Warwick. Ele sentiu a boca salivar ao pensar nisso.

Eduardo balançou a cabeça, indiferente. Sua voz soava tão fria quanto o dia quando continuou a falar.

— Preciso que eles estejam fortes, Ricardo. Vi meu pai tratar o rei Henrique e seus aliados com respeito. O resultado foi ter sua cabeça espetada numa muralha. Você se lembra de ter me feito recuar na tenda do rei no ano passado, com Henrique desarmado e indefeso? Se eu pudesse voltar àquela manhã, eu cortaria a garganta dele, e talvez... — A voz dele ficava mais alta enquanto a garganta se apertava com o pesar, estrangulando as palavras. Warwick esperou enquanto

Eduardo fechava os olhos com força, lágrimas que escorriam e sumiam nos pelos pretos do rosto. — E talvez eu tivesse salvado meu pai. Talvez ele estivesse vivo agora, se eu tivesse matado aquela criança chorosa quando tive... Ah, inferno, danação pustulenta. Não há como voltar atrás agora, Ricardo. Não consigo recordar um único dia nem nenhum dos erros que cometi. Vi três sóis nascerem, eu lhe contei? Isso é verdade, tanto quanto eu estar aqui diante de você, juro. Em Gales. Não consegui fazer *nenhum* deles dar meia-volta e retornar em seu curso. Nem mesmo por meu pai. Que Deus o tenha.

Warwick prendeu a respiração quando viu a fúria de York. Ela transbordava do duque e chegava até ele, como da porta mal fechada de um forno.

— Talvez você se console um pouco se conversar com meu irmão Jorge — sugeriu Warwick.

Ele sabia que Eduardo não havia tido ninguém da família por perto em Gales, somente aqueles que seguiam suas ordens, homens rígidos e violentos que desdenhariam da fraqueza se ele permitisse que a vissem. Eduardo de York tinha perdido o irmão mais novo que amava, assim como o pai que considerava forte demais para cair. Warwick ainda via o choque nele.

— Não, eu não preciso falar com ninguém — respondeu Eduardo. — Preciso ver a rainha Margarida morrer. Não darei a outra face àquela harpia de rosto pálido, Ricardo. Talvez isso signifique que não sou um bom homem; não sei. Mas serei um bom *filho* e serei liberado.

O exército da rainha era uma força muito menor no caminho para o norte do que tinha sido com Londres à vista. Homens que riam e conversavam agora arrastavam os pés, cabisbaixos, magros como galgos, observando as botas cujas costuras se abriam e tinham de ser costuradas inúmeras vezes.

A conselho de seus lordes, o exército seguiu para oeste, para bem longe das casas queimadas e das cidades pilhadas da rota anterior. Logo notaram a extraordinária diferença que era ter o rei com eles —

aquele único símbolo da justiça de sua causa. Eles foram para o sul resgatar o soberano ungido por Deus, e lá estava ele, montado numa égua, cumprimentando com a cabeça e sorrindo quando a multidão se juntava para vê-lo.

Mesmo sem o grande selo do rei, as cidades comerciais prósperas não escondiam mais seus suprimentos, não lutavam mais nem fechavam os portões para eles. Os prestamistas se amontoavam para emprestar moedas por peso, não por valor, com a testa suando ao ver fortunas inteiras partirem com o rei e a rainha. Com esses recursos e com os artesãos das cidades do interior, o exército poderia ser alimentado e ter os suprimentos reabastecidos. O dinheiro tinha voltado a entrar, e, se haveria juros a pagar na hora do vencimento, Margarida não parecia se preocupar. Ela havia mandado Derry e mais uma centena de homens à frente para negociar suprimentos. Como resultado receberam ovelhas que baliam e bandos de gansos que sibilavam, em um número muito maior do que ela teria imaginado. Para quem tinha moedas de prata, a Inglaterra era uma despensa capaz de alimentar a todos e cem vezes mais. Pela primeira vez em meses, seus homens puderam morder fatias grossas de carne no espeto, eles sentiram as forças retornarem, de barriga cheia. Ainda estavam magros demais, no entanto seus olhos não mais estavam vazios. Depois de poucos dias de assados, guisados e peixe, os soldados recuperaram as forças e os músculos. Era inebriante comandar homens assim.

No Castelo de Kenilworth, seu próprio castelo, Margarida fez o exército parar e deu instruções para trazerem a melhor carne e o melhor equipamento, tudo de que precisassem. Filas extensas foram formadas pelos homens que receberiam parte do soldo que lhes era devido, contabilizado por sargentos e retirado de cofres de cedro. Mulheres das aldeias próximas apareceram para ganhar algumas dessas moedas das várias maneiras possíveis. Algumas costuraram e remendaram.

O pôr do sol pareceu chegar tão depressa quanto nos últimos meses, o chão ainda gelado e endurecido em função das poucas horas preciosas de luz fraca. Era um inverno rigoroso, e não havia sinais de que a primavera estivesse a caminho. Na verdade, parecia esfriar ainda mais. O capim cintilava com a geada fosca e cinzenta toda manhã, e havia dias em que ela permanecia nas folhas.

Margarida observava de pé de uma janela alta, vendo nas centenas de fogueiras uma cidadezinha só sua em torno de Kenilworth. Alguns homens cantavam, apesar do frio. Não conseguia compreender as palavras, mas a canção subia e descia quase como o som das abelhas. Ela se perguntou se sentiria a vibração das vozes caso pusesse a mão no vidro.

— Às vezes sou quase uma mãe para eles.

Margarida sentia a presença de Somerset como um peso. Ele era alguns anos mais novo que ela, flexível, forte e impositivo como seu marido nunca havia sido. A rainha se perguntou se homens e mulheres mais velhos achavam atraente a pele enrugada um do outro ou se ela sempre acharia belos os músculos jovens e firmes, os ombros retos e a cor saudável. Uma madeixa tinha escapado dos grampos e Margarida brincava com ela, inclinando a cabeça e pensando em mil coisas.

Somerset não sabia como reagir à ideia de que Margarida tinha um instinto maternal por escoceses de *kilt* e soldados rudes e blasfemadores, por isso pigarreou e desamarrou o cordão de couro de uma pilha de cartas.

— Tenho certeza de que eles... apreciam sua preocupação, Margarida. Como não? Agora, tenho aqui uma demanda de servos. Ainda não temos o grande selo, o que é um obstáculo e um incômodo. Imagino que ainda esteja em Londres ou, talvez, na bagagem pessoal do conde de Warwick. Sem ele, preciso continuar usando o escudo da minha família na cera, com o anel do rei Henrique e a garantia de apoio do rei por escrito no documento. Mesmo assim, a ausência do selo será notada por alguns. Margarida, tem certeza de que o rei Henrique... — Somerset fez uma pausa e passou a mão pelo rosto, cansado e envergonhado. Ele detestava discutir com a rainha os pensamentos e as ações do rei como se ele fosse um boneco de pano. — Tem certeza de que ele assinará os documentos? Sem o selo, o nome dele bastará, se tiver a generosidade de oferecê-lo.

— Acho que sim. Henrique concordou quando lhe pedi, é claro.
— Ela trocou o mais breve dos olhares com Somerset. Ambos sabiam que Henrique concordaria com qualquer coisa. Esse era o âmago de sua fraqueza. — Se for preciso, eu mesma assinarei o nome dele.

Somerset pareceu estarrecido, e Margarida se aproximou dele, gesticulando com a mão.

— Ora, não fique tão consternado, milorde! Eu não faria isso... mas só porque alguns dos bispos e nobres do rei podem ter outros documentos com o nome dele, papéis muito amados e lidos com frequência. Não me pegariam numa fraude. Se esse não fosse o caso, eu assinaria o nome de meu marido e usaria seu selo para fazer qualquer coisa. — Ela viu o desconforto de Somerset e balançou a cabeça, desapontada. — Eu só faria o que Henrique também faria, se fosse capaz. Entende? Meu filho é o príncipe de Gales e virá a reinar um dia. O único *obstáculo* é o fato de que a capital de meu marido fechou seus portões para ele e impediu a entrada do rei legítimo! O único *incômodo* é a ação de Warwick e York e um exército que não se submeterá à autoridade legítima do rei da Inglaterra!

Ela estendeu o braço e apoiou a mão na face de Somerset. Ele não se afastou nem desviou o olhar quando os olhos de Margarida buscaram nos seus a força de que precisava.

— Eu faria *qualquer coisa*, milorde, para manter o trono agora. Entende? Não caminhei tanto por esse caminho só para cair diante de nosso destino final. Preciso de mais homens do que as almas reunidas ao redor deste castelo. Preciso de vinte mil, *cinquenta* mil, o que for preciso para livrar este reino dos que ameaçam meu marido, meu filho... e a mim. É só isso que importa agora. O que pedir, farei.

Somerset corou, consciente do toque dela quando a mão foi retirada e deixou uma sensação de calor evanescente na pele.

Os portões de Londres se abriram para o exército que se aproximou sob os estandartes de York. Eduardo e Warwick cavalgavam juntos na vanguarda de uma coluna e, quando passaram por Moorgate, não se percebeu medo na população reunida para vê-los. Era verdade que a capital tinha parado quando a notícia se espalhou por toda parte, até mesmo nos cortiços. Homens e mulheres largaram as ferramentas ou se afastaram das mesas e pegaram capas e xales contra um frio que parecia mais intenso a cada dia que passava.

O céu estava azul-escuro, límpido e frígido acima da cidade. Disseram que havia gelo no Tâmisa quando Eduardo e Warwick atravessaram as ruas cheias a cavalo, trotando numa linha barulhenta, com estandartes à frente e na retaguarda. Os dois rapazes estavam de armadura completa para uma entrada bastante formal, com o brasão de cada casa no escudo, de modo que todos que os vissem soubessem quem passava. Os homens de Warwick fizeram o possível com graxa e tinta, mas, depois de meses de uso, as partes de metal estavam arranhadas e rachadas, enquanto o forro de couro tinha se enrijecido e se moldado às formas que envolvia.

Os homens de Warwick baixaram o estandarte de sua casa quando passaram pelos conselheiros da cidade, resplandecentes em túnicas azuis e escarlate. Todos saíram de Guildhall acompanhados do prefeito para receber o exército que entrava em Londres. Aqueles homens estavam corados como se tivessem corrido, mas fizeram uma profunda reverência diante do urso com vara de Warwick, com a rosa branca de York suspensa acima de todos.

Warwick sorriu e balançou a cabeça ao olhar para o pequeno grupo. Eles impediram a entrada da casa de Lancaster, do rei e da rainha da Inglaterra. Naquele momento, os homens tinham feito sua escolha e não havia como voltar atrás. Não era surpresa que interrompessem o desjejum para sair e abençoar Eduardo Plantageneta. Tinham entrelaçado seu destino e sua vida com a casa de York.

Warwick olhou para trás enquanto passava. O prefeito era realmente um porco enorme, com grandes mãos rosadas e a pele com dobras de gordura por todo lado. Warwick sentiu a irritação crescer ao ver alguém que comia tão bem enquanto seus soldados estavam magros. Grunhiu para si, sabendo que as duas coisas não estavam relacionadas. A menos que desse o prefeito de comer ao exército, é claro. Dessa maneira, os excessos do sujeito seriam todos compensados. A ideia era estranhamente animadora.

As ruas em torno do caminho rumo ao rio se enchiam, trazendo lembranças da invasão de Jack Cade à cidade. Warwick tinha visto multidões então, além de horrores indizíveis. Ele estremeceu e disse a si mesmo que era o frio. Só esperava ter convencido Eduardo a seguir o caminho correto. O jovem duque de York queria fazer um segundo ataque ao exército da rainha. Eles foram para o sul com isso em mente, mas outras notícias chegaram pelo caminho. O rei e a rainha foram rechaçados em suas próprias muralhas, tiveram a entrada na capital da Inglaterra negada. Isso mudava tudo, e Warwick e York conversaram a esse respeito até tarde da noite.

Warwick rezou para ter feito a escolha certa. O exército da rainha devia ter sofrido um golpe em sua confiança, com a legitimidade de sua causa questionada. Tudo se somava numa possibilidade de finalmente enfiar a espada no flanco de Lancaster.

Mas, em vez de seguir em seus calcanhares, Warwick argumentou que ele e Eduardo deveriam entrar na cidade que havia recusado o rei Henrique. A princípio, o jovem duque ficou furioso, berrando sua discordância, sem se importar com a atenção que atraía. Num grande ataque de mau humor, ele recordou que Warwick o havia segurado em outra ocasião, quando o rei Henrique tinha estado à mercê de suas vontades. Eduardo se referiu várias vezes àquela batalha em Northampton, a dor e o pesar estampados no rosto. Mas ele não era uma criança. Embora deixasse demasiado exposto o esforço hercúleo para se controlar, o rapaz de 18 anos tinha lhe dado ouvidos. Havia permitido que Warwick falasse e explicasse o que Londres poderia fazer por eles.

Quando compreendeu e aceitou os argumentos ponderados de Warwick, Eduardo passou das recusas ríspidas ao entusiasmo e às gargalhadas, como se a ideia tivesse sido dele. Warwick teve de limpar o suor da testa depois da explosão e tempestade que havia aguentado. Isso não era um bom augúrio para o futuro dos dois. Eduardo tinha permitido que o convencessem, era verdade, mas não havia como *obrigá-lo* a fazer nada. Ele havia concordado, e assim seguiria um caminho e não outro.

Com certo receio, Warwick recordou que Eduardo só havia demonstrado respeito ao próprio pai. Agora que Ricardo de York tinha partido, quem conseguiria controlar o filho? Depois de aguentar horas de fúria e grosseria só para convencer Eduardo do que seria melhor para ele, essa não era uma tarefa que Warwick desejasse, se um dia lhe coubesse.

Por maior que fosse Londres, não havia nenhuma possibilidade de levar o exército inteiro para dentro das muralhas. Oito ou nove mil soldados ainda estavam a mais de um quilômetro da cidade, em terreno seco. Esses homens aguardavam que os três mil que acompanhavam Warwick e York se instalassem e levassem suprimento e comida para eles. O número costumeiro de capitães havia dobrado misteriosamente nas fileiras que entravam na cidade, de modo que cerca de oitenta oficiais veteranos estavam ali para supervisionar os homens. Sob seu comando, os soldados se espalharam pelas ruas, mantendo o populacho em silêncio enquanto o ruído de pés em marcha passava por todas as casas e parava em todas as lojas e tavernas. Cerveja era algo que não se conseguia obter com frequência em marcha. Alguns homens não bebiam uma gota de algo que não fosse água havia meses. Os capitães passavam a língua pelos lábios rachados de sede. Por ordem de York, receberam seu soldo, e assim muitos estavam com bolsas cheias para esvaziar. Eles secariam a cidade até a manhã do dia seguinte. Seriam uma ralé louca e bêbada ao amanhecer, mas tinham sido rígidos e sombrios durante tempo demais, sempre com medo de ataques. Não lhes faria mal afogar as preocupações durante uma noite.

Apenas cerca de uma centena acompanhou Ricardo de Warwick e Eduardo de York pela cidade. Warwick não sabia se esses homens se sentiam honrados pelo papel que receberam ou se estavam apenas amargos com a perda da noite de depravação. Cavalgavam de cabeça erguida, seguindo sempre para o sul, até o rio e a grande casa de York em Londres, conhecida como Castelo de Baynard. Feita de tijolos vermelhos, era alta e quadrada junto ao rio, amortalhada de hera que chegava ao cume das torres. A notícia tinha avançado à frente deles, e os portões estavam abertos para a tropa montada. Eduardo viu o pátio e instigou a montaria a avançar, levando todos consigo, cavalgando a uma velocidade arriscada, os cavalos escorregando nas pedras lisas.

Eles pararam de repente, ofegantes, sorrindo com o esforço. Warwick, ainda inseguro, observou o homem mais jovem. A sorte havia sido lançada, ele sabia disso. Não podia desfazer o que estava em andamento. Cada hora que passavam em Londres era uma hora a mais para a rainha planejar ou reunir soldados ou simplesmente marchar para mais longe. No entanto, eles apearam numa fortaleza dos Yorks, com o rio Tâmisa passando junto às muralhas. Era estranho estar em segurança num lugar daqueles, numa cidade que havia recusado os Lancasters. Warwick sentiu alguns músculos relaxarem quando Eduardo pediu vinho, cerveja e uma boa lareira. Tinham espalhado três mil homens pela cidade, abrigados em todas as estalagens e nas casas maiores. Entre os que acompanharam Warwick e Eduardo estavam o duque de Norfolk e seus assessores mais experientes, assim como o bispo Jorge Neville e seu séquito de criados. Por apenas uma noite, todos os homens importantes estavam sob o mesmo teto. Warwick fez o sinal da cruz ao pensar no que aconteceria antes que vissem o sol nascer de novo.

12

— Eu sou o herdeiro do trono — declarou Eduardo, dirigindo-se a todos. — Por um ato deste Parlamento de Londres, meu pai se tornou herdeiro do rei Henrique não faz um ano. — Um leve tremor e um aperto na voz evidenciaram seu nervosismo, então ele pigarreou e foi em frente. — Sou o primeiro filho de York. Essa honra cabe a mim.

O salão estava lotado, e não apenas com aqueles que acompanharam Warwick e Eduardo à cidade. Enquanto a noite avançava, Warwick observou cavalheiros importantes se esgueirarem, vindos do frio para ouvir Eduardo falar. A grande cabeça do prefeito podia ser vista num canto, com três de seus conselheiros. Membros do Parlamento também tinham comparecido para avaliar e fazer o relatório aos seus pares. Talvez ainda mais importante, Warwick reconheceu os presidentes de duas guildas de mercadores e o mestre do Priorado da Santíssima Trindade. Aqueles homens poderiam realizar empréstimos fundamentais se gostassem do que ouviriam.

Além da voz de Eduardo, o único som vinha do fogo. O grande salão do Castelo de Baynard talvez fosse o lugar mais quente de Londres naquela noite. Vários pequenos troncos eram colocados no fogo das lareiras, carregados por criados de rosto corado que logo saíam correndo para buscar outra braçada. Os meninos da cozinha adicionavam pedaços de carvão que tiravam de braseiros de ferro. As chamas cresciam e estalavam, emanando um calor que afrouxava as jaquetas dos homens e fazia com que eles secassem a perspiração do rosto. Não era demais para suportar, não depois de meses de inverno e pés dormentes. Apesar de toda a ferocidade, o fogo era uma bênção bem-vinda, e os homens se agrupavam em torno dele, deixando apenas alguns poucos longe da luz e do calor.

Warwick se manteve afastado do núcleo que se movia junto à lareira, sem nada dizer. Não era pouca coisa ter ao seu lado a riqueza e a autoridade imensas de Londres. Os homens poderosos da cidade tinham pouca opção além de apoiar York, depois de rechaçar o rei e a rainha. Não havia uma terceira via, não havia um caminho do meio. Ele apertou os lábios, sentindo-os finos, os dentes trincados. Era verdade que Henrique de Lancaster e uns dez lordes poderosos continuavam no caminho daquela ambição. Isso não parecia preocupar Eduardo. O rapaz não havia ocultado suas intenções nem tentado ser sutil. O desejo de Eduardo era enfrentar os Lancasters no campo de batalha e resolver lá a questão de uma vez por todas.

O filho de York se encostou num imenso contraforte de tijolos, uma parte da chaminé que se estendia até os beirais no alto. O fogo bufava e arfava atrás dele, deixando-o nas sombras, iluminado de ouro e recebendo lampejos de luz quando se virava. Warwick observava os homens com tanta atenção quanto examinava o jovem duque para ver como estavam, como reagiam. O sangue tinha poder. A casa de York era uma linhagem masculina direta de reis. Esse simples fato dava a Eduardo autoridade sobre todos que o permitissem. Homens como o bloco de ossos que era Norfolk, com mais que o dobro da idade e da experiência de York, mas, mesmo assim, com a cabeça levemente baixada, olhando sob as sobrancelhas. Isso era bom. Eles precisavam dos soldados do homem e da força de suas armas.

Não prejudicava a causa Eduardo ser tão grande. Não era apenas a altura, embora Warwick só tivesse conhecido dois homens tão altos em toda a sua vida. E ambos eram curvados, de aparência estranha, imitações contorcidas de um guerreiro. Em comparação, Eduardo tinha membros tão fortes e ombros tão largos que era uma figura imponente em qualquer sala. Ao lado do treinamento e da enorme força, havia a juventude de Eduardo, com toda a sua velocidade e resistência ilimitada. Seria como enfrentar um touro paramentado. Se Eduardo tivesse nascido ferreiro ou pedreiro de uma guilda, seu tamanho faria dele um cavaleiro ou, talvez, um capitão de grande reputação. Com seu sangue e seu nome, não havia limites para o que poderia se tornar.

— Vi meu pai lutar com forças terríveis — continuou Eduardo, a voz reverberando. — Eu o vi brigar com o respeito que sentia pelo rei da Inglaterra e o *desespero* que sentia com o homem que *era* rei. Por um lado, meu pai honrava o trono e se ajoelhava diante dele. Como deveria ter feito! Como era obrigado por juramento a fazer!

Um murmúrio de concordância com resquício de nervosismo atravessou os homens. Eduardo passou o olhar por todos eles e, por fim, descansou-o sobre Warwick e o cumprimentou com a cabeça.

— Por outro lado, ele encontrou, sentado naquele trono, um inocente imberbe que desonrou a Inglaterra com seu governo indigno. Perdeu a França. Dividiu as casas nobres. Viu Londres ser atacada pela ralé, com a Torre invadida. Permitiu que discórdia e tropas armadas vagassem desimpedidas pelo reino. Com sua fraqueza, o rei Henrique levou a Inglaterra e Gales à beira do caos sem lei. Não acredito que tenha havido uma cabeça tão indigna de usar aquela coroa.

Eduardo parou para tomar um gole de vinho quente com ervas, permitindo que a multidão recuperasse o fôlego. Agora não havia dúvida de que escutavam uma traição. Essa ideia abalou a todos.

Warwick recordou uma época em que o rapaz teria tomado doze canecas de cerveja e ainda pediria mais. Com o fogo crepitante aquecendo um lado do corpo e o outro frio e escuro, Eduardo tomou um gole e deixou o cálice nos tijolos para aquecê-lo. Ele não parecia nervoso, pelo menos não aos olhos de Warwick. O jovem duque ali em pé com uma fornalha às costas falava àqueles homens como se planejasse um dia de caçada. Eles o aguardavam, presos na imobilidade pelo silêncio e pela importância das palavras ditas.

— A casa de Lancaster estava acima da casa de York — prosseguiu Eduardo. — Pela distância de um filho, João de Gaunt, aquele grande conselheiro, estava acima de Edmundo de York, meu ancestral. A casa de Lancaster nos deu dois grandes reis e, depois, um fraco, uma linhagem forte desperdiçada. Quantas vezes já vimos uma sequência de bons vinhos seguida por anos de uvas ruins? Acontece com o sangue assim como com o vinho, e foi por isso que os homens do Parlamento consideraram adequado fazer de meu pai herdeiro do trono. Como todo jardineiro cuidadoso, eles buscaram o ramo bom e verde anterior à falha da vinha e cortaram fora o broto ruim.

Alguns dos homens que cercavam Eduardo deram uma risadinha, outros murmuraram "Sim" para a barba ou baixaram a cabeça, ou mesmo bateram os cálices no metal, de modo que clangores estranhos e sons de sino encheram o salão, subindo até as vigas do teto.

— Eu sou da mesma vinha — declarou Eduardo.

Warwick estava entre os que gritaram "Sim!" em resposta.

— Eu sou o duque de York. Sou o herdeiro do trono.

— Sim! — gritaram de novo, rindo junto.

— Eu serei rei — disse Eduardo, a voz subindo em força e volume.

— E serei rei *esta noite*.

O riso e o ruído se esvaíram como se uma porta fosse fechada. A multidão ficou imóvel, embora alguns se contorcessem conforme o suor lhes causava coceira ou um arrepio percorria a espinha. Warwick sabia o que Eduardo ia dizer, mas era um dos pouquíssimos. Em consequência, ele foi capaz de observar a reação dos outros e ver onde poderia haver resistência. Seu olhar se lançava sobre os mais poderosos, no entanto, enquanto examinava a reunião, percebeu com surpresa que ninguém virou a cabeça para o gigante em pé junto à grande lareira. Eles olhavam para Eduardo como se ele fosse a fonte da luz.

O momento de aturdimento passou. Todos começaram a bater os pés e dar vivas, cada vez mais alto enquanto Eduardo se afastava da parede e ficava empertigado diante deles. Com um único movimento, ele baixou a mão e ergueu a taça para um brinde. Embora Warwick percebesse que o calor queimava a mão dele, Eduardo ignorou a dor e tomou um longo gole. Os homens em torno dele fizeram o mesmo e chamaram os criados para encher as taças novamente.

— Uma taça ou duas e nada mais, milordes e cavalheiros! — continuou Eduardo, rindo.

Sua barba tinha ficado castanha com o calor da taça nos lábios. Acima do sorriso, seus olhos estavam tensos. Eduardo vasculhou a multidão em busca de Warwick, esperando por ele. Combinaram que nessa hora ele falaria, mas Warwick ainda aguardou mais um instante. Ele conseguia sentir o momento pressioná-lo, a sensação de que, assim que abrisse a boca, o futuro se despejaria sobre eles como uma labareda que os devorasse. Ele encheu o peito, o ar mais frio estremecendo-o ao entrar para refrescar seu sangue.

— Milorde York! — gritou Warwick por sobre todos eles. — Para ser rei *esta noite*, o senhor precisará de uma coroa e um juramento, além de um bispo para representar a Santa Igreja. Será que teríamos um desses homens de Deus, milorde?

Ao lado de Warwick estava seu irmão, de batina, com as mãos cruzadas como se orasse. O bispo Jorge Neville sabia o que era esperado dele, por isso levantou a cabeça e falou imediatamente, como ensaiaram. Naquele espaço imenso, com o fogo crepitando, sua voz soou com mais intensidade do que achavam que teria.

— Milorde York, sua linhagem é real. Por lei, o senhor é o herdeiro do trono; isso nenhum homem pode negar. No entanto há um homem sentado naquele trono. O que diz, milorde?

Mais de cem cabeças se viraram, deliciadas com a pergunta e com sua tensão. Eles se viraram para ver se Eduardo se abalava, como se assistissem ao clímax de uma pantomima. Mas Eduardo estava preparado, alto e confiante. Consternado, ele havia feito a mesma pergunta na noite anterior. Como poderia ser rei enquanto Henrique vivesse? Estava inteiramente disposto a enfrentar Henrique no campo de batalha, mas não poderia lhe negar o direito ao trono enquanto Henrique ainda o ocupasse.

— Por algum tempo, haverá dois reis da Inglaterra — tinha dito Warwick na estrada escura. — Como rei Eduardo, você conseguirá os homens de que precisamos. Cavaleiros e lordes virão correndo para junto de um rei Plantageneta, com seus homens de armas. Não importa o que mais aconteça, você não deve sair de Londres sem uma coroa na cabeça. Com ela, você verdadeiramente passará a reinar. Sem ela, Eduardo, sua ambição e sua vingança serão pisoteadas com seus estandartes. Você precisa falar em voz alta e *fazer* com que seja verdade. Ou permanecer calado por falta de ousadia.

— Não sofro essa falta — havia retrucado Eduardo. — Eu ousaria qualquer coisa. Encontre-me uma coroa. Mande seu irmão colocar uma em minha cabeça. Eu a usarei. E mostrarei como deve ser usada!

No grande salão do Castelo de Baynard, em Londres, com o Tâmisa correndo lá fora, Eduardo falou de novo, a voz ressoando sem nenhuma suavidade.

— Creio eu, Vossa Graça, que o trono da Inglaterra está vazio, mesmo com Henrique de Lancaster nele. — Uma risadinha atravessou a sala. — Reivindico o trono, por lei, por direito de sangue, por minha espada e por meu direito de vingança contra a casa de Lancaster. Reivindico-o esta noite e serei coroado esta noite, em Westminster, como muitos outros anteriores a mim. Antes do amanhecer, entrarei para uma irmandade de reis, cavalheiros. Qual de vocês cavalgará comigo até aquele lugar e me verá declarar minha pretensão ao trono? Não perderei tempo aqui em Londres. Tenho negócios a resolver, e será uma cerimônia rápida. Qual de vocês será minha testemunha? Não perguntarei de novo.

Warwick fez o sinal da cruz e viu que não era o único. Sem falta, eles evitaram blasfêmias e desonra, mas Eduardo *tinha* motivos para reivindicar o trono, se não os examinassem nos mínimos detalhes. Ele era o herdeiro e tinha o apoio de um exército fora da cidade. Warwick imaginou que a pretensão de Guilherme da Normandia não era melhor que a sua, e ele tinha sido coroado na Abadia de Westminster no Natal do ano de Nosso Senhor de 1066. Isso já havia sido feito. Poderia ser feito de novo. Todas as leis podiam ser refeitas sob a força das armas, caso houvesse necessidade.

A multidão sentiu a ventania e se curvou como capim alto. Se estavam indecisos ou desconfiados, ou mesmo com medo de desafiar o rei escolhido por Deus, não o demonstraram. Em vez disso, agitaram as taças e depois as jogaram entre as achas ardentes e os carvões. Elas enegreceram, as emendas abertas permitindo que o brilho das labaredas as atravessasse.

Alguns homens entoaram orações; alguns recitaram juramentos de vassalagem da família ou recordações de honra da infância. Quando Eduardo se moveu, eles o acompanharam.

A noite estava escura, e a geada branca cobria todas as superfícies. Eles se lançaram ao pátio cheios de vida e barulho com Eduardo bem no meio. A agitação não foi além de alguns gritos selvagens. O ar congelante que respiraram ajudou a deixá-los tão sóbrios quanto as ruas vazias. Criados saíram correndo e trouxeram cavalos, mas o humor tinha se amortecido e o verdadeiro alcance do que estavam prestes a fazer foi compreendido. No silêncio, mais criados trouxeram os estandartes de York, faixas de um pano escuro estampadas por uma rosa branca, outras com um falcão e uma trava. Enquanto eram desfraldados, os estandartes estalaram e soltaram poeira sob a lua como um rastro de luz. Eduardo olhou para as dezenas de faixas atrás dele, pálidas, pendentes. Eram os símbolos de sua casa nobre, e ele baixou a cabeça, sussurrando uma oração pela alma do pai antes de erguer a voz outra vez.

— Alguns de vocês estiveram comigo em Gales. Antes da batalha de Mortimer's Cross, vimos o sol nascer em três lugares, lançando sombras tão estranhas como nunca vi iguais. Três sóis, brilhando sobre a casa de York. Abençoarei a rosa branca até o dia em que morrer, mas terei um sol em meu escudo. Ele aquece aqueles que ama, mas queima também. Vida e destruição, o que eu escolher.

Então, Eduardo sorriu, apreciando a autoridade, embora Warwick engolisse em seco diante da profundidade da raiva que cintilava no jovem duque.

Não poderia *haver* dois reis da Inglaterra. Se naquela noite coroassem outro em Westminster Hall, isso significaria uma guerra sem trégua nem descanso até que novamente houvesse apenas um. Como abelhas furiosas de colmeias diferentes, os seguidores de um não permitiriam que o outro vivesse. Aquele seria o curso deles, sua bússola. Aquele era o caminho que ele havia proposto e que York tinha escolhido seguir. Os estandartes com rosas e falcões brancos estalavam e adejavam enquanto os homens saíam do Castelo de Baynard rumo ao Palácio de Westminster, que se erguia acima do rio que corria escuro.

Num canto de uma bela sala quente, apreciando o aroma de madeira polida e flores secas, Margarida observava com paciência. Seus lordes estavam de pé e conversavam murmurando, envergonhados na presença do rei Henrique. Dava pena o modo como ainda olhavam para ele com esperança, pensou ela, aguardando algum vislumbre ou fagulha de vida, embora ele só assentisse com a cabeça, sorrisse e demonstrasse o vazio que os havia levado à beira da ruína. Margarida não conseguia se lembrar da última vez que tinha sentido alguma compaixão por ele. Sua fraqueza colocava em risco o filho, príncipe Eduardo. Por aquele doce menino o coração de Margarida se partia com um único olhar de relance — e, naquela dedicação crescente, ela sentia outra vez os espinhos que eram os olhos vazios e o sorriso tolo de Henrique.

Se ele fosse um carpinteiro que tivesse perdido a razão, talvez não importasse. Quando sua falta de vontade punha em risco o filho, a esposa e todos os bons homens e mulheres que se dedicaram à sua causa, isso era fonte de uma raiva amarga sempre que pensava no assunto.

Os lordes Somerset e Percy conversavam, perfeitamente audíveis de onde Margarida estava sentada, trabalhando os fios de um quadrado de tapeçaria. Ela não tinha dom para o trabalho, e o resultado provavelmente teria de ser desfeito, mas isso lhe permitia ficar sentada e escutar até ser esquecida e descobrir tudo o que desejava ouvir. Com o retorno do marido, essas sutilezas se tornaram necessárias enquanto os lordes recordavam mais uma vez qual era o papel de uma rainha.

Margarida sorriu ao pensar nisso. Os homens se preocupavam com o lugar que ocupavam, mais do que ela havia visto quando criança. Eles precisavam saber quem ficava acima e em quem podiam pisar com segurança embaixo. Ela achava que as mulheres não dedicavam tanto tempo a cálculos desse tipo. E deu um breve sorriso malicioso. As mulheres pisavam em todas as suas irmãs, sem favores especiais. Era mais seguro assim. Cada uma sentia o potencial perigoso de todas as outras, como os homens raramente conseguiam.

As paredes da guilda dos vendedores de tecidos de York, como era de se imaginar, estavam cobertas com belas tapeçarias, cada uma, sem dúvida, um trabalho de anos. Ao olhar para elas, Margarida entendeu o desejo de planejar o futuro, de começar um empreendimento que não se poderia terminar numa estação. Essa era a essência da ordem e da civilização, pensou ela com um toque de presunção. Com seu esforço e paciência, seus inimigos mais poderosos foram rebaixados. Tinha levado anos, mas o tecido fino e forte que havia feito manteria a cor durante outros mil, muito depois que todos virassem pó.

A princípio havia ficado furiosa, quando Londres rejeitou seu marido. Não sabia na época que esse evento semearia os ventos da *afronta* em toda a extensão da Inglaterra. Os portões da cidade de York se abriram para seus lordes, com homens saindo a cavalo para receber o rei horas antes que eles chegassem para deixar claro que o séquito real não seria rechaçado.

Em parte, isso tinha sido obra de Derry Brewer, Margarida estava ciente. Derry sabia que história precisava ser contada e havia feito com que ela fosse sussurrada em todas as estalagens e em todas as sedes de guildas, de Portsmouth a Carlisle. A rainha havia encontrado alguns poucos valentes e tinha arriscado a vida para trazer os escoceses de seus baluartes nas montanhas. Nas rudes cidades do norte, ela reunira um bando de bravos para salvar o rei — e havia tirado Henrique das garras dos traidores, arrancando-o de seu poder enquanto punha os inimigos para correr. Por fim, tinha sido traída pela própria cidade de Londres, uma cidade renegada, de mercadores e meretrizes, uma cidade de loucura que ardia em febre. Uma cidade que precisava ser marcada a ferro quente.

Os dias de desespero se transformaram em assombro quando o efetivo de seu exército esfarrapado começou a crescer. Cada cidade por onde passavam trazia homens em marcha para se unir a eles, respondendo a um rei desonrado. A notícia chegou a todo povoado, aldeia e cidade, levada por mensageiros de Derry Brewer e pela bolsa do rei. Mil tavernas tiveram toda a sua cerveja comprada pelas moedas reais, enquanto algum jovem sargento contava a história e os comandava na manhã seguinte, prontos a defender o rei Henrique.

Margarida observava os homens, vendo como aqueles que detinham alguma autoridade se mantinham impassíveis, ao passo que os outros iam de grupo em grupo. Enquanto absorvia esse movimento, ela começou a imaginar se não seria o contrário, principalmente porque Derry Brewer parecia uma abelha mergulhando o bico numa dezena de flores e depois recomeçando pelo princípio. Ela não sabia se abelhas tinham bicos. Se tivessem, seriam parecidas com o conde Percy, pensou. O grande nariz do homem era tão proeminente, que era difícil recordar qualquer outro traço dele depois que se afastava. Margarida viu o conde Percy com um sujeito da Irlanda cujo nome não sabia e... Courtenay, conde de Devon. Havia tantos novos capitães, cavaleiros e lordes importantes que era como se estivessem apenas aguardando a causa certa ou a oportunidade de vencer.

Ela balançou a cabeça, sentindo um calor de irritação. Eles não vieram ajudá-la quando a casa de York mantinha seu marido acorrentado, quando sua causa parecia impossível. Não, aqueles eram homens práticos. Entendia isso mesmo enquanto os desprezava. Ainda conseguia se sentir agradecida porque, numa fria avaliação, seu lado tinha se tornado o lugar certo.

Suas mãos doíam de tanto trabalhar com as linhas, e ela as deixou descansar no colo, tensionadas pelo trabalho minucioso, e teve de usar uma para abrir a palma da outra. A guilda dos vendedores de tecidos era um lugar grandioso, mas devia haver trezentos homens ali, dando voltas de grupo em grupo, comendo, bebendo e rindo seu quinhão. Os lordes Dacre, Welles, Clifford, Roos, Courtenay; seus capitães, que jogavam a cabeça para trás, às gargalhadas, mas ainda eram lobos, com nomes como Moleyns, Hungerford, Willoughby. Margarida balançou a cabeça e fechou os olhos. Não conseguiria aprender o nome de todos eles; era impossível. O importante era que tinham vindo para sua causa. O importante era terem trazido milhares de homens, mais do que ela jamais tinha visto. Seus quinze mil mergulharam num grande mar de seguidores e cavaleiros e escudos e grupos de guerreiros e arqueiros e... Ela sorriu consigo mesma, sonhadora. York se transformava numa nova Londres. Não, uma nova Roma, se Warwick e Eduardo Plantageneta fossem vencidos pelos exércitos em volta.

Ela pensou então nos rostos enegrecidos que tinha ido ver no Portão de Micklegate. As cabeças de Salisbury e York não haviam suportado a chuva e o frio intenso. Algum guarda local tinha passado alcatrão nelas para deixá-las à prova das intempéries. Margarida podia vê-las claramente em sua mente. Ricardo de York, Ricardo de Salisbury. A coroa de papel de York sumira havia muito tempo, embora algumas gotas de alcatrão ainda conservassem alguns pedaços. Ela esfregou um ponto nas têmporas, sentindo uma dor aumentar, e gemeu baixinho quando uma aura surgiu nas bordas de sua visão. Essa dor tinha se tornado mais comum nos últimos anos. Não havia cura além da escuridão e do sono. Ela se levantou e, no mesmo instante, se tornou o centro da sala quando criados correram para ajudá-la e todos os homens se viraram para ver o que havia chamado a atenção do restante.

Margarida corou com todo aquele escrutínio, contente por ainda conseguir causá-lo, embora os fitasse com um dos olhos entreaberto por causa da dor. Ela viu que o marido a observava com algo parecido com afeto. Ela lhe fez uma leve reverência e os deixou com seus planos, sabendo que ouviria tudo quando chegasse a hora. Não importava se tinham vindo por lealdade a ela ou ao marido. Não importava que a vissem como um incômodo francês que dificilmente entenderia como as coisas deveriam funcionar. Margarida não se importava com isso. Eles não compareceram quando ela mais precisava — e mesmo assim tinha vencido, salvando o marido e cortando a cabeça de dois inimigos poderosos. Ela sorriu ao pensar nisso. Era uma fonte interminável de prazer.

Ainda havia trabalho a ser feito, com certeza. Eduardo de York e todos os Nevilles teriam de ser queimados. As feridas eram profundas no reino todo, com o ódio e o ressentimento pelos anos de guerra. Mas definitivamente a culpa era de York e Warwick; e, não importava quantos homens os seguissem nem a riqueza que reunissem, eles não poderiam se levantar contra a Inglaterra inteira. Depois que aquelas casas fossem vencidas e desonradas, depois que seus castelos fossem queimados e sua linhagem interrompida para sempre, Margarida estaria livre para observar o filho crescer e o marido repousar em oração. Talvez até ela fosse abençoada com outros filhos antes que fosse tarde demais.

Os criados fecharam a porta quando ela saiu, então ouviu as conversas recomeçarem do outro lado. Margarida se abaixou e pegou a bainha do vestido, levantando-a apenas o suficiente para andar sem medo de prender o pé no tecido. Ela ergueu a cabeça ao mesmo tempo, embora um dos olhos parecesse fechado, sensível demais à luz do inverno.

Lá fora, as nuvens corriam sobre a cidade de York, o céu de um cinza desbotado, como um lençol de chumbo ou um cavalo baio.

13

A aurora ainda levaria horas para chegar na escuridão da madrugada de inverno. Velas foram acesas por criados apressados, que levavam o fogo a elas com longas varas. Os homens reunidos em Westminster Hall conseguiam ver a própria respiração no ar gelado.

Eduardo de York estava em pé, com uma túnica azul-escuro e dourada presa por um cinto sobre a armadura, a espada longa em sua bainha no quadril amarrada com outro cinto largo. Enquanto Warwick observava, o rapaz coçou vigorosamente alguma coisa que o picava na barba. Ainda havia lama em suas botas, Warwick notou. Ele se perguntou se Eduardo tinha visto o claustro de pedra do rei Henrique V na abadia do outro lado da rua. O rei das batalhas, o "Martelo dos Gauleses", como dizia seu túmulo, teve sua imagem esculpida de túnica: a efígie de um santo, não de um líder de guerreiros.

Eduardo assomava acima do bispo Jorge Neville, o cabelo eriçado sem o elmo para baixá-lo. O jovem duque de York via todo o vasto salão, iluminado por tantas centenas de velas que o espaço ecoante refulgia dourado.

O Tribunal do Rei era um simples assento de mármore, arrastado até seu lugar na Mesa Alta, da largura de dois homens deitados. Eduardo ficou atrás da imensa superfície de madeira, levemente inclinado para a frente, de modo que as manoplas descansavam sobre o carvalho negro e os ombros se curvavam como as asas de uma ave de rapina.

A notícia se espalhava depressa. Membros do Parlamento já haviam ocupado seu lugar de costume ao longo das paredes, mas advogados, xerifes, mercadores e todos os homens com autoridade que foram acordados naquela madrugada entravam pelas grandes portas. Além deles, avistava-se uma multidão trêmula que se acotovelava para enxergar. Westminster Hall comportava milhares de pessoas, e homens e mulheres da cidade entravam com passos arrastados, buscando qualquer lugar onde pudessem ficar em silêncio para aguardar e observar. O rumor já percorria toda a extensão de Londres, levado por pés velozes e pela boca de padeiros, crianças, monges e todos os que estivessem acordados àquela hora.

Eduardo se baixou no banco e descansou as mãos na mesa. O bispo Jorge Neville lhe entregou um cetro dourado, tirado do tesouro da Torre. Um suspiro soou naquele frio, vindo de todas as pessoas reunidas. Não era mentira. A casa de York reivindicava a coroa enquanto o rei Henrique de Lancaster continuava vivo.

A mesa tinha sido feita para homens do tamanho de Eduardo, percebeu Warwick. Durante centenas de anos havia sido a Mesa Alta, só superada em importância pela Cadeira da Coroação, na abadia. Isso viria depois. O Westminster Hall era para a declaração. O sorriso de Eduardo mostrava que ele estava satisfeito. Warwick não podia negar que o jovem duque se encaixava bem no papel, no tablado acima de todos, iluminado a ouro sob um teto perdido nas sombras.

Em pé, com todos os paramentos e o bastão episcopal na mão direita, o bispo Neville pousou a mão esquerda no ombro de Eduardo. A mensagem era clara: a Igreja ficaria com York. Enquanto o jovem duque e herdeiro baixava a cabeça, o bispo lhe deu a bênção, pedindo aos santos que guiassem todos eles com sabedoria. Quando terminou, os presentes fizeram o sinal da cruz e ergueram os olhos.

Na noite anterior, o bispo havia explicado o juramento que precisava ser feito. Eduardo tinha ficado impaciente com os detalhes, embora os entendesse bem o suficiente. Precisava de um número imenso de homens que lutassem por ele. Somente um rei da Inglaterra conseguiria convocar o reino. Somente um rei conseguiria fazer com que cada aldeia dos condados enviasse todos os seus arqueiros e rapazes.

— Milordes, cavalheiros — começou Eduardo. — Sou Eduardo Plantageneta, conde de March, duque de York. Pela graça de Deus, sou o herdeiro vero e justo da Inglaterra, de Gales, da França e da Irlanda, de todos. Reivindico meu direito neste lugar, nesta Mesa Alta. Reivindico-o pelo sangue de meu pai, Ricardo, duque de York, descendente do rei Eduardo I e, por ele, de Guilherme da Normandia. E, pela linhagem de minha mãe, que descendia de Leonel, duque de Clarence, segundo filho do rei Eduardo III e mais velho que João de Gaunt. Para mim, esses são dois fios de ouro que, juntos, são mais elevados que qualquer outra pretensão a este assento, a este trono e a esta terra. Nego o direito de Henrique de Lancaster à minha herança. Portanto, pela graça de Deus, reivindico o reino. Eu sou o rei Eduardo, o quarto com esse nome. Não há linhagem mais grandiosa, e não reconheço nenhum outro homem acima de mim.

Ele parou, e Warwick viu o suor escorrer por seu rosto. Com seu tamanho e aquela grande barba escura, era muito fácil esquecer que Eduardo tinha perdido o pai havia menos de dois meses e ainda tinha 18 anos. Mas sua voz havia soado com força e confiança, espantosamente alta no espaço vazio de Westminster Hall.

Warwick deu uma olhada de relance para trás para ver a fonte dos murmúrios e do arrastar de pés que tinha ignorado a fala de Eduardo. E ficou paralisado, consciente de que um mar de rostos o fitava, milhares e milhares, enchendo cada fila, cada espaço, em pé em todos os nichos das janelas, em todas as saliências. Homens e mulheres seguravam as crianças acima da cabeça para que elas vissem ou carregavam ao ombro meninos e meninas sonolentos, bocejando. A maioria sorria, e seus olhos refletiam a chama das velas enquanto se esforçavam para ouvir cada palavra e ver tudo.

Ao lado de Warwick estava a figura esguia de Hugh Poucher, o mordomo-mor de Eduardo. Warwick sorriu ao ver o homem boquiaberto com o que havia testemunhado. Ele chegou um pouco mais perto.

— Entendo que seu senhor não lhe contou os planos, não é, Poucher?

O homem de Lincolnshire fez que não devagar, a boca se fechando enquanto ele se recobrava. Para surpresa de Warwick, Poucher secou uma lágrima com os nós dos dedos e fungou, balançando a cabeça.

— Não, mas *não* falharei com ele, milorde.

Warwick piscou, mais consciente do que nunca da responsabilidade que tinha assumido ao ajudar a elevar Eduardo à Coroa. Ainda haveria a coroação formal na Abadia de Westminster, é claro, evento importante demais para improvisar numa madrugada de inverno. Quando aquele dia nascesse, a cidade pararia, e Eduardo seria brindado em todas as salas, em todas as ruas, no convés de todos os navios que passassem pelo Tâmisa e pelo mar. Os sinos tocariam em todas as igrejas da terra.

— Eu sou o rei Eduardo Plantageneta — ouviu Warwick outra vez.

Seu olhar se voltou para cima, com um medo repentino de que tudo o que tinham planejado fosse arruinado pelo imenso idiota que não conseguia manter a boca fechada.

— Vocês perguntarão se pode haver dois reis na Inglaterra — prosseguiu Eduardo, enquanto a multidão fazia silêncio outra vez, à espera de suas palavras. — E lhes digo que não pode. Só há um. Como seu rei, convoco todos os homens honrados a *rasgar* os estandartes do usurpador Lancaster. A ficar comigo enquanto combato meu inimigo.

Os olhos de Warwick se arregalaram quando Eduardo se levantou e jogou a capa para trás. O jovem duque estendeu a mão, e um de seus homens lhe entregou um elmo de aço que tilintava com cortinas de cota de malha que ondulavam e uma argola de ouro engastada na testa. Warwick levantou a mão e inspirou rapidamente, de repente temendo que Eduardo se coroasse e zombasse da Igreja. Uma atitude dessas faria com que todos fossem expulsos e condenados.

O que quer que Eduardo pretendesse, o bispo Neville foi mais rápido. Ele tirou o elmo dos dedos estendidos de Eduardo. O rapaz mal teve tempo de olhar para trás antes que o elmo fosse enfiado em sua cabeça, com a cota de malha drapejada sobre os ombros.

O público rugiu com aprovação quando ele se virou novamente para encará-los, compreendendo que todos estavam testemunhando um evento de que jamais se esqueceriam. Como o nascimento de um filho e o dia do casamento, permaneceria em cada um deles até ser apenas um fulgor dourado quando a fraqueza da morte os forçasse a cair. Eles viram um homem se tornar rei e o início de uma guerra.

Os vivas a Eduardo fizeram as vigas que sustentavam o teto tremerem, todas as vozes ecoando, multiplicadas até se tornarem uma legião. Em resposta, o antigo sino de bronze de Westminster começou a dobrar, o som ecoando pela abadia e depois por outras igrejas, até a cidade inteira reverberar com os sons retumbantes, enquanto o povo acordava para o dia e o sol enfim aparecia no horizonte.

Warwick observou o rei Eduardo ser parabenizado por homens poderosos, seu próprio querido tio Fauconberg entre eles. Lembrou-se de uma história que tinha ouvido sobre a coroação de Guilherme, o Conquistador. Os homens do Conquistador eram de sangue viking, mas falavam francês e norueguês e não sabiam inglês. Os ingleses não falavam uma palavra de francês. Ambos os lados gritaram congratulações, cada vez mais alto e cada vez mais irritados enquanto uns se esforçavam para superar os outros. Os guardas do rei, fora da abadia, acharam que havia começado uma briga e atearam fogo nas casas. Parece que acreditaram que uma cortina de fumaça interromperia os planos que estivessem em andamento. Com o terror e a confusão, surgiram revoltas em toda a cidade de Londres.

Warwick farejou o ar. Nada de fumaça, embora soubesse que logo haveria derramamento de sangue. Eduardo o queria, mais que todos os outros homens. O jovem guerreiro não temia ocupar o campo de batalha. Ele só precisava de homens suficientes para acompanhá-lo.

Warwick viu seu irmão Jorge abrir caminho pela multidão que ria e dava vivas.

— Muito bem, irmão — disse acima do barulho, tendo de gritar.

O bispo fez que sim, aplaudindo com o restante.

— Espero que você tenha avaliado bem, Ricardo. Acredito que eu tenha quebrado meu juramento ao abençoar outro homem como rei.

Warwick estudou o rosto do irmão mais novo e reconheceu a dor verdadeira que havia nele. Como bispo da Igreja, aquela não era uma preocupação menor. Para ele, ter dito aquilo em voz alta era sinal de um oceano de pesar escondido por trás do sorriso torto e do olhar distante.

— Jorge, eu o *obriguei* a fazer isso — declarou Warwick, chegando tão perto que seus lábios tocaram a orelha do bispo. — A responsabilidade e o erro são meus, não seus.

O irmão se inclinou para trás e fez que não.

— Você não pode pôr os meus pecados sobre seus ombros. Eu quebrei minha palavra, e confessarei e farei penitência. — Ele viu a preocupação em Warwick e tentou aliviá-la, forçando-se a sorrir. — É verdade que sou bispo, mas, sabe, antes eu era um Neville. — Enquanto Warwick dava uma risadinha, o rosto do irmão se tornou mais frio. — E, irmão, sou filho de nosso pai, assim como você. Quero que indiquem a seus assassinos a estrada mais rápida para a morte e a danação.

York era a segunda cidade mais importante da Inglaterra, com altas muralhas e um comércio próspero que havia criado uma classe de mercadores que competiam para construir casas maiores e empregar mais homens armados para proteger sua fortuna. A cada dia que passava, o tamanho do exército em torno da cidade aumentava, mas ainda assim havia bastante espaço para o hospital dos leprosos, fora das muralhas, com cordas e estacas que mantinham um caminho claro e os habitantes que apodreciam lentamente bem separados dos soldados saudáveis.

Derry Brewer tomou o último gole de sua caneca de cerveja, ofegando e limpando os lábios acima e abaixo do pouco de barba que deixava crescer. Ela estava grisalha, o que o incomodava. Por outro lado, ele admitia ter 53 anos, mais ou menos. Os joelhos doíam e os braços eram curtos demais para segurar o que quisesse ler, mas ele ainda estava com muito bom humor.

O único outro homem na sala estava acorrentado à parede, mas suas algemas não o restringiam demais. Elas não tinham pontas nem espetos de ferro para incomodá-lo nem rasgar sua carne. Como irmão de Warwick e nobre por direito, lorde João Neville de Montacute era valioso demais para ser ferido. Derry limpou as unhas com uma faquinha, mantida muito bem afiada. Conseguia sentir que o irmão mais novo de Warwick o olhava sempre que achava que ele havia desviado a atenção para outra coisa. Não que houvesse muito a olhar na pequena cela abaixo da sede da guilda de York. A única luz vinha de uma fenda na altura da rua, que se abria para um pátio particular de onde nenhum passante poderia espiar. Era um lugar tranquilo, sem ninguém para ver nem ouvir.

Derry olhou para a jarra de cerveja e viu que ainda havia mais de meia caneca lá. Os lábios de João Neville estavam doloridos e rachados de tanto que o lorde passava a língua por eles, a boca inteira um tom de rosa. A cerveja era para ele, mas Derry tinha ficado com sede. Cerveja bebida nunca era cerveja desperdiçada, disso todo mundo sabia.

— Está acordado, milorde? Os guardas disseram que o senhor estava gritando de novo, exigindo seu direito a um padre ou coisa assim. O resgate não foi pago, João, ainda não. Até que seja, nós o manteremos vivo e em razoável conforto, como seria de esperar para um homem de sua posição. Ou devo entregar esta faca à nossa rainha e deixá-la sozinha para cutucar suas partes, o que acha? Ela tiraria essa sua bolsa enrugada para guardar seus alfinetes, depressa, se preferir. Acho que ela não recusaria. E o senhor?

O prisioneiro se endireitou na corrente e fitou Derry Brewer com toda a confiança de quem nunca havia sido traído pelo corpo. Diante daquele nobre desdém, Derry pensou rapidamente em deixá-lo manco. Um tendão do tornozelo — um só, cortado —, e a família Neville recordaria o nome de Derry Brewer até o Juízo Final.

— Ou será que gostaria de se declarar a favor do rei Henrique? — perguntou ao jovem lorde Neville. — Deus está com os *Lancasters*, filho; isso é bastante óbvio. Ora, eu me lembro de quando cortamos a cabeça de seu querido pai. Eu disse então...

Derry parou quando Montacute se lançou sobre ele, os dentes cerrados enquanto rosnava e puxava as correntes. O rapaz fez um esforço como se achasse que conseguiria arrancá-las da parede, mas, sob o olhar frio do espião-mor, ele desistiu e deu um passo atrás, agitando as correntes como uma serpente se enrolando.

— Seu pai *era* um tolo, João — comentou Derry. — Ele se importava tanto com sua briga com o conde Percy que quase derrubou o rei.

— Se o tivesse derrubado, York estaria no trono — disse Montacute de repente. — Você é um homem *pago*, Brewer, apesar de todo o seu ar de grandeza. Você não entende realmente a honra, nem se importa com ela. Eu gostaria de saber se você sabe o que é lealdade àqueles que põem moedas em sua mão. Quem é você, Brewer? Um servo?

— Não mais — respondeu Brewer, os olhos estranhamente brilhantes.

— O quê? Está dizendo "Não, sou mais que um servo"? Ou que não é mais que um servo? Ou... não mais um servo? São esses os joguinhos bobos que faz? Se eu tivesse cuspe, cuspiria neles e em você.

O lorde se virou, e Derry ficou ao alcance das correntes. Montacute deu meia-volta, e o espião-mor lhe bateu com um bastão na cabeça, no ponto certo, e o rapaz despencou na palha imunda. Derry baixou os olhos para Montacute, ofegante, e então se surpreendeu por estar com a respiração pesada depois de um esforço tão pequeno. Ele sentia saudades de ser jovem, forte e certeiro em tudo o que fazia.

Seu problema naquela manhã gelada era que Warwick havia mandado o resgate do irmão sem palavras nem atraso. O cofre de moedas de ouro tinha chegado a York numa carroça protegida por doze homens armados. Com o vasto exército em torno de York, eles quase provocaram uma pequena matança quando se aproximaram. Esses guardas não tinham a proteção de lorde Montacute, e Derry sabia que estavam sendo interrogados a ferro e fogo a respeito de seus senhores. Fosse como fosse, isso significava que ele perderia João Neville. Era uma simples questão de autoproteção para os lordes em torno do rei Henrique e da rainha Margarida. Se não libertassem seus inimigos nobres, não poderiam esperar que seriam libertados se a sorte virasse. Antes do pôr do sol, Montacute receberia um cavalo e seria posto na estrada para o sul. Pela tradição, teria três dias inteiros antes que pudessem capturá-lo novamente.

Como Derry tinha observado antes, o espião-mor do rei não podia ser um homem nobre. Havia nele um poço de rancor que não tinha fundo, pelo menos quando havia oportunidade. Durante quinze anos, havia sido forçado por York, Salisbury e pelos Nevilles a fugir, esconder-se, suar. Era verdade que estava do lado vencedor, mas isso não aliviava em nada sua raiva e seu ressentimento.

— Mestre Brewer?

Uma voz vinda de cima interrompeu seus pensamentos, chamando da escada. Era um dos homens do xerife de York, de rosto quase imberbe e rígido com as novas responsabilidades.

— O senhor libertou lorde Montacute? Há uma montaria para ele aqui... Eu...

A voz foi sumindo e, sem erguer os olhos, Derry supôs que ele tivesse visto o quarto e o prisioneiro caído.

— Ele adoeceu? — perguntou o oficial.

— Não, ele ficará bem — respondeu Derry, ainda pensando. — Me dê alguns minutos a sós, sem ficar respirando no meu cangote, pode ser? Eu gostaria de falar com ele.

Para sua surpresa, o rapaz hesitou.

— Ele não parece consciente, mestre Brewer. O senhor bateu nele?

— Você já largou as fraldas, filho? — questionou Derry, irritado. — Se eu *bati* nele? Vá esperar com o cavalo. Lorde Montacute talvez precise de ajuda para montar. Jesus *Cristo*.

O rosto do rapaz ardeu de raiva ou humilhação, Derry não saberia dizer. Quase conseguiu sentir o calor recuar quando o jovem seguiu escada acima. Com um suspiro, Derry sabia que o garoto sairia trotando até achar um homem com mais autoridade. Ele não dispunha de muito tempo, não podia se dar ao luxo de ser interrompido.

Derry segurou a mão esticada de Montacute, virou a palma para baixo e dobrou os dedos, formando um punho. Com cortes rápidos e profundos, fez na carne um "T" de "traidor". Um sangue escuro preencheu as linhas e se espalhou. Montacute abriu os olhos quando Derry terminou e, com um safanão, afastou a mão dele. Lorde Neville ainda estava zonzo e, claramente, não constituía uma ameaça enquanto ele soltava suas correntes. Derry o atingiu de novo com o bastão, e ele caiu de cara no chão.

— Mestre Brewer? — Uma voz furiosa veio da escada. — O senhor me entregará o prisioneiro agora.

O xerife de York não era jovem. Derry imaginou que, com o passar dos anos, o velho magricela de cabelos brancos já havia visto tudo o que um sujeito podia fazer a outro. Sem dúvida não ficaria surpreso com o sangue pingando do punho e do nariz de Montacute enquanto Derry removia as algemas e arrastava o jovem lorde pela palha e pelas lajes de pedra. Ele viu o xerife examinar a letra que havia talhado.

— Belo trabalho — elogiou o velho enquanto fungava. — O senhor estragou a cabeça dele?

— Provavelmente não — respondeu Derry, satisfeito com sua calma.

Para seu espanto, o velho xerife se lançou de repente sobre o homem nos seus braços e deu um soco nas costelas dele. Montacute gemeu, sua cabeça balançou.

— Ele se levantou contra o rei. Merecia ter as bolas arrancadas — declarou o xerife.

— Estou nessa, se o senhor estiver — acrescentou Derry imediatamente.

Ele observou o velho pensar e sentiu Montacute se esforçando para recuperar os sentidos, com a consciência turva, incapaz de captar o que discutiam. Derry preparou o bastão para silenciar João Neville mais uma vez.

— Não, talvez não — disse o xerife com relutância. — A culpa seria minha se eu permitisse. Mandarei amarrá-lo ao cavalo para que não caia. O senhor precisa acordá-lo um pouco mais para que ele assine o nome, senão não posso soltá-lo.

Derry deu um tapinha nas costas do velho, sentindo uma alma irmã. Juntos, eles içaram Montacute escada acima, rumo à luz que desaparecia e à liberdade restaurada. O sangue da mão balouçante do nobre deixou um rastro, assim como a ferida deixaria uma cicatriz.

Margarida tremia enquanto o bando de escoceses a observava. Não era medo. Aqueles rapazes barbudos tinham sido leais — se não a ela, pelo menos à sua própria rainha. Mas o frio parecia ficar mais intenso a cada dia, embora Margarida usasse capas e camadas de lã e linho debaixo delas, à prova de vento. Março tinha começado e ainda não havia sinal de primavera, com os campos arados duros como pedra. A cidade de York se aconchegava em torno do fogo e comia guisados com feijões que duravam décadas e só eram tirados dos celeiros depois que todas as outras comidas acabavam. O inverno significava morte, e ela mal conseguia acreditar que aqueles rapazes andariam de pernas nuas de volta ao norte. Sentiu um leve arrepio na espinha com a ideia de perder quatro mil homens de seu exército, mas ela havia lhes oferecido tudo o que tinha. Não restava nada que os mantivesse ali.

— Milady, foi uma *honra* para esses garotos ver como outra grande dama se comporta — disse o *laird* Andrew Douglas através da sebe de barba negra. — Levarei à nossa rainha a notícia da destruição de seus inimigos mais poderosos e do resgate de seu marido, o rei Henrique, das garras terríveis daqueles que poderiam feri-lo.

Douglas fez que sim com satisfação, e muitos rapazes a cavalo ou a pé repetiram o movimento e sorriram, orgulhosos do que tinham conseguido.

— Homem algum poderia dizer que não cumprimos nosso acordo, milady. Os meus rapazes sangraram nesta terra. Em troca, a senhora prometeu uma união entre Berwick e seu menininho Eduardo.

— Não me explique o nosso acordo, Andrew — disse Margarida de repente. — Eu sei o que fiz. — Ela esperou um instante para deixar o *laird* escocês corar de vergonha e continuou: — E cumprirei todas as minhas promessas. Eu prometeria mais, milorde, se achasse que ficaria. Seus homens demonstraram sua força e lealdade.

Margarida se esforçou para não dizer mais nada, dado que a lealdade era toda à rainha deles, mas era verdade que cumpriram sua parte no acordo e ajudaram a recuperar tudo o que ela havia perdido.

— Os meus homens têm terras para semear na primavera, milady, embora seja bom saber que somos tidos em alta estima tão ao sul.

Margarida se surpreendeu com a ideia de que York podia ser considerada uma cidade sulista para um escocês.

— Ainda assim, não partiríamos se a senhora não tivesse metade da Inglaterra vindo pegar em armas a seu favor.

Douglas fez um gesto, indicando o vasto acampamento junto à cidade, lordes e guerreiros que vieram do norte, do oeste, do sul e até das aldeias costeiras, onde os navios desembarcavam e derramavam mais homens. Não tinha havido sinal de tanto apoio enquanto Henrique era prisioneiro e Margarida era caçada como uma lebre na primavera. Agora, tudo havia mudado. Ela baixou a cabeça, mostrando respeito ao *laird*, que enrubesceu ainda mais. Margarida estendeu o braço e tocou a mão dele.

— O senhor tem minhas cartas à rainha Maria. Elas contêm meus agradecimentos. E não esquecerei o papel que desempenhou, Andrew Douglas. O senhor veio quando eu estava perdida, nas trevas, sem uma única lâmpada para mostrar o caminho. Que as bênçãos de Deus acompanhem o senhor e o mantenham a salvo na estrada.

O *laird* ergueu a mão, e seus capitães deram vivas, agitando gorros e lanças. Margarida se virou de leve quando Derry Brewer veio ficar ao seu lado para observar a partida deles.

— Fico com lágrimas nos olhos ao ver isso... — comentou Derry. Margarida olhou para ele com surpresa, e o espião-mor ergueu as sobrancelhas. — Quando penso em tudo que eles roubaram, milady, e agora estão indo embora com as moedas, enroladas nas tangas...

Surpresa, Margarida tapou a boca com a mão enquanto Derry continuava, mostrando os dentes com o prazer de fazer os olhos dela se revirarem.

— Eles tilintam enquanto andam, milady. Acho que aquele *laird* barbudo está com a adaga de Somerset e as botas de lorde Clifford, embora essas eu nem lamente.

— Você é um homem mau, Derry Brewer. Eles vieram me ajudar quando tive necessidade.

— Vieram, mas olhe para nós agora — declarou o espião-mor, levantando a cabeça.

Ao redor deles, seus quinze mil homens tinham dobrado de número e outros mais continuavam chegando. Ela enfim podia se dar ao luxo de deixar os escoceses irem embora — e, se não deixasse, eles iriam de qualquer modo, servindo à outra rainha.

Em um silêncio amistoso, Derry e Margarida observaram as fileiras em marcha sumirem a distância, antes que a luz que findava e o frio cada vez mais profundo fizessem os dois tremerem demais para permanecer ali em pé.

Atingido pelo som de sinos e vozes ruidosas, Eduardo sorria. Lá fora, os moradores de Londres enxameavam como abelhas entre a abadia e o grande Palácio de Westminster, enchendo cada centímetro de terreno até chegarem ao pé das colunas para ter um vislumbre do novo rei. Ele sabia que tinham rechaçado o rei Henrique e sua esposa francesa. Talvez temessem que a cidade fosse saqueada, mas o resultado foi se declararem a favor de York. Ele não tinha certeza de que o povo de Londres havia entendido completamente a nova realidade. Seus vivas o tranquilizaram.

Eduardo desceu o corredor central, com fileiras reduzidas de seus homens segurando a multidão. O caminho se estreitava atrás dele, com os soldados sendo empurrados para dentro. Todos que podiam estendiam o braço e tentavam tocar a capa ou a armadura de Eduardo.

Warwick e seu irmão bispo foram empurrados para o lado na multidão de homens e mulheres que se amontoavam para ver Eduardo, querendo segui-lo. Os sinos tocavam acima de todos, e o eco enchia os espaços abertos, tornando-se discordantes enquanto se recusavam a silenciar. Warwick praguejou quando um grande mercador de rosto rosado enfiou a bota na sua canela e pisou no seu pé, esforçando-se para ver acima da cabeça dos outros. Com uma cotovelada, Warwick observou o homem cair e pisou nele, berrando para que dessem espaço e abrissem caminho. Norfolk e seus guardas não foram gentis ao lidar com a multidão, e gritos de dor mostraram seu avanço rumo ao ar livre.

Eles ainda conseguiam ver a cabeça e os ombros de Eduardo, mais alto que todos. O sol havia nascido, e Warwick parou um instante quando Eduardo se lançou ao ar ainda mais frio do lado de fora e a luz atingiu o anel de ouro incrustado no metal mais duro. Mesmo então, com a sensação desconfortável de que havia gente demais em volta dele e mil coisas que precisavam ser feitas, Warwick ficou paralisado por um momento, então piscou quando um rugido ainda maior veio de fora. Ele empurrou e acotovelou com mais rudeza, forçando a passagem e ignorando tanto as desculpas quanto os gritos de raiva daqueles que ofendeu ou derrubou.

Quando chegou ao ar externo, Warwick estava corado e ofegante, com o suor secando imediatamente na pele. Eduardo notou sua chegada e riu de seu estado amarfanhado.

— Veja isso, Ricardo! — gritou Eduardo acima do ruído. — É como se estivessem esperando por esse momento tanto quanto eu!

Com um floreio, Eduardo desembainhou a espada e a empunhou. Warwick, sorrindo ironicamente consigo mesmo, notou que a lâmina não estava quebrada.

A multidão levantou a voz e as mãos ao ver um rei da Inglaterra em pé à sua frente — e não uma figura frágil e piedosa, mas um guerreiro de tamanha estatura e força física que portava em si a majestade. Alguns se ajoelharam, em pedras tão frias que adormeciam a perna em instantes. Começou com apenas alguns monges, mas o restante acompanhou, e a ação se espalhou pela praça, revelando os membros do Parlamento que ainda observavam de pé.

Eduardo encarou os olhares dos homens do Parlamento e não se envergonhou; ficou calmamente em pé até que eles também se ajoelhassem, um de cada vez. Eles fizeram de seu pai o herdeiro e detinham certo poder, mas não havia ali nenhum homem que deixasse de entender o que estava acontecendo. Naquele momento, Eduardo só precisaria apontar a espada, e eles seriam dilacerados pela multidão, desesperada para se mostrar ao novo rei.

— Londres é uma grande fortaleza junto a um grande rio — comentou Eduardo subitamente. Ele disse isso com voz firme e claríssima, de modo a ecoar nas paredes em volta. Falava como um César.

Warwick observou o rapaz e sentiu a esperança em seu coração pela primeira vez desde que soubera da morte do pai.

— Neste dia me tornei o rei Eduardo IV, rei da Inglaterra, de Gales e da França e lorde da Irlanda pela graça de Deus, na presença da Santíssima Igreja, em nome de Jesus Cristo, amém.

A multidão ajoelhada repetiu a última palavra e fez o sinal da cruz. Ninguém se levantou, embora tremessem ao vento gelado. Eduardo olhou para todos de cima.

— Agora os conclamo como seu lorde suserano. Nobres ou plebeus, chamo todos para meu lado. Tragam espadas, machados, adagas, cajados ou arcos. Sou Eduardo Plantageneta, rei da Inglaterra. Espalhem a notícia. Eu os convoco. Caminhem comigo.

14

Eduardo levantou metade de um selo redondo de prata, sentindo o peso dele na mão. Com a unha do polegar, raspou o resquício de cera vermelha, dando-lhe um peteleco no ar. Em torno dele havia doze mesas compridas, todas arrumadas com decretos convocando cavaleiros e lordes. Trinta e dois condados e doze cidades receberiam os textos em pergaminho, exigindo que os melhores homens armados do país respondessem ao chamado do novo rei.

Eduardo sorria enquanto os quatro portadores do grande selo se apressavam com o serviço. Os braseiros emanavam calor suficiente para fazer todos suarem. Um homem mexia uma grande vasilha de cera cor de sangue, enquanto dois outros cuidavam de panelas menores de água fervendo em torno de jarras de argila. Quando a cera ficou líquida, eles pegaram as jarras com trapos envolvendo as alças e baixaram a cabeça para mostrar que estavam prontos.

Eduardo acenou para apressá-los.

— Vamos.

— Vossa Alteza não precisa... Temos... há... — Um dos homens corou e fitou os pés.

— Não, eu farei. Meu primeiro selo real merece minha própria mão.

O funcionário engoliu em seco, e ele e o companheiro se aproximaram do anel de mesas. Eduardo baixou o selo, e os dois homens avançaram depressa. Um deles despejou a quantidade exata de cera dentro do molde de prata, enquanto o outro punha uma fita dourada e esfregava um disco de cera no pergaminho para preparar a superfície. Era um trabalho de mãos e olhos especializados, e Eduardo ficou fascinado enquanto virava o selo que secava antes que a cera endurecesse demais. Então ele esperou por um tempo que pareceu interminável enquanto os portadores do selo se esmeravam em torno da substância que governava suas vidas.

Um deles removeu as duas peças de prata e revelou uma imagem perfeita de Eduardo no trono, portando o cetro real. Tinha sido moldada para ele na noite anterior pelo mestre prateiro da casa da moeda da Torre, e ele ficou maravilhado quando o *chaff-wax* limpou o selo e o jogou num balde de água gelada para ajudar o processo.

— Outra vez, então — disse Eduardo, olhando para o anel de pano branco ao redor dele.

— Levarei este que está terminado, Vossa Alteza, com sua permissão — veio a voz de Warwick atrás dele.

Eduardo se virou com um sorriso e fez um gesto para que o *chaff-wax* o entregasse.

— É estranho ver meu rosto em cera — comentou Eduardo. — Ainda não consigo acreditar. Avançamos tão rápido...

— E continuamos avançando — retrucou Warwick. — Tenho oitenta cavaleiros esperando, prontos para levar sua convocação até onde for possível. Norfolk está reunindo cavaleiros, proclamando o novo rei e a casa de York no trono.

Eduardo fez que sim, deslocando-se com os portadores do selo e virando o molde de prata para cima outra vez. Ele encarou a imagem deixada na cera, balançando a cabeça com assombro.

— Ótimo. Isso basta por enquanto, creio eu, cavalheiros. Os senhores podem continuar sem mim até estarem todos selados. Milorde Warwick os levará então.

Os quatro funcionários fizeram uma profunda reverência, segurando junto ao peito seus jarros e peças de prata. Eduardo empurrou uma das mesas para sair do anel, movendo a imensa peça de carvalho com uma das mãos.

— Na noite de anteontem fui declarado rei. O resultado parece ser que todo mundo tem mil coisas para fazer, enquanto fico aqui sentado brincando com cera. Você negaria isso?

Warwick deu uma risadinha, mas silenciou ao perceber que os olhos de Eduardo se tornaram perigosos. Longe das tochas e das mesas, o novo rei parecia mais alto.

— Que tal se preocupar com pregos, alabardas e peixe seco? — sugeriu Warwick. — Os homens estão chegando, mas precisamos de armas, comida... uma série de itens para que possam ir a campo. Em seu nome, fiz um empréstimo de quatro *mil* libras hoje, e virá mais das Casas Santas.

Eduardo assoviou baixinho para si mesmo, depois deu de ombros.

— E será suficiente? Quero os melhores arqueiros, é claro, mas devo ter também moradores das cidades. Os que não sabem usar o arco precisarão de boas achas, alabardas, escudos, cota de malha, punhais.

— Temos a Casa da Moeda Real — disse Warwick. — Pensei em pegar emprestado o que necessitarmos, mas, se for preciso e as consequências não tiverem importância, podemos pegar as barras.

Eduardo ergueu a mão, já cansado dos detalhes.

— Antes do fim, não. Eu não serei um ladrão. Fora isso, faça o que for preciso, milorde Warwick. Ponha meu nome nas economias de vida de todos os judeus de Londres, se quiser. Eu estaria na estrada para o norte hoje se tivesse os homens de que preciso. Mas você diz que tenho de me atrasar e me *atrasar*. Você está nos retardando.

Warwick fechou os olhos com raiva, e Eduardo franziu a testa, entendendo antes que ele respondesse.

— Ah, sim. Tenho de esperar porque meu pai correu para o norte com o seu. Aqueles dois amigos estavam decididos demais a derrotar seus inimigos. Certo, eu entendo.

Por apenas um instante, Eduardo levantou a cabeça, lutando contra o pesar que fazia a respiração tremer no peito. Incapaz de confiar na voz, deu um tapinha no ombro de Warwick e o fez cambalear.

— Esses decretos de convocação são as fagulhas, Eduardo — declarou Warwick baixinho. — Vamos mandá-los para começar uma grande conflagração em toda a terra: uma fogueira em cada morro, chamando-os. Trinta e dois condados, do litoral sul ao rio Trent.

— Não mais?

— Além de Lincolnshire? Não me dei ao trabalho. A rainha tem seus lordes do norte. Todo o apoio dela está lá. Eles já escolheram o lado.

Eduardo balançou a cabeça, pensando.

— Então mande mais um decreto, um só, para Northumberland, como todos os outros que estão indo. Mande-o para os xerifes de lá, como se a família Percy não tivesse escolhido defender um rei fraco e sem juízo e sua esposa francesa.

— A família Percy nunca se juntará a nós — argumentou Warwick.

— Não, mas eles terão sido avisados. Eles começaram esta guerra. Eu a vencerei no campo de batalha, juro pela Santa Cruz. Que saibam que estou indo e que não tenho medo deles. — Eduardo pôs as mãos às costas, uma segurando a outra, e se inclinou para ficar na altura de Warwick. — Você tem mais uma semana para montar o exército. Depois disso, partirei. Sozinho, se for preciso. Mas seria melhor com trinta ou quarenta mil, não é? Pois é. É melhor termos homens suficientes para dar fim à loba de uma vez por todas. Recuperarei aquelas cabeças do Portão de Micklegate, em York, Warwick. Vou baixá-las... e, sim, acharei outras para pôr no lugar.

Margarida cavalgava uma égua cinzenta, com o filho trotando ao seu lado num velho cavalo de batalha sonolento. O vasto número de homens que apoiava o rei Henrique havia se espalhado em todas as direções em torno da cidade de York, alojando-se em todas as aldeias e cidades menores. O acampamento oficial ficava logo ao sul, onde a estrada de Londres atravessava a aldeia de Tadcaster. Era o lugar onde se reuniam, onde os homens andavam ou cavalgavam pelos campos arados para se unir à casa de Lancaster na guerra. Escribas e escriturários conferiam nomes para fazerem o pagamento e entregarem achas ou alabardas selvagens a qualquer homem desarmado.

Enquanto Margarida conduzia o filho pela paisagem de tendas e estandartes, arqueiros e machadeiros, centenas se ajoelhavam diante de sua passagem. Seis cavaleiros de armadura trotavam em cavalos castrados ao lado de mãe e filho. Os estandartes que ondulavam atrás deles mostravam os três leões reais, além do antílope de Henrique e da rosa vermelha de Lancaster. Margarida queria que os símbolos fossem vistos, queria mostrar todos eles.

Cada um de seus lordes se ocupava com centenas de tarefas, ou assim parecia. Faria sentido que o marido cavalgasse com ela para se mostrar às fileiras que se reuniam. O pai dele com certeza o teria feito, passando em cada acampamento, falando com todos os capitães e os homens, a quem pediria que resistissem e morressem por ele. Era o que diziam. Em vez disso, o marido havia se retirado para seu próprio mundo pacífico de reza e contemplação, longe dos perigos que ela enfrentava em seu nome. Num dia bom, Henrique despertava o suficiente para discutir alguma questão moral espinhosa com o bispo de Bath e Wells. Às vezes, Henrique chegava até a confundir aquele pobre velho com sua erudição. No entanto, não podia cavalgar para supervisionar um exército que armava tendas e afiava armas, disposto a pôr a vida em risco em seu nome.

No lugar do rei Henrique, Margarida lhes mostrava seu filho, Eduardo. Com 7 anos, era uma figura minúscula empoleirada no dorso largo de um cavalo de batalha. Entretanto, ele cavalgava com orgulho, a coluna ereta e o olhar frio examinando os acampamentos.

— São muitos, mãe! — gritou ele, mostrando um orgulho que fez Margarida sentir um aperto no coração.

Somerset e Derry Brewer disseram que, sem dúvida, ele tinha o sangue do avô, o rei guerreiro e vitorioso de Azincourt. Margarida ainda observava o filho em busca da fraqueza do pai, mas não havia sinal. Ela fez o sinal da cruz e murmurou uma oração à Virgem Maria, como mãe que entenderia muito bem seus temores.

— Eles vieram resistir aos traidores, Eduardo, punir os homens maus de Londres.

— Aqueles que fecharam os portões? — perguntou ele, franzindo a boca com a recordação.

— Sim, aqueles mesmos. Eles virão com imensa raiva e ferocidade, mas temos aqui uma hoste tão grande como nunca vi... Talvez o maior exército que já se pôs em marcha.

Ela puxou as rédeas com uma pressão suave, fazendo a égua parar, e se virou para o filho.

— Aprenda os estandartes, Eduardo. Esses homens estarão com você quando crescer, se lhes pedir. Quando você for rei, pela graça de Deus.

O filho abriu um grande sorriso com a ideia e, só por um instante, ela riu com genuíno prazer, colocando a mão na cabeça dele e esfregando seus cabelos loiros. Eduardo fez uma careta e afastou a mão dela.

— Não na frente dos meus lordes, mãe — vociferou ele, com o rosto enrubescido.

Margarida se sentiu entre a ofensa e o prazer com a reação do filho, com a mão recuada para perto da boca.

— Muito bem, Eduardo — disse ela, com um pouco de tristeza.

— Eu lhes pedirei que me sigam quando crescer — continuou ele, tentando aliviar a rigidez súbita da postura da mãe. — Eles não devem me ver como um menino.

— Mas você *é* um menino. E meu encanto, minha geleinha, que eu aperto até sufocar sempre que vejo sua testa franzida. Fico com vontade de morder essas suas orelhinhas, Édouard.

Ele estava no meio de um falso gemido, meio deliciado com o humor inconstante da mãe, até ouvir a pronúncia francesa de seu nome e balançar a cabeça.

— Mamãe, meu nome não é esse. Sou Eduardo de Westminster, príncipe de Gales. Serei rei da Inglaterra... e da França. Mas sou um menino *inglês*, com o pó das colinas verdes... e cerveja nas veias.

Margarida, por sua vez, olhou para ele com frieza.

— Ouço sua voz, Eduardo, mas escuto as palavras de Derry Brewer. Não é?

O filho ruborizou furiosamente e desviou o olhar. Ela percebeu a mudança de expressão e olhou para o mesmo lado. Margarida não soube se ficava aliviada ou incomodada ao ver a velha montaria manca de Derry Brewer se balançando na direção deles, só cascos e ossos. O homem era um péssimo cavaleiro.

— Mestre Brewer! Meu filho estava agora mesmo me contando que o pó das colinas inglesas corre nas veias dele.

Derry, contente, deu um grande sorriso para o príncipe de Gales.

— E *correm*, milady. Com a água dos rios ingleses no sangue dele também. Ele deixará todos nós orgulhosos, não tenho dúvidas... — Sua voz foi sumindo quando percebeu que Margarida não sorria com a ideia. Derry deu de ombros em vez de discutir. — O pai dele é o rei, milady. O avô dele foi o maior rei guerreiro que jamais conheceremos. Alguns diriam que foi Eduardo III, mas, para os que conhecem o verdadeiro valor, Henrique de Azincourt era o homem a seguir.

— Entendo. Então não há sangue francês em meu filho? — perguntou Margarida.

Derry retirou um respingo de lama da orelha do cavalo antes de responder.

— Milady, vi nascerem crianças suficientes para saber que a mãe é mais que apenas um recipiente ou um jardim para a semente, como dizem alguns. Vi mães com cabelos ruivos cujos filhos trazem os mesmos cachos vermelhos. O ventre deve marcar a criança lá dentro, não posso negar. Mas Eduardo aqui *é* um príncipe da Inglaterra. Se Deus quiser, será rei um dia. Ele cresceu com carne inglesa e aprendeu os modos ingleses. Tomou cerveja, água e vinho de uvas deste solo. Há alguns que veem valor nisso. Há alguns que talvez digam que isso o torna abençoado acima de todas as outras tribos, milady. E alguns que não, é claro. Principalmente os franceses.

Derry sorriu para ela, nas Margarida estalou a língua com desaprovação e afastou os olhos, observando o vasto acampamento.

— Você não me procurou para discutir o que é ser inglês, mestre Brewer.

Ele baixou a cabeça, contente porque ela preferiu deixar o assunto morrer.

— Rapazes, vocês levariam o príncipe aqui para ver o canhão? Dizem que o capitão Howard vai testar dois canhões com rodas hoje, com bolas do tamanho de minha mão. Não as do capitão Howard...

Derry parou, sabendo que Margarida já estava irritada com ele. Ela fez um gesto para dar permissão, e o filho se afastou com dois porta-estandartes que proclamavam seu nome e seu sangue, com os leões ingleses e as flores de lis francesas esquartelados.

Derry o observou se afastar com afeto no rosto corado.

— Ele é um bom rapaz, milady. A senhora não deveria temer por ele. Eu só desejaria que ele tivesse doze irmãos e irmãs para assegurar a linhagem.

Foi a vez de Margarida enrubescer e mudar de assunto.

— Que notícias, mestre Brewer?

— Não queria que seu filho ouvisse, milady. Mas a senhora precisa saber. Eduardo de York se declarou rei em Londres. Um dos meus homens quase morreu para nos trazer a notícia.

Margarida se virou inteiramente para encará-lo, boquiaberta com o choque.

— Como assim, Derry? Como ele pode se dizer... Meu *marido* é o rei!

Derry se retraiu, mas se forçou a continuar.

— O pai dele tinha sido nomeado herdeiro oficial do trono, milady. Com tempo, daríamos um jeito nisso, mas parece que o filho aproveitou e transformou a situação em algo maior. Ele... Bom, parece que ele tem um grande número de seguidores, milady. Londres fez sua escolha quando manteve os portões fechados. Agora tem de apoiá-lo... E isso significa ouro, homens e autoridade vindos do Palácio de Westminster, da abadia... Os tronos e os cetros, a Casa da Moeda Real.

— Mas... Derry, ele *não* é o rei. Ele é um traidor, um usurpador, não passa de um menino!

— Meu informante disse que ele é um gigante, milady, que agora usa uma coroa, convoca soldados e reúne homens em nome do rei.

Derry viu que o sangue tinha se esvaído do rosto de Margarida, montada com as costas curvadas. Seu coração se condoeu por ela, temendo que o golpe tivesse sido forte demais.

— A única boa notícia, milady, é que todo o fingimento agora foi posto de lado. Não haverá mais mentiras. Muitos homens que poderiam ficar de lado e esperar virão até a senhora. É o maior exército que já vi. Aumentará ainda mais quando os soldados do norte vierem para proteger dos traidores o verdadeiro rei.

— E então os esmagaremos? — perguntou Margarida em voz baixa.

Derry fez que sim, estendendo o braço para ela e deixando a mão cair sem tocá-la.

— Temos perto de quarenta mil homens, milady, com um núcleo bom e sólido de guerreiros e arqueiros.

— Já vi exércitos serem dilacerados, mestre Brewer — retrucou Margarida, sem forças. — Nada está definido depois que soam as trompas.

Derry engoliu em seco, irritando-se com ela. Ele tinha várias coisas importantes a fazer, e consolar Margarida não era uma delas. Ao mesmo tempo, tinha consciência de que sentia um vestígio de excitação. Havia algo numa mulher bela em lágrimas que o animava. Imaginou como seria pressionar sua boca com força na dela, e depois sacudiu o corpo, forçando a mente a voltar para um caminho mais seguro.

— Milady, tenho de cuidar dos meus afazeres. Não pode haver dois reis. O que Eduardo fez foi nos unir até que só haja um.

15

Quatorze dias depois de se declarar rei no Palácio de Westminster, Eduardo cavalgou para o norte com uma vasta hoste. Os idos de março, o ponto médio do mês, tinham ficado três dias atrás. Ele pensou nos césares enquanto conduzia o cavalo pela estrada de Londres, para longe da cidade. O inverno ainda era rigoroso na terra, e não haveria alimento pelo caminho que Margarida havia tomado com seus soldados do norte e escoceses. Eduardo e seus capitães passaram por dezenas de solares queimados, com aldeões fugindo para a floresta assim que avistavam suas fileiras em marcha.

Para um exército daquele tamanho, não haveria como usar a estrada pavimentada, o que era uma pena. Eduardo havia sofrido em reuniões com Warwick e Fauconberg, que lhe explicaram que ficar na estrada criaria uma fila com *dias* de comprimento, de modo que qualquer vanguarda enfrentada pelo exército da rainha ficaria isolada, sem apoio. Em vez de se tornar uma linha comprida demais, eles tinham de manter uma formação larga. Os homens marchavam em fileiras de mais de um quilômetro e meio de largura, em três batalhões. As linhas que avançavam atravessaram florestas, colinas e rios, caminhando com dificuldade por argila espessa e lama tão viscosa que parecia viva. A cidade de York ficava a mais de trezentos quilômetros, no norte frio, e Eduardo estava resignado a perder nove ou dez dias de marcha. Pelo menos, seus homens estavam bem supridos, graças à boa vontade e à riqueza de Londres. Navios mercantes subiram o Tâmisa para levar o alimento de que precisavam, enquanto os prestamistas da cidade pareciam ter entendido que seu futuro dependia dele.

Eduardo cavalgava orgulhoso nas primeiras fileiras do centro, cercado por estandartes que traziam um sol em chamas, o falcão do pai e a rosa branca de York. Ele tinha dado ao duque de Norfolk, lorde mais importante que o acompanhava, o comando da ala direita. Warwick e Fauconberg ficaram com a esquerda, e, se viram nisso alguma ofensa, os dois Nevilles não demonstraram. Na verdade, Eduardo não agiu assim para criticar as forças que foram contornadas e derrotadas em St. Albans, embora elas formassem o grosso daquele batalhão. Se metade dos relatórios que vinham para o sul estivesse correta, o exército da rainha era pelo menos igual ao seu. Batedores e mercadores costumavam exagerar, mas Eduardo tinha a sensação de que não podia se demorar. Era possível perder batalhas e, mesmo assim, vencer a guerra. Cada dia na estrada era mais um dia para que a rainha e o papalvo do marido reunissem mais soldados e mais lordes.

Ter seus lordes afastados no comando de seus imensos batalhões também significava que Eduardo não precisaria falar com eles, o que lhe era bastante agradável. Ele sequer era visto pelos homens do seu exército, e passava os dias com os capitães e os arqueiros galeses, tendo mais uma vez a impressão de que se sentiria melhor como chefe de um clã do que como rei. Mas seu décimo nono aniversário ainda levaria um mês para chegar, e ele se alegrava com sua força e com a certeza de seu propósito. O exército em torno de Eduardo era uma massa de tabardos coloridos sobre armaduras e cotas de malha, mil escudos de famílias diferentes bordados ou pintados em tecidos e escudos. Além dos soldados a soldo de cavaleiros e barões, os plebeus vieram para o seu lado, cansados das falhas dos Lancasters e impelidos por lembranças como a de lorde Scales, que usou fogo grego na multidão de Londres, tudo em nome do rei Henrique. Eles traziam suas alabardas e achas como espinhos num ouriço, os cabos de bétula descansando ao ombro ou usados como cajados para caminhada, todos encimados por cabeças de ferro. As achas eram parte machado, parte lança e parte martelo, enquanto as alabardas tendiam a ter uma lâmina mais pesada. Em mãos inábeis, ainda eram ferramentas de corte eficientes.

Empunhadas por quem as conhecia bem, podiam perfurar armaduras e permitir que um infante enfrentasse um cavaleiro coberto por uma armadura completa.

Eduardo havia se espantado ao ver quantos rapazes rudes que marchavam com ele pareciam alimentar um rancor pela casa de Lancaster. Metade de seu contingente de Kent e Sussex usava o nome de Jack Cade como bênção — e contaria a quem quisesse ouvir que a rainha tinha quebrado a antiga promessa de anistia. Eles fizeram seus juramentos de lealdade a York por raiva e traição. Em troca, Eduardo só podia abençoar cada erro que Margarida havia cometido.

O frio aumentou seu domínio enquanto eles avançavam para o norte. A princípio, foi um alívio para os homens que estavam exaustos de afundar na lama. Eles tremiam e aqueciam com o hálito as mãos dormentes, e o solo duro não perdoava quando escorregavam e caíam, mas mesmo assim mantiveram um ritmo melhor no gelo. As carroças de comida e equipamentos conseguiram acompanhar os homens em marcha pela estrada de Londres, e à noite Eduardo lia inventários de botas e feridos quando os criados preparavam uma tenda e uma refeição. Antes de dormir, ele passava horas supervisionando o trabalho das armas com seus cavaleiros. A princípio, os soldados comuns se amontoavam em torno do quadrado de tochas tremulantes para observar o gigante que os comandava. Algo no olhar deles irritou Eduardo, que os mandou embora para que treinassem com as espadas. Depois disso, toda noite se enchia com os gritos dos capitães e o som de metal indo de encontro a metal.

Eduardo conseguia sentir o poder de um rei no modo como os outros o olhavam. Ele o via nos cavaleiros, tão ansiosos para treinar e mostrar seu valor. Ia além dos favores ou mesmo dos títulos que ele poderia lhes conceder. Os jovens cavaleiros viam nele uma nova Inglaterra, depois de anos de ruína e confusão.

Às vezes, parecia magia. Eduardo havia perguntado isso a Warwick apenas uma vez, depois da apresentação perplexa a um fidalgo corado e sufocado demais para falar em sua presença. Eduardo franzia a testa sempre que pensava nisso. Ele sentia um pouco do mesmo assombro, mas não a ponto de ficar sem palavras. Talvez fosse algo de nascença, ou talvez seu pai tivesse lhe mostrado a verdade do poder.

— Eles seguirão cada palavra sua — tinha dito Warwick em Londres. — Vão bajulá-lo, mas lutarão por você muito depois do momento em que deveriam ter fugido, porque você é o rei. Guardarão com carinho a lembrança das poucas palavras trocadas com você, talvez como o momento mais precioso da vida deles. Quando se é um homem digno de ser seguido, a coroa vai dignificá-lo ainda mais e fazer de você... heh, um gigante de verdade, um rei Artur em uma armadura de prata. Por outro lado, se você estuprar ou ferir uma mulher, digamos... se mostrar covardia, se matar um cão que late demais ou mostrar algum mau humor mesquinho, será como quebrar um espelho.

As palavras calaram fundo. Na época, Eduardo apenas tinha dado de ombros, embora as tivesse gravado e decidido viver de acordo com elas, com uma certeza que sentia no fundo da alma. Ele havia chegado a recusar bebidas todas as noites para que os homens o vissem sóbrio e suando muito enquanto treinava. Tomava água e comia cordeiro e peixe seco, deleitando-se com sua saúde e juventude, dormindo feito pedra e se levantando antes do amanhecer.

A quatro dias de Londres, eles se encontraram com João Neville, que vinha para o sul. Ele havia percorrido a estrada de Londres, seguindo as lajes romanas e se recuperando da melhor forma possível, embora a febre ainda o deixasse fraco. Warwick tinha saudado o irmão com prazer desregrado até ver os hematomas que já sumiam e o corte cheio de pus nas costas da mão direita. Então Warwick tinha se tornado frio e mandado os homens avançarem, direcionando o irmão de volta para o norte.

Por sua vez, João Neville ficou deliciado e assombrado ao ver tantos soldados. Com um cavalo descansado e depois de comer carne pela primeira vez em semanas, ele se recuperou bem o suficiente nos dias que se seguiram para visitar os limites do exército, levando a montaria a trote por quilômetros a leste e a oeste. Ele transmitiu tudo o que havia descoberto, mas Derry Brewer o tinha mantido vendado sempre que havia algo a ver. Mesmo assim, Warwick deu graças pela libertação do irmão. Apesar da causa em comum com Eduardo, havia algo perturbador no lobo libertado que era o novo rei, que fervia de raiva com a menor provocação. Eduardo não era uma companhia fácil, e Warwick sentia saudades da confiança tranquila que tinha no irmão mais novo, com quem não precisava medir cada palavra.

Havia nove dias que a hoste do rei Eduardo estava na estrada quando os batedores mais avançados encontraram o primeiro sinal do inimigo. A estrada de Londres passava pela aldeia de Ferrybridge, onde uma bela construção de tábuas de pinheiro e carvalho se estendia desde sempre sobre o rio Aire. Agora as águas corriam por vigas quebradas e trincadas, a ponte derrubada. As fileiras de Eduardo estavam mais de um quilômetro a leste da travessia, e ele ordenou ao batalhão de Fauconberg e Warwick que avançasse para consertar a ponte — para construir outra com árvores derrubadas, de modo que o exército pudesse se afunilar e continuar o avanço para o norte. A cidade de York ficava a trinta quilômetros, e Eduardo estava decidido a ultrapassar aquelas muralhas e recuperar as relíquias do pai e do irmão. Cada dia perdido era mais um dia de humilhação, e ele não seria contrariado.

Warwick observava o trabalho dos carpinteiros. Supervisionados por alguns sargentos que sabiam lidar com junções e cavilhas, eles se puseram a trabalhar com disposição. Substituir uma ponte era rotina para aqueles homens, um serviço bom e sólido, com a satisfação da técnica e da tarefa terminada. Eles sorriam ao bater em troncos de bétula com a cunha da cabeça do machado para rachá-los, enquanto outros assumiam com enxós, podões e plainas.

Os pilares da ponte ainda estavam lá, é claro, enfiados fundo demais para serem arrancados e molhados demais para queimar. Ficariam um século na água; seus homens só precisavam pôr vigas e tábuas em cima. Eles prenderam cordas na cintura e correram o risco de cair para levar as tábuas pelos pilares, martelando estacas com golpes vigorosos. Era um trabalho grosseiro, mas não precisava durar uma geração, apenas algumas semanas.

Fauconberg perambulava por ali, comendo uma maçã murcha. Warwick o ouviu mastigar até o caroço e se virou.

— Tio William, agora não vai demorar. Metade da ponte já está no lugar. Estaremos de volta à estrada até amanhã de manhã.

— Não vim verificar seu trabalho, rapaz. Não, esta terra eu conheço muito bem. Cacei a menos de quinze quilômetros daqui com seu pai, quando éramos jovens.

O sorriso de Warwick ficou um pouquinho tenso. As histórias do tio o pegavam desprevenido, e ele sentiu os olhos arderem e a respiração se acelerar. Warwick se ressentia disso, como se uma fraqueza sua fosse forçada a vir à tona.

— Talvez o senhor possa me contar outra hora, tio. Tenho alguns documentos que preciso ler e cartas a terminar.

Ele olhou para o sol e viu que era uma mancha de luz atrás de nuvens cinzentas. Haveria lâmpadas acesas na tenda, e o frio já era intenso.

— Entendo — disse Fauconberg. — Vá trabalhar, então, Ricardo. Não vou atrapalhá-lo. Seu irmão João estava por aqui faz menos de uma hora, ansioso para atravessar a torrente. Eu me orgulho de vocês dois, você sabe. Vocês deixariam seu pai orgulhoso.

Warwick sentiu um aperto no peito e, em resposta, uma onda de raiva. Inclinou a cabeça.

— Obrigado, tio. Assim espero. — Ele apontou para o rio, tão cheio que as margens se desfaziam em espirais de argila marrom. — O trabalho está indo muito bem. Partiremos quando o sol voltar a nascer.

Lorde Clifford não estava de muito bom humor. Não havia apreciado receber a tarefa de interromper a estrada de Londres ao sul e tinha quase certeza de que Derry Brewer estava por trás de seu afastamento da força principal. Sem dúvida era um serviço mais adequado a um reles sargento ou a um bando de trabalhadores comuns. Não havia nenhuma necessidade de um homem de berço elevado supervisionar duzentos arqueiros e outros tantos homens com alabardas, todos andando com dificuldade e lançando olhares de insatisfação para ele. Somerset e o conde Percy de Northumberland não teriam concordado em realizar uma tarefa dessas, ele tinha certeza. Ainda assim, tinha sido executada. A ponte havia sido demolida, e seus pedaços, lançados à torrente para sumir na correnteza como se nunca tivessem existido. Clifford havia perguntado a um capitão importante se não removeria os pilares. O homem demonstrara evidente insolência no sorriso — expressão que tinha lhe valido doze chibatadas. O capitão parecia popular entre seus subalternos. Sem dúvida achavam que o tratamento lhes dava o direito de olhar para lorde Clifford com raiva enquanto marchavam de volta para o exército principal. Ele se recusou a reagir a tamanha rudeza, fitando sempre à frente.

— Milorde! Lorde Clifford! — veio uma voz.

Clifford se virou com uma sensação desagradável, sabendo que a tensão na voz do jovem batedor dificilmente traria boas notícias.

— Relatório — exigiu, aguardando o batedor apear e se curvar, como os havia treinado a fazer.

— Há uma tropa de soldados na ponte, milorde. Já cortando e pregando madeira nova, para reconstruí-la.

Clifford sentiu o coração se acelerar de expectativa. A ponte ainda estava destruída e ele tinha arqueiros. Se era o primeiro sinal do exército yorkista, teria a oportunidade de provocar o caos em suas linhas. Com a vantagem da surpresa, talvez conseguisse até enfiar uma flecha no peito de Warwick ou do próprio Eduardo de York, o falso rei cuja mera existência fazia o céu se inflamar. Ele voltaria para o rei Henrique e a rainha Margarida como herói...

— Milorde Clifford? — O batedor teve a temeridade de interromper os devaneios de cores vivas que desfilavam diante de seus olhos. — Imploro seu perdão, milorde, mas o senhor tem ordens a dar? Eles estão usando os velhos pilares do rio, e não vai demorar para estarem na estrada atrás de nós.

Clifford deixou de lado a irritação com as perguntas do rapaz. Ele sabia que aqueles malditos pilares seriam um problema. Se o coração do capitão não tivesse parado durante o açoitamento, ele o arrastaria de volta ao rio para lhe mostrar quem tinha razão.

O sol se punha, e Clifford sabia que tinha se afastado poucos quilômetros da ponte destruída. Olhou para os arqueiros parados em torno dele, percebendo de repente por que Somerset havia insistido que levasse uma tropa daquelas para uma tarefa tão ordinária.

— De volta ao rio, cavalheiros! Vamos surpreender aqueles traidores. Vamos lhes mostrar o que bons arqueiros sabem fazer.

Os homens em torno dele deram meia-volta onde estavam. Sem dizer nada, começaram um trote rápido que atravessava os quilômetros, tentando ser mais rápidos que o pôr do sol.

Quando a escuridão chegou, Warwick havia acabado de comer uma bela truta castanha pescada no mesmo rio que tinha passado o dia encarando. A temperatura caíra ainda mais, e ele estava debaixo de grossos cobertores por cima do gibão e das roupas íntimas. Bem enrolado, estava contente e começando a cochilar quando ouviu o tilintar de homens armados em movimento. Na tenda preta, Warwick se apoiou nos cotovelos, fitando o nada.

Lá fora, do outro lado do rio, ouviu vozes mandando arqueiros se prepararem. Warwick jogou para longe as cobertas e pulou para o outro lado da tenda, berrando por escudos enquanto saía aos tropeços na noite.

O acampamento ainda não estava escuro, percebeu com horror. Ele tinha dado ordens de continuar o trabalho durante a noite, iluminado por fracas lâmpadas amarelas. Isso significava que os trabalhadores lá no rio reluziam dourados, sem perceber o som da aproximação de homens enquanto martelavam e serravam.

— Escudos! Cuidado, arqueiros! — gritou Warwick.

Ele conseguia ver pontos de luz por todo o terreno — as brasas de uma fogueira para trinta ou quarenta homens.

— Apaguem essas *fogueiras*! — berrou Warwick. — Água, aqui!

Ele recebeu gritos de confusão e surpresa como resposta, enquanto do outro lado do rio uma ordem única soou. Warwick inspirou o ar gelado e ouviu flechas sibilarem no ar, mais alto que o som da torrente. Por instinto, levou a mão ao rosto, depois a forçou a baixar. Sem armadura não teria como se proteger, e não queria que seus homens o vissem com medo. Ao redor, ele ouvia as hastes caírem, atingindo madeira, metal e carne, rasgando tendas e arrancando gritos sufocados de soldados que dormiam. Mais e mais perfuravam o chão em seu lado do rio, as penas brancas visíveis.

Quase não havia luz, a lua apenas um crescente. Warwick teve vislumbres de homens de camisa ou jaqueta agarrando escudos, sacos, qualquer coisa. Alguns até ergueram tábuas de bétula, levando-as na frente do rosto, embora as flechas as atravessassem e perfurassem suas mãos. Warwick suava, esperando uma flecha atingi-lo a qualquer momento. Quando o escudeiro pegou seu braço, ele praguejou com o choque e aceitou o escudo estendido para protegê-lo com um agradecimento envergonhado.

As fogueiras foram apagadas, trazendo escuridão ao acampamento. As tochas junto ao rio sumiram quando os carpinteiros as jogaram na água. Warwick sabia que estava entrando em pânico. Tinha sido pego de surpresa, numa confusão terrível. Mas os arqueiros inimigos não poderiam avançar além da margem oposta, a uns sessenta metros de distância. A resposta se esforçou lentamente para atravessar sua mente enevoada.

— Recuem cem metros! *Recuem*! Andem! — vociferou.

O berro foi repetido por outros, acima do som de guinchos de dor e homens moribundos. Warwick teve a sensação de que as flechas formavam um arco em sua direção, mas já estava com o escudo erguido e não ousou parar de se mover. A luz no rio se fora, tornando a água uma extensão de trevas impenetráveis. Além dela, não havia uma única fonte de luz, apenas o som de homens em movimento, caçoando e zombando de um acampamento em desordem.

Warwick se virou, sentindo uma onda de terror ao dar as costas aos arqueiros, com flechas ainda zumbindo em volta. Alguns de seus homens tinham pendurado escudos ou tábuas nas costas, mas a única proteção verdadeira era sair do alcance delas. Não houve senso de decoro naquela fuga no escuro. Warwick se sentiu agredido por homens que não o conheciam. Caiu, mas conseguiu se levantar e avançou para ultrapassar os outros, lutando contra o medo da morte iminente que se lançava sobre ele.

Ele viu Eduardo vir em sua direção, iluminado por tochas flamejantes. Mesmo na escuridão, os estandartes brilhavam prateados, refletindo o luar. A presença do rei foi como jogar água fria no rosto dos homens em fuga. Eles deixaram de lado a aparência selvagem e os olhos arregalados, repentinamente envergonhados e tropeçando até parar.

— Alguém, relatório! — berrou Eduardo. Ele havia encontrado seu exército fugindo no escuro e ardia de raiva. Nenhum deles enfrentou seu olhar. — Então? Warwick? Onde está você?

— Aqui, Vossa Graça. Foi ordem minha tirar os homens do alcance dos arqueiros. Eles estão do outro lado do rio, e não podem nos afastar ainda mais.

— Mas eu atravessaria aquele rio — esbravejou Eduardo. — E como fazer isso se não há uma merda de ponte?

Warwick engoliu a irritação por ser repreendido dessa maneira pelo rapaz. Seu tio Fauconberg falou antes dele.

— Há outro local para a travessia, Vossa Graça, uns cinco quilômetros a oeste daqui.

— Castleford? — questionou Eduardo. — Eu conheço o lugar. Já cacei nessas terras quando menino e... mais recentemente.

Ele tinha em mente a imagem de uma mulher naquela ocasião, não muito longe daquele ponto. Elizabeth era seu nome. Gostaria de saber se ela pensava nele alguma vez, depois sorriu para si mesmo. É claro que pensava.

— Muito bem. Lorde Fauconberg — disse ele, pondo de lado os pensamentos mais agradáveis —, reúna três mil rapazes em boa forma e *corra* até aquele vau. Leve alguns arqueiros entre eles. Está entendido? Uma pequena parte da noite ainda resta; o senhor deve estar na outra margem antes da aurora, mais ou menos. Vejamos se conseguimos surpreender nossos bravos atacantes. — Eduardo mandou Fauconberg embora com um gesto e se virou para o sobrinho dele. — Warwick, termine a maldita ponte. Ponha escudos sobre os carpinteiros, como já deveria ter feito... Faça o que for preciso, mas me arranje uma forma de atravessar esse rio.

Warwick baixou a cabeça com rigidez.

— Sim, Vossa Graça.

Ao girar nos calcanhares, Warwick ficou satisfeito com a escuridão, que escondia sua raiva ardente. Ele havia ajudado a tornar Eduardo rei, um gigante de 18 anos que, ao que parecia, lhe dava ordens como a um serviçal. Ao mesmo tempo, Warwick lembrou a si mesmo que não importava o rapaz ser insolente ou impulsivo. O que importava era que o rei Henrique e a rainha Margarida fossem derrotados — a rainha muito mais que o coitado do marido. Havia cabeças no Portão de Micklegate, em York, e Warwick sabia que engoliria qualquer humilhação ou injustiça para vê-las removidas de lá.

A luz fraca da aurora revelou tudo o que lorde Clifford esperava ver. Com cuidado para não ficar ao alcance de arcos, avançou a cavalo até o mais perto possível assim que conseguiu avistar a outra margem. Então, balançou a cabeça, com prazer e descrença. Quatro capitães seus cavalgaram com ele e deram tapinhas nas costas uns dos outros e riram com assombro ao ver a carnificina e a destruição que tinham provocado.

— Vejam, cavalheiros, o que produzem a perspicácia e o bom planejamento! — declarou Clifford. — Pelo preço de uma ponte e uma madrugada de intenso esforço, arrancamos o coração do exército do traidor.

O que havia ficado oculto da visão na noite anterior tinha sido o grande número de homens mortos enquanto dormiam. Eles tinham se deitado bem próximos no chão, enrolados em cobertores como casulos contra o frio da noite. Quando as fogueiras foram apagadas, eles se aproximaram cada vez mais, arriscando-se a queimar cabelo e pano para não congelar. Naquela massa compacta caíram cerca de três mil flechas — duzentos homens, com doze ou dezoito flechas cada, atirando às cegas até que seus ombros, mesmo bastante acostumados, ardessem. Não tinha havido resposta à chuva de morte que lançaram por sobre a água. Sob o céu pálido, Clifford só lamentava que não tivessem sido mais.

Centenas de cadáveres ainda estavam sendo recolhidos e dispostos em filas quando Clifford se aproximou para observar. Muitos dos corpos continuavam onde tinham sido atingidos, espalhados em torno da cabeça de ponte, escuros num campo de hastes brancas. Meninos corriam para recolher as flechas, pelo menos onde tivessem atingido terreno pantanoso e pudessem ser reaproveitadas. Eles corriam com braçadas, as farpas se agarrando nos coletes de lã, onde pendiam como ferrões de abelha.

Para além daqueles mortos e dos meninos que corriam, uma linha escura de cavaleiros avançava em silêncio, cada vez maior, com Eduardo no centro deles. O sorriso de Clifford aumentou, doentio, quando os estandartes de York foram erguidos ladeando o homem que havia usurpado o trono da Inglaterra e que tinha ousado se dizer rei. Não havia como confundir o filho de York. Sua montaria era um imenso garanhão, agressivo e capaz de morder qualquer cavalo que se aproximasse. O cavaleiro não dava atenção a Clifford nem aos seus capitães. Eduardo simplesmente segurava as rédeas frouxas numa das manoplas e aguardava, os olhos fixos. Acima deles, o céu estava encoberto, branco como uma pérola, o vento reduzido a nada enquanto o frio só aumentava.

16

Os quatro capitães de lorde Clifford chegaram ao seu lado, cada um usando seu brasão do wyvern vermelho em tabardos brancos sobre a armadura. Apesar daquele símbolo de orgulho, de certa forma Clifford sentia que eles eram um grupo deplorável comparado ao do falso rei com seus cavaleiros na outra margem. Ele conseguia vislumbrar os estandartes de York, assim como os de Warwick. Não havia sinal de Fauconberg nem das cores do duque de Norfolk. Clifford sentiu que sua força muito menor estava sob escrutínio semelhante. Ele se sentou na sela o mais ereto que pôde.

O mais velho de seus capitães pigarreou, pensativo, e se inclinou para cuspir no chão enlameado. Corben era um homem sarcástico e sombrio, com rugas profundas nas faces e em torno de uma boca que alguns chamariam de azeda. Era um veterano com vinte anos de serviço à família Clifford e havia conhecido o pai do barão.

— Milorde, podemos tentar disparar um último punhado de flechas mergulhadas em óleo e acesas. Agora que o sol nasceu. Retardará o trabalho mais uma vez.

Lorde Clifford o olhou com pena, recordando por que nunca havia pensado em promover o homem a cavaleiro.

— Não *queremos* retardá-los mais, capitão Corben. Tenho certeza de que Sua Majestade, o rei Henrique, não reuniu um exército de efetivo tão grande só para esperar a primavera. Não, cumpri meu objetivo... e fiz muito mais! Acredito que dei o primeiro golpe dessa "guerra dos dois reis", como talvez venha a ser chamada com o tempo.

Clifford sorriu para si mesmo, ainda imaginando os elogios a ele devidos. Fitando o próprio futuro ao longo do rio, o barão foi um dos primeiros dentre seus homens a ver o que vinha em sua direção. O capitão Corben olhou confuso seu senhor quando Clifford ficou pálido como cera.

— Milorde? — perguntou Corben, antes de olhar para trás e praguejar.

À luz da aurora, os campos ao longo do rio pareciam ter tomado vida com soldados que corriam e cavalos a meio-galope.

— Arqueiros! — gritou Clifford imediatamente. — Arqueiros, à frente, lá!

— Eles não têm flechas, milorde — retorquiu Corben de imediato, enquanto Clifford se recompunha e inspirava para cancelar a ordem.

O barão lançou um olhar furioso ao seu capitão, que berrou pelas fileiras de homens:

— Desconsiderar a ordem! Recuar para o norte! Todas as fileiras em ordem. *Recuaaar!*

Os capitães e os sargentos executaram a ordem final, agarrando os arqueiros que avançavam e os empurrando com grosseria no sentido contrário, para longe dos homens que vinham correndo atrás deles. Isso pareceu levar um século sob a pressão constante do inimigo que se aproximava. A voz de Clifford estalou e subiu quando ele berrou para todos mais uma vez:

— Capitães, não conseguem fazer os homens se moverem mais depressa? Recuar para o exército principal!

Como se para reforçar a questão, os arqueiros que corriam ao longo da margem do rio pararam no limite do alcance para curvar seus arcos. As flechas foram lançadas, sem sucesso, mas claramente visíveis pelos soldados que deram as costas e correram. Embora não houvesse feridos, elas causaram pânico naquelas fileiras em retirada, de modo que os homens se empurraram e se acotovelaram, esquecendo a disciplina. Os arqueiros de Clifford eram os mais velozes, sem armadura nem cota de malha para retardá-los. Eles começaram a se enfiar pelas outras fileiras, afastando-se dos seus perseguidores. Havia no máximo doze homens montados com Clifford, que passaram a noite acordados. Era um grupo sofrido, que trotava e tilintava ao se afastar do rio e da ponte destruída. Atrás dele, um silvo assustador foi emitido pelas trezentas gargantas na caça, que uivavam imitando corujas ou lobos enquanto reduziam a distância.

Lorde Clifford engoliu o medo crescente e convocou Corben para seu lado.

— Mande um cavaleiro pedir apoio, alguém veloz. Você deveria ter posto batedores para me manter bem informado, Corben.

— Sim, milorde — disse Corben, aceitando a repreensão sem mudar a expressão além de seu costumeiro olhar agressivo. — Já mandei o jovem Anson, milorde. Ele é pequeno, e sua montaria é a mais veloz que temos.

Por um momento, Clifford pensou em levar Corben ao seu lado. O homem servia à família havia vinte anos. Mas, por outro lado, ele tinha realizado essa tarefa sem nenhuma distinção especial.

Clifford olhou novamente para além de seu capitão, balançando a cabeça com medo da proximidade do inimigo.

— Pode ser que eu... — Sua boca se mexeu, procurando as palavras certas. — Posso avançar mais e mais depressa do que esses homens a pé, Corben. Pode ser que...

— Eu compreendo, milorde. Meu juramento foi feito ao senhor e ao seu pai. Levo essa função muito a sério. Se o senhor cavalgar para o norte atrás de Anson, talvez consigamos segurá-los aqui por algum tempo.

— Você compreende — disse Clifford, assentindo com firmeza. — Bom. Eu sou... valioso... para o rei.

Sentindo que as palavras não eram suficientes quando se abandona um homem para morrer, Clifford mordiscou a parte interna do lábio inferior por mais alguns instantes preciosos.

Corben se remexeu na sela, o cavalo tentando dar passos para o lado.

— Milorde, eles estão quase nos alcançando. Tenho de cuidar dos homens.

— Sim, sim, é claro. Eu só queria dizer... Eu não poderia pedir mais a um servo, Corben.

— Ora, *não mesmo*, milorde! — retorquiu Corben.

Clifford, confuso, fitou o capitão de rosto fechado, que fez o cavalo dar meia-volta e se afastou a meio-galope, os cascos levantando grossos torrões molhados. O barão esperou o suficiente para ver as primeiras flechas virem voando com um objetivo mais claro, derrubando as fileiras da retaguarda de sua força em retirada como garras que se fincassem na carne. Eles não tinham como se proteger enquanto recuavam, e ele percebeu que pouquíssimos sobreviveriam. Além de suas linhas, Clifford olhou para os cavaleiros que vinham a meio-galope fácil em ambos os flancos. Engoliu em seco, sentindo de repente a barriga e a bexiga se contraírem enquanto o medo fazia o coração disparar. As fileiras que uivavam eram homens que tinham visto amigos e capitães serem mortos na noite anterior, ceifados na escuridão com o silvo das flechas. Não haveria misericórdia da parte deles, e todos os homens em retirada sabiam disso.

Clifford ergueu os olhos quando algo frio tocou seu rosto. Nevava suavemente, os primeiros flocos esvoaçantes seguidos por mais e mais, de modo que a brancura parecia tombar com eles, reduzindo o mundo até que ele mal conseguia ver os cavaleiros escuros do outro lado do rio e as fileiras que corriam em sua direção do lado de cá. Clifford limpou os olhos e fincou as esporas nos flancos do cavalo, forçando a montaria espantada a sair a galope.

Eduardo de York fitava furiosamente o que podia ver acontecendo a menos de quinhentos metros, do outro lado do rio. O cavalo de batalha sentia sua emoção crescente. O animal bufou, jogou a cabeça para cima e fez as escamas de metal em seu peito chacoalharem e tilintarem. Os cavalos ao longo da linha responderam, chamando e bufando, até Eduardo baixar a mão e dar tapinhas para tirar a poeira do pescoço do animal, acalmando os nervos da montaria.

Ele se inclinou à frente na sela para ver melhor o outro lado da água, onde os carpinteiros de Warwick terminavam seu trabalho. Um último carregamento de madeira tinha sido levado até a linha bamba de tábuas, com largura suficiente para apenas um cavalo ou dois homens de cada vez. Toda a fileira de vanguarda do exército de Eduardo aguardava para se afunilar por aquele gargalo. Os homens no comando enfrentaram o problema tático e prepararam equipes de piqueiros para atravessar correndo antes e estabelecer um ponto seguro no outro lado, e depois cavaleiros para perseguir o inimigo em fuga. Seria um trabalho árduo e perigoso, e o tempo todo a neve caía do céu branco, sumindo no rio Aire com um som que lembrava uma respiração.

Todos os que acompanhavam o rei sentiam a empolgação crescente, a tensão se acumulando no ar. Fauconberg tocava trompas de caça na margem oposta, seus homens uivando como bandos de rufiões enquanto perseguiam um inimigo sem flechas para acuá-los. Havia um massacre justificado à vista — e os que estavam com Eduardo queriam participar, cada um deles.

A atenção de Warwick se concentrava em seus homens que martelavam e golpeavam cavilhas em furos para prender as tábuas, depois grandes cravos de ferro para fixá-los aos pilares da ponte. O rio já corria rápido e profundo — se corressem demais com o trabalho e a ponte se rompesse, tirariam a vida dos que caíssem. Mas todos conseguiam ver o wyvern vermelho de Clifford em retirada, com a cauda curvada como uma cobra. Sem dúvida Eduardo o tinha visto. O homenzarrão tremeu ao reconhecer o lorde que havia assassinado seu irmão no campo de batalha do Castelo de Sandal. Ele queria Clifford, e estava a ponto de arriscar o cavalo na cheia do rio para atravessar.

Warwick foi retirado de seus devaneios quando Eduardo falou. A princípio, a voz destinava-se apenas aos que estavam à sua volta, mas o rapaz parou e depois repetiu as palavras a plenos pulmões, levando-as a todos.

— Vocês sabem que o costume do campo de batalha é matar todos os plebeus e poupar os nobres que se rendam ou que ofereçam sua captura em troca de um resgate. — Ele balançou a cabeça, com uma expressão de grande amargura torcendo sua boca. — Não deram essa oportunidade a meu pai. Nem a seu grande amigo, o conde de Salisbury. Nem a meu irmão Edmundo. Portanto, tenho o seguinte a lhes dizer. Eis minha ordem: matem os nobres. Obedeçam a mim. — Ele respirou devagar, fazendo a armadura ranger. — Não permitam resgates. Não aceitem rendição. Desejo manter meu povo vivo. Mas não as casas envenenadas que se levantam contra mim. Não Northumberland, não Somerset, nem Clifford, embora ele seja meu ou vítima do destino. A menos que ele quebre o pescoço, vou colocá-lo no túmulo hoje mesmo. — Eduardo fez outra pausa, satisfeito porque nenhum homem tinha falado nem parecia respirar enquanto o ar ficava espesso com a neve. — Haverá sangue derramado nesta manhã, uma torrente como a do rio que vocês atravessarão. Tem de ser assim para lavar velhas feridas antes que eles nos matem a todos. Estivemos ardendo em febre, mas ela será cortada e drenada aqui, nesta neve.

À frente, no rio, os homens de Warwick ergueram as mãos indicando a conclusão do serviço, correndo à frente para ficar em alerta do outro lado. Nem as forças de Clifford nem as de lorde Fauconberg estavam mais à vista, embora em parte fosse porque o mundo havia se fechado em torno deles, a neve que se agitava no ar furtando a paisagem mais distante. Eduardo olhou para o outro lado do rio, observando os flocos sibilarem nas águas. Não restava ninguém para ameaçar seus homens, e ele perdeu a paciência.

— Ao diabo com a imobilidade — declarou com raiva. — Se me honram, sigam-me agora!

Ele pôs o elmo, fincou os calcanhares nos flancos da montaria e seu cavalo avançou. O grande cavalo de batalha trovejou pela ponte improvisada, fazendo todos os novos pinos e cavilhas se agitarem sob o peso do conjunto. Seus porta-estandartes e cavaleiros foram com ímpeto atrás dele, tentando manter Eduardo à vista enquanto ele se turvava no ar branco.

O restante atravessou em fila, apressados, sem deixar lacunas, o focinho de um junto à cauda do outro, os homens empurrando o da frente da fila, enquanto os que iam na dianteira se afastavam imediatamente, criando mais espaço. Milhares de soldados atravessaram e formaram batalhões, enquanto a neve se assentava no chão, tornando os campos brancos.

Lorde Clifford soube que havia perdido a estrada principal quando o som dos cascos de seu cavalo mudou de uma batida nítida para um som surdo em terra arada e congelada. Ele não ousou parar para tentar encontrá-la de novo. O mundo inteiro tinha se reduzido a simples cem metros em qualquer direção.

Ele cavalgava em grande velocidade ao longo de um vale, olhando para o outro lado e vendo apenas a vastidão de terra em declive, todo o resto oculto na cortina de grossos flocos que caíam girando e flutuando, mas incessantes, preenchendo o ar a tal ponto que parecia sufocá-lo. Seu único consolo era que o menino mensageiro Anson devia estar muito à frente, já no acampamento real. Se Anson fosse tão veloz quanto Corben havia afirmado, talvez já tivesse dado a notícia e haveria uma força armada correndo pela estrada, pronta para se lançar sobre aqueles que o perseguiam. Ah, a retaliação! Ele deu uma risadinha ao pensar nisso.

Clifford se sentiu estremecer enquanto cavalgava, limpando dos olhos lágrimas de frio e olhando para trás de tempos em tempos, em busca de algum sinal de perseguição. O capitão Corben e os quatrocentos homens que tinha trazido para destruir a ponte estavam muito para trás, é claro, cumprindo seu dever e retardando os perseguidores. Clifford trincou os dentes e aceitou que seriam vencidos e mortos.

Isso não seria bem recebido no acampamento do rei. Clifford balançou a cabeça diante dessa injustiça. Ah, se tivesse se afastado do rio enquanto ainda estava escuro! Não havia neve naquela hora; ele teria ficado à frente de qualquer perseguição e voltaria em segurança às linhas principais com uma história grandiosa para contar. Amaldiçoou a sorte. Tudo que Somerset e Percy ouviriam agora seria que Clifford tinha perdido quatrocentos homens, com duzentos preciosos arqueiros entre eles. Era desanimador — e tudo só para ver a destruição que causaram à noite.

Seu cavalo tropeçou violentamente e deu um forte solavanco. Clifford amaldiçoou o animal, segurando-se nas rédeas e se firmando novamente, ofegando de medo de cair em um chão tão duro. Ele puxou as rédeas um instante, escutando gritos e sons de combate muito distantes, às suas costas. Era quase impossível avaliar distâncias com a neve, mas pelo menos não havia ninguém à vista. Se o cavalo caísse, ele sabia que ficaria indefeso e vulnerável, como o mais reles soldado. Apertou os joelhos e o cavalo bufou com incerteza, pondo-se a trotar. O rosto e as mãos de Clifford estavam desnudos, e logo ficaram dormentes. Ele baixou o queixo e piscou por causa dos flocos, resistindo àquele clima.

O acampamento principal ficava apenas vinte quilômetros ao norte de Ferrybridge, embora parecesse um mundo de distância naquele momento. Sem dúvida Somerset teria batedores. Não demorou muito para Clifford voltar a se aquecer e descrever o papel fundamental que havia desempenhado ao matar tantos homens do exército que acompanhava Eduardo de York, retardando o combate. Clifford tinha ouvido falar de um condado de Kent sem nenhum homem para assumi-lo. Um de seus capitães havia bebido com Derry Brewer e o espião-mor deixara esse petisco delicioso escapar enquanto mergulhava nas taças. Não era irracional imaginar que o título encontraria o caminho do lorde que tinha defendido Ferrybridge de todo o exército de York. As baixas menores de Clifford sem dúvida seriam esquecidas diante de uma notícia tão importante.

Derry Brewer puxou as rédeas de seu cavalo Represália e observou com atenção um rapazote lutar com duas sentinelas impassíveis, fracassando totalmente na tentativa de se livrar dos homens que o seguravam.

— Me deixem passar, seus idiotas! — guinchava Anson, num frenesi, como uma raposa presa numa armadilha. — Tenho notícias importantíssimas de lorde Clifford!

Seu rosto tinha ficado rubro, e Derry percebeu que não passava de um menino loiro, com 14 ou 15 anos no máximo, e não muito desenvolvido.

Derry apeou com um grunhido, passou as rédeas para um dos guardas e ficou acima do garoto que era segurado pelo outro soldado. Ele viu um cavalo cinzento descansando ali perto, as rédeas soltas enquanto o animal quebrava o gelo para chegar à relva embaixo. O menino ainda estava ruborizado, e um dos lados do rosto começava a inchar por causa de algum golpe que havia recebido na face.

— Como se chama, rapaz? — gritou Derry.

— Nathaniel Anson, senhor. Se mandar esses... *homens* me soltarem, sou mensageiro e arauto de milorde João Clifford.

— Como é? Clifford? Ele está em Ferrybridge em algum trabalho menor. Você o encontrará lá.

— *Não*. Eu vim *de lá*, senhor! Trago notícias para lorde Somerset.

— Somerset é um homem ocupado, meu filho — retrucou Derry, seu interesse aumentando. — Diga-me o que lhe mandaram dizer. Eu passarei a informação aos ouvidos certos.

O menino Anson relaxou o corpo nas mãos que o seguravam ereto. Estava louco para contar, e estava claro que não lhe permitiriam avançar além das sentinelas sem transmitir pelo menos parte de sua informação.

— A vanguarda do exército de York chegou ao rio Aire, senhor. Alguns de seus homens atravessaram mais a jusante e ameaçam a pequena força que acompanha meu senhor. Agora o senhor compreende minha urgência?

— Compreendo — respondeu Derry —, embora não deixemos rapazinhos nervosos cavalgarem até o centro de um acampamento armado só porque eles gritam para deixar passar, não é, meu filho? Seguimos as regras, senão esses rapazinhos acabariam com uma flecha no peito, digamos, ou com esse olho inchado. Entendido?

O garoto murmurou que concordava, o rosto corando.

Derry apontou com a cabeça para a mais próxima das sentinelas.

— Vá, então, Walton. Leve o cavalo do menino e transmita a notícia sobre York a Somerset e aos capitães, a lorde Percy, se você o vir. Eles têm de se preparar para defender o acampamento ou marchar, isso não é da minha conta.

A sentinela pulou no cavalo cinzento de Anson, fazendo a cabeça do animal se levantar de repente e o garoto bufar, ofendido. Derry segurou com força o menino pelo gibão para o caso de ele tentar correr atrás.

— Agora, filho — disse ele, quando a sentinela sumiu na neblina de neve que caía.

Derry notou que Anson tremia violentamente, o suor se transformando em gelo depois do esforço da cavalgada desenfreada. O espião-mor estava impressionado com a determinação do rapaz, embora isso não o desviasse de seu principal interesse.

— Você diz que lorde Clifford está ameaçado? — indagou. — Fale mais sobre isso.

— Quando saí, vi dois, talvez três mil homens vindo por nossa margem. Eles devem ter encontrado um vau...

— Sim, há um vau em Castleford, menos de cinco quilômetros a oeste — comentou Derry. — Quantos bons soldados lorde Clifford tinha com ele?

— Algumas centenas, senhor. Menos de um para cada doze inimigos! Os soldados deles corriam como... em grande número. Agora, por favor, me deixe ir. Se o senhor puder ceder outro cavalo, embora aquela boa montaria fosse minha, um presente, eu voltaria para o lado de meu senhor, para cair com ele, se for preciso.

— Ah, bom Deus! — exclamou Derry. — Você soa como um garoto educado. Será bastardo dele? Não? Nem seu catamita? Não posso dizer que gosto dele, mas nunca ouvi dizer que ele se interessava por...

Derry ficou surpreso com o tapa vindo daquele garoto. Anson havia mirado o alto e tinha dado o golpe com o máximo de força que conseguiu juntar. Derry se virou, com surpresa, um sorriso se espalhando pelo rosto.

— Como *ousa*, senhor — começou Anson.

Derry riu dele. Ergueu o punho fechado e viu o menino sufocar a tentativa de se encolher, enrijecendo-se com desprezo pela surra que viria. O espião-mor abriu a mão que segurava o gibão e deixou Anson cair e se levantar.

— Filho, se quiser salvar seu senhor da própria estupidez, preciso reunir um grande número de homens fortes e violentos e partir. Volte agora, pela estrada, antes de morrer congelado nessa neve. Vá! Você deu a notícia. Eu sou mestre Brewer, mordomo do rei Henrique. Não o desapontarei.

Ele acrescentou a última frase com um floreio. O garoto se ajeitou com esforço e saiu correndo na brancura.

Derry aguardou algum tempo até ter certeza de que o menino tinha partido. Quando o mundo se aquietou, virou-se para a sentinela ainda de pé, observando-o, pronta para receber ordens.

— Bem? — disse Derry.

O homem deu de ombros e não falou nada. A falta de resposta não foi suficiente para Derry, que se aproximou do homem mais alto.

— Como vai sua mulher? Ela se chama... Ethel, não é? Boa mão para camisas. Uma bela mulher, de boa constituição.

O homem corou e desviou o olhar.

— O nome dela não é Ethel, não. Mas o senhor não precisa me ameaçar, mestre Brewer. Eu não vi nada. Também não ouvi nada.

— É assim que se faz. Talvez você também encontre uma bolsa para você, filho. Não gosto de ameaçar bons homens, embora alguns precisem saber. Gostaria de me perguntar sobre lorde Clifford?

— Não, mestre Brewer. Não tenho interesse nenhum.

— Esse é o espírito, filho. Deus dá, Deus tira. Basta tomar cuidado para estar presente quando Ele der... e bem longe de quando Ele tirar.

O espião-mor deu uma risadinha e esfregou o rosto, ainda sentindo a ardência do tapa do menino. O frio do inverno transformava a luta em agonia, enfraquecendo os homens, de modo que os ferimentos doíam mais e as pernas ficavam rígidas e dormentes. Não era sem propósito que as guerras eram travadas na primavera e no verão, qualquer coisa em vez da sangria de neve.

Derry deixou de lado suas preocupações. Havia tomado uma decisão: não fazer nada. Alguns quilômetros ao sul, lorde Clifford mergulharia num desespero crescente, buscando o acampamento num mundo onde tudo havia desaparecido na brancura. Derry riu com a ideia. Ele simplesmente não conseguiu se lembrar de ninguém que fosse mais merecedor disso.

17

Clifford puxou as rédeas mais uma vez para escutar. Era extraordinário como a neve abafava os sons. Tudo que conseguia ouvir era a própria respiração dentro do elmo, até que o tirou para virar a cabeça de um lado para o outro, esforçando-se para captar qualquer som possível. A neve trazia uma imobilidade exagerada, fazendo com que os menores ruídos do cavalo e da armadura fossem amplificados. Ele poderia estar cavalgando numa planície sem acidentes geográficos, algum vale vasto e vazio sem nenhum sinal da humanidade. Clifford sabia que havia exércitos avançando para lutar e morrer, mas não conseguia perceber um único sinal deles. Aos poucos, a sensação enjoada de que poderia estar perdido tomou conta dele. A estrada havia ficado muito para trás, e as pegadas do cavalo se enchiam de neve enquanto ele avançava. Talvez houvesse uns dez centímetros de neve no chão, ou o triplo disso — não sabia nem se importava. Teve uma visão de cavalgar perdido em círculos até tropeçar nos inimigos, ou, mais provavelmente, morrer congelado. Era enervante, mas tudo que podia fazer era continuar em busca de algum sinal do acampamento real. Vinte quilômetros nunca pareceram uma distância tão grande quanto naquela manhã. O próprio ar estava sufocado no silêncio.

Um ponto escuro apareceu à sua esquerda, chamando a atenção. Não passava de uma manchinha, mas se destacava no mundo de alvura. Nem a silhueta escura das árvores era visível numa nevasca tão intensa. Clifford esticou o pescoço, limpando os flocos do rosto num gesto rude para estreitar os olhos pelo campo.

Ele avistou movimento e mais de uma forma. Conseguiu ouvir o coração e sentiu a garganta seca. Se aqueles homens fossem sentinelas do acampamento real, ele estaria em casa, em segurança. Caso contrário, corria um perigo mortal. Clifford ficou aflito e enrolou as mãos nas rédeas. Depois de pensar um instante, sacou a espada e a segurou atravessada no peito para esconder o wyvern vermelho. Melhor se preparar para lutar, embora seu instinto fosse fugir.

— Olá! — gritou. — Qual estandarte?

Independentemente de quem fossem aqueles homens, eles avançavam devagar pela neve. Recrutas, então, plebeus com alabardas de ferro e bétula, como caçadores da floresta. Na neve, não ousariam atacar um lorde montado, poderia ser um dos seus. Clifford deu graças porque o tabardo com o wyvern vermelho tinha sido pintado em pano branco. Ele podia se aproximar antes que se identificassem e, se fossem de York, conseguiria fugir a galope. Pôs o elmo no pito da sela enquanto conduzia o cavalo a passo através da linha, aproximando-se a cada passo, a respiração ofegante e difícil.

Clifford os ouviu gritar a resposta, mas as palavras não puderam ser identificadas. Amaldiçoou a falta de estandartes na linha em marcha. Nisso, eles estavam se formando e saindo da brancura, fileiras escuras surgindo nas bordas da visão. Ouviu cascos em algum ponto não muito distante e começou a entrar em pânico, com repentina consciência de que sua montaria estava tão cansada quanto ele e poderia ser ultrapassada. No entanto, seria loucura fugir da segurança das linhas reais, então continuou, tremendo de frio.

— Ei, aí! Qual estandarte? — gritou de novo, apertando mais as rédeas e a espada.

Conseguiu ver uma vara e empalideceu ao perceber o mesmo esquartelado de losangos vermelhos e leões rampantes azuis que o expulsaram do rio Aire. Fauconberg. Enquanto ficava boquiaberto de horror, Clifford compreendeu que tinha dado meia-volta, que havia se aproximado dos homens que estavam em seu encalço. Num instante, viu que os homens em marcha eram arqueiros, centenas deles. Já o tinham visto e ouvido gritar na neve que abafava o mundo.

Clifford começou a girar o cavalo, tarde demais, devagar demais. Algumas dezenas de homens ouviram aquela voz solitária e tentaram ver de onde vinha. Quando viram um cavaleiro de armadura, reagiram como arqueiros, puxando flechas das longas aljavas penduradas no quadril, encaixando no arco e tensionando a corda com a mesma facilidade com que respiravam, e a mira foi feita por instinto, as flechas perdidas na brancura, invisíveis no momento que deixavam o arco.

Clifford foi atingido com força na lateral do corpo e nas costas, caindo com o cavalo, que gritava e recuava. Outra flecha atingiu a garganta do barão, e ele se debateu em pânico cego, esforçando-se para se afastar do animal antes que ele o esmagasse na queda. Morreu antes de tocar o chão, a armadura esmagada com protestos metálicos quando o cavalo rolou sobre ele, as pernas se debatendo.

Os homens que dispararam não podiam deixar sua posição nas fileiras em marcha, embora dessem vivas e erguessem os arcos, gritando para que os outros entre os seus notassem a habilidade. Uma parte diferente da linha alcançou o corpo fragilizado de Clifford e, com satisfação, identificou o wyvern vermelho sobre o tecido branco. Um sargento fez com que três homens parassem em torno do morto e mensageiros saíram correndo para levar a notícia a Eduardo. Outro foi despachado para Warwick e Fauconberg, para que também viessem trotando para ver.

Não demorou para os líderes do exército de York chegarem ao local. Fauconberg foi o primeiro, olhando de cima, com uma expressão soturna, para a figura contraída de Clifford. A notícia de que Eduardo não permitiria que homens se rendessem em troca de resgates já havia se espalhado, provocando algum ressentimento. Um plebeu poderia ganhar uma fortuna no campo de batalha com o prisioneiro certo. Ainda assim, os homens que portavam alabardas esperaram assombrados que Eduardo chegasse e se ajoelharam na neve quando apareceu diante deles. Warwick e Fauconberg repetiram o movimento, prestando honras a Eduardo com os olhos de milhares sobre eles.

O olhar de Eduardo estava no cadáver. Ele se abaixou e segurou um tufo de cabelo de Clifford para virar a cabeça e dar uma boa olhada no rosto que se enrijecia, já distorcido pelo modo como havia caído.

— Esse é o covarde que matou Edmundo?

Warwick confirmou, e Eduardo suspirou, deixando a cabeça cair de volta com um som surdo.

— Gostaria que tivesse sido por minha mão, mas é mais importante que esteja morto. Meu irmão pode descansar, e este aqui não pode mais crocitar como um galo num monte de esterco. Muito bem. Vamos continuar, milordes, embora eu não consiga ver muito além do que consigo cuspir. Alguém pôs os olhos em Norfolk? Não vejo seus estandartes há séculos. Não? Essa neve é péssima para batalhas. Gritem quando chegarem a nosso inimigo ou se avistarem nossa ala desaparecida. — Ele inspirou com força pelo nariz para controlar a irritação e o nervosismo. — Os homens capturados dizem que Tadcaster é o acampamento principal. Não deve estar muito longe agora. Continuem marchando e toquem as trompas quando os virem tremendo de medo e largando as armas diante de vocês.

Os homens reunidos deram risadinhas ao se virarem.

— Vossa Alteza — chamou Fauconberg —, ainda estou à frente de seu batalhão central. Sei que é a ala do duque de Norfolk que deveria enfrentá-los primeiro, mas tive uma... ideia sobre a neve. Tenho mil arqueiros comigo, Vossa Alteza. Eu os usaria para surpreender e romper a vanguarda dos que nos aguardam, com vossa permissão. A menos que o duque de Norfolk considere essa minha ação uma ofensa.

Eduardo se virou, escondendo a preocupação com um sorriso. Havia ficado satisfeito em ver o tio de Warwick usar o título real com tranquilidade, como se sempre tivesse sido assim.

— Talvez, se estivesse aqui, lorde Norfolk se ofendesse, mas parece que minha ala mais forte se afastou mais do que eu gostaria. Sim, tem minha permissão, lorde Fauconberg. Mandarei mais mil arqueiros para encontrá-lo, se avançar devagar.

Ao ver que Warwick ficava, Eduardo sorriu.

— Vai manter o centro comigo, Ricardo? — gritou.

— Vou, Vossa Alteza — respondeu Warwick, contente. Num momento desses, ele só podia balançar a cabeça com assombro diante do jovem rei saído do barro.

Eduardo se voltou para as fileiras que o observavam atentamente, os olhares brilhando de empolgação. Ele os sentiu e deixou de lado a preocupação com Norfolk e com o sumiço de oito mil homens na neve quando mais precisava deles.

— Avante, rapazes. Derrubaremos um rei hoje. Este foi apenas seu cão.

Eles deram vivas e retomaram a marcha, dando passos pesados para devolver a sensibilidade aos pés gelados. Em volta deles, a imobilidade perfeita sumiu, substituída por um vento forte que feria as mãos e os rostos nus. O silêncio fantasmagórico se fora, mas o frio era pior. A ventania parecia impeli-los à frente, lançando fragmentos de gelo na pele já dormente. Muitos homens olhavam para a direita e para a esquerda ao longo da linha ao marchar, sempre desapontados por verem tão pouco de suas fileiras. O ar estava denso de tantos flocos de neve, que os açoitavam e penetravam todas as dobras e costuras das roupas. Cegos pela neve, tremendo enquanto caminhavam, só podiam avançar, com a cabeça baixa.

William Neville, lorde Fauconberg, incentivou seu grande batalhão da esquerda a ir à frente do centro do rei, forçando os capitães sobre o campo coberto de neve. Os batedores tinham sumido na neve adiante, e ele só queria se aproximar das formações de Lancaster o mais rápido possível. Ele e seus homens já tinham participado de um combate naquele dia, embora fosse mais da natureza de um massacre quando os três mil caíram sobre os quatrocentos de Clifford — e metade deles armados apenas com arcos sem flechas e facas. A probabilidade não havia preocupado seus soldados. No mínimo, a matança fácil de inimigos exaustos os havia acalmado e deliciado. Inúmeras vezes, Fauconberg viu um de seus rapazes golpeando um homem caído, dando quatro ou seis golpes com a acha para estilhaçar ossos e espalhar gotas rubras na neve. Eram ao mesmo tempo selvagens e habilidosos com as ferramentas recebidas. Eram bons homens, pensou. Serviriam.

Por enquanto, contudo, sua mente concentrava-se nos arqueiros, ainda avançando devagar com as aljavas cheias, vinte e quatro flechas para cada homem. Fauconberg ergueu o olhar enquanto cavalgava ao lado deles, sentindo o vento aumentar e virar, vindo de sudoeste, afunilado através da neve numa rajada gelada. O vento soprava com mais força ainda, e ele viu manchas mais escuras na brancura quando arbustos e árvores solitárias largavam o fardo de neve que carregavam nas folhas e se sacudiam, livres, antes de serem mais uma vez atingidos pelos flocos sussurrantes.

Não muito à frente estavam as linhas do rei Henrique e da rainha Margarida, ele tinha certeza, embora não tivesse comentado nada com ninguém. Os poucos homens que havia capturado naquela manhã disseram tudo o que sabiam, gaguejando qualquer coisa para salvar a própria vida. Fauconberg não sabia se tinham sido poupados ou mortos depois. O que o preocupava era a proximidade do campo Lancaster. Seus homens marcharam metade da manhã, embora em ritmo lento, é claro, com o aumento das rajadas de neve e vento. A terra nunca era plana, e, enquanto avançavam, passaram por fazendas isoladas e ovelhas que corriam balindo. Sem se queixar, seus homens desceram morros e subiram escarpas, atravessando vales inteiros. Ele não sabia se marchavam por ele ou, talvez, por alguma lealdade recém-forjada ao rei Eduardo de York. Para Fauconberg, não importava. Ele ordenou às fileiras de arqueiros que se deslocassem numa frente ampla, os preciosos arcos enrolados em couro oleado para protegê-los. Sem as hastes longas dos piques, seriam vulneráveis a cavaleiros, mas Fauconberg, como comandante, aceitou o risco em seu nome. O vento aumentava às suas costas, empurrando-os para as garras do inimigo. Isso também poderia ser útil.

Foi na descida de uma encosta que dois batedores seus enfim o encontraram. Um dos cavalos mancava visivelmente por ter sido forçado a acelerar em terreno acidentado. Mas era preciso correr riscos para sobreviver — era tudo ou nada. Fauconberg cumprimentou o rapaz que apeou à sua frente e depois seu companheiro, que correu, parou e pulou da sela, cambaleante de empolgação. Ambos estavam com a face rosada e gelada, apontando para o caminho de onde tinham vindo. Os gestos simples foram feitos por bons motivos, pois a neve havia aumentado e era levada de um lado para o outro pelo vento, de modo que o mundo inteiro sumiu numa névoa dançante de flocos.

— Quatrocentos ou seiscentos metros, milorde — avisou um deles, ofegando. — Estandartes de Lancaster. Lá eles escolheram parar. E esperar.

— Vi piques, milorde — completou o outro batedor, sem querer ser esquecido. — Em pé numa hoste, como... como os espinhos de um ouriço. A neve escondeu muitos, mas me aproximei rastejando e me esgueirei até ouvir sua respiração, só esperando por nós.

Fauconberg estremeceu. Ninguém lutava no inverno, ou seja, ninguém sabia o que esperar nem como aproveitar as circunstâncias extraordinárias de dois exércitos praticamente tropeçando um no outro sem saber. Ele tinha dois mil arqueiros, com aqueles que Eduardo havia mandado avançar para ajudá-lo. Sentia a confiança do jovem rei como um peso nos ombros, mas não como um fardo. Fez o sinal da cruz e beijou o escudo da família no sinete do anel.

— Então agora, rapazes, tudo o que eu gostaria de realizar depende de sua habilidade. A distância bem avaliada será fundamental. Enquanto passo as ordens, gostaria que vocês medissem os passos separadamente e depois me trouxessem o resultado. Cheguem o mais perto que ousarem, mas *não* deixem que os vejam, senão estaremos perdidos. Temos a oportunidade de espalhar as entranhas deles nessa neve, se fizermos tudo certo. Vão!

Os batedores saíram correndo, deixando as montarias. Fauconberg assoviou para chamar os capitães. A neve abafou o som de sua aproximação, e com isso ele teve a sensação de como deveria ser a espera do inimigo, esforçando-se para escutar, sem saber como tinha se tornado surdo e cego.

Fauconberg transmitiu as ordens e aguardou o retorno dos batedores, com um medo desesperado do grito súbito e do chamado às armas que significariam que sua presença tinha sido descoberta e informada.

Os dois rapazes voltaram, um logo após o outro.

— Quinhentos e vinte — avisou o primeiro.

O colega fez uma expressão de desdém.

— Quinhentos e sessenta — foi seu número.

— Muito bem, cavalheiros — disse Fauconberg. — Isso servirá muito bem. Peguem seus cavalos agora e se aprontem.

Ele comunicou o resultado da contagem, e os capitães e os sargentos à espera impediram o avanço de seus homens baixando piques na altura da cintura deles. Era impossível deter tantos sem nenhum som, mas as vozes estavam baixas e abafadas, passadas de um em um até que todos ficassem em silêncio. Calados, os arqueiros de Fauconberg se deslocaram devagar para longe do restante dos homens. O espaço entre os soldados aumentou, até que toda a força de dois mil sumiu na brancura.

O duque de Somerset ia a meio-galope ao longo da linha, passando por homens à espera que se estendiam a distância, a neve se assentando sobre eles. Era uma reunião impressionante. Além de piqueiros e arqueiros, havia um número imenso com alabardas, achas e espadas. Aguardavam a pé ou em tropas enlameadas de cavaleiros montados nas duas alas. Com os tocadores de tambor e carregadores de água, os seguidores do acampamento, de vários outros ofícios, se deslocaram por entre as fileiras, enquanto os soldados examinavam as armas e o equipamento, tocando e dando tapinhas em bolsas e lâminas.

O rei e a rainha estavam em segurança na cidade de York, a quatorze ou quinze quilômetros dali. Somerset tinha o comando do exército, com o conde Percy ao centro, doze barões e dezenas de capitães veteranos. Com a notícia da aproximação de um poderoso exército, Somerset os havia mandado marchar para fora do acampamento, a alguma distância das aldeias de Towton e Saxton, na terra gelada e exposta. Sob suas ordens, eles subiram num matagal plano, com o terreno descendo diante deles para o sul. Somerset balançou a cabeça com assombro diante da dimensão daquilo tudo. Apenas seis anos antes, Warwick, Salisbury e York desafiaram o rei com inexpressivos três mil homens em St. Albans — e chegaram perto de vencer. Somerset olhou para os três batalhões de, pelo menos, doze mil homens cada. Ele tinha encontrado um ótimo ponto para eles, com os flancos protegidos à esquerda por pântanos e à direita pelo Cock Beck, o rio que corria cheio e rápido com toda a neve que derretia em suas águas. Alegrava o coração de Somerset ver o fervor e a aceitação estoica dos homens. Eles se levantariam pelo rei Henrique. Eram leais.

O clima era o único fator que enfurecia o jovem duque. Somerset usava uma armadura de placas polidas, com um forro de couro e pano grosso, projetada para absorver impactos capazes de matar um homem. Também era à prova do frio gelado, muito mais que as camadas de lã e linho oleado que seus piqueiros usavam, com meias frouxas e só um gibão para os proteger. Nenhum deles tinha experiência em lutar no inverno, esse era o problema. Nem seus capitães mais experientes sabiam se seria melhor os soldados se agacharem ou se deitarem, se era maior a probabilidade de morrerem congelados no chão ou em pé. Fazia sentido mantê-los em movimento, embora isso desgastasse suas forças e interferisse com fileiras e posições. Alguns dos mais velhos diziam que o suor era um inimigo sutil, que, se o homem ficasse quente demais no frio intenso, o suor congelaria na pele e lhe tiraria a vida. Enquanto aguardavam, o vento aumentou, dobrando suas lufadas até açoitar as faces com cristais cortantes de gelo. Muitos estavam com os braços erguidos contra ele, os olhos estreitados até a mais fina das linhas.

Somerset balançou a cabeça como se tivesse um tique nervoso. Aguardava com o maior exército que já havia visto — quase quarenta mil homens com alabardas, arcos e machados. Além disso, tinha o apoio do rei e da rainha, principalmente da rainha Margarida. No entanto, o ar gelado e a neve o faziam duvidar da vitória. O frio arranhava sua confiança, como se ele a exalasse nas nuvens de vapor que faziam gotas de água escorrerem pelo interior do elmo. Na verdade, ele sabia que sofria menos que os homens mais velhos. Alguns em suas linhas de infantaria eram cidadãos de rosto vermelho, na casa dos 40 ou 50 anos. Homens que se voluntariaram com o sangue quente não esperavam vê-lo gelar num vasto silêncio, com apenas o assovio do vento como companhia.

— Parem! — ouviu Somerset, em algum ponto da brancura.

Ele ergueu os olhos subitamente alarmado. O medo de Somerset se transmitiu ao cavalo, que bateu as patas e dançou. Viu as fileiras da frente se entreolharem, perguntando se também tinham escutado aquela voz.

— Arqueiros, *preparar e puxar*! — veio a mesma voz, quase em cima deles. — Atirar! Atirar! Preparar e puxar! *E preparar e puxar*!

Somerset fez o cavalo dar meia-volta para ficar de frente para os gritos. Ele franziu os olhos para a neve, mas não conseguia ver nada.

— Proteção! — berrou para os capitães estupefatos. — Escudos e proteção! Arqueiros, à frente, aqui! Arqueiros! Arqueiros à reação!

Nenhum de seus piqueiros tinha escudo. As varas imensas que funcionavam tão bem contra a cavalaria exigiam as duas mãos para equilibrar o peso da ponta de ferro. Os alabardeiros e os machadeiros controlavam suas lâminas com as duas mãos, como lenhadores cortando árvores. Todos ficaram parados, abismados. Então o terror dos arqueiros os envolveu, levando-os a um frenesi enquanto o som de homens gritando e se lamentando crescia. O sopro rápido das flechas no ar fez os homens se jogarem no chão com as mãos sobre a cabeça ou se agacharem para serem alvos menores. Os capitães de Somerset os obrigaram a se pôr de pé, vociferando que se portassem como homens.

Somerset ergueu o olhar para a brancura, cego, embora pudesse ouvir as flechas chegando. Foi o momento mais aterrorizante de sua vida.

Quando acertavam, as flechas vinham depressa demais para serem vistas. Surgiam na neve como um borrão e, de repente, estavam visíveis no corpo e no chão duro, tremendo com o impacto ou sendo torcidas pela agonia de quem fosse atingido. Somerset arquejou quando foi atingido, fazendo seus ombros chacoalharem. Todas as superfícies da armadura eram arredondadas e polidas, para não dar espaço a flechas. Ele agradeceu a Deus, mesmo quando a dor floresceu na coxa e ele baixou os olhos, ofegante, e viu penas brancas de ganso. Uma flecha o havia atingido e atravessado o ferro, prendendo sua perna ao couro grosso e à madeira da sela. Xingando, Somerset a agarrou e puxou, rosnando, até o vermelho dar lugar a uma cabeça preta, surgindo num esguicho de sangue. Uma ponta em estilete, lisa e perfurante. Ele suspirou aliviado por não ter sido farpada. Ninguém tinha ouvido seus gritos de dor, não acima dos gritos e berros e gemidos de outras centenas que morriam enquanto ele observava, os corpos contorcidos e os membros se debatendo cada vez mais lentos até ficarem inertes.

— Recuem! — berrou Somerset. — Arqueiros, reagir! Arqueiros, aqui!

A única resposta ao ataque das flechas era seus próprios arqueiros forçá-los a parar. Enquanto seus arqueiros tentavam avançar, as flechas continuavam caindo numa quantidade inacreditável, tão incessantes quanto a própria neve. O chão estava coberto de penas rasgadas, manchadas de sangue ou estilhaçadas sobre metal. As fileiras da vanguarda, atabalhoadas, aos tropeços, se afastaram da morte que não conseguiam ver e da qual não podiam se proteger. Recuaram com medo, os homens atordoados e aterrorizados pelo ataque súbito.

Somerset sabia que apenas alguns minutos tinham se passado desde a queda das primeiras flechas. Naquele momento, o ar havia se adensado com elas a cada instante. Isso não poderia continuar; era a essa esperança que se agarravam. As aljavas do inimigo se esvaziariam, os dedos buscariam flechas que não existiriam mais. Quando isso acontecesse, a resposta poderia cair sobre suas cabeças.

As flechas se extinguiram como a última pancada de uma tempestade de verão, deixando centenas e centenas chorando e gemendo de dor, e só Deus sabia quantos sangrariam até perder a vida e ficar imóveis. Xingando, os arqueiros forçaram o caminho pelos moribundos, curvando os arcos e relaxando os ombros. Somerset ficou satisfeito com seu número, suficiente para sua reação. Ele só rezava para que York e Warwick fossem pegos como ele, fitando o nada enquanto pontas de ferro caíam girando.

Somerset esperou até que disparassem a primeira rajada, milhares de flechas, depois outra vez e mais outra. Era uma chuva de destruição, tranquilamente um número igual ao que havia caído em seu campo. Seria o suficiente. Embora sua perna tivesse ficado dormente e pingasse sangue da bota de ferro, Somerset ergueu as mãos para que os mensageiros transmitissem novas ordens, observando seus arqueiros puxarem os arcos para o céu várias vezes, lançando grandes tiros em arco para lancetar o inimigo.

Fauconberg ficou em silêncio, escutando gritos distantes. Um sorriso se esboçava em sua boca, embora ele tremesse de frio e estivesse carrancudo por causa da falta de sono. Seus arqueiros levaram a campo as armas mais poderosas e depois dispararam para trás, exatamente como ele havia ordenado, correndo trezentos metros para longe das linhas inimigas. Não tinham mais flechas, e as carroças com aljavas novas estavam bem mais atrás ou perdidas com a desaparecida ala direita de Norfolk. Fauconberg permitiria que eles recuassem até que se reabastecessem com as flechas de que precisavam.

Fazia pouco tempo que esperava quando os arqueiros de Lancaster responderam. O sorriso de Fauconberg aumentou, seus olhos cintilando. Aqueles homens atiravam contra o vento, não a favor dele, como fizeram seus arqueiros. Melhor ainda, a neve densa fazia com que não tivessem ideia de que seus homens haviam recuado. Milhares e milhares de flechas caíram onde pouco antes estavam suas fileiras, uma faixa encrespada e sibilante de morte que chegava próximo de onde estavam, mas pousava imóvel e calada sem tirar uma única vida. Os arqueiros sorriam com sua imunidade, e Fauconberg riu com a audácia de outra ideia. Ele esperou até o som das cordas parar. Eles não tinham terminado, ainda não.

— Arqueiros, recolher flechas — gritou para eles.

Homens que só se sentiam seguros com a aljava cheia correram à frente, arrancando as flechas que haviam se afundado na terra. Algumas tinham rachado ou quebrado, mas outras estavam intactas. Eles compararam a qualidade dos achados uns dos outros e pareceram satisfeitos, rindo de como Fauconberg tinha superado o inimigo.

Quando as aljavas se encheram, Fauconberg deu novas ordens a seus capitães, e os arqueiros curvaram seus arcos mais uma vez, mandando as flechas de Lancaster de volta à garganta dos que as atiraram.

18

Eduardo de York grunhiu de satisfação ao ver linhas marchando em sua direção. Estavam indistintas na neve, apenas um borrão de sombra e piques erguidos àquela distância. Trompas soaram em ambos os lados enquanto as forças do rei Henrique avançavam com dificuldade pelo terreno inclinado para enfrentá-lo. Eduardo olhou para o céu pálido e achou que a visibilidade estava melhorando. Ele conseguia enxergar um pouco mais longe, embora ainda houvesse espessos flocos de neve no ar e cada passo esmagasse a superfície cintilante, que se revirava e ficava acastanhada atrás das fileiras que caminhavam com dificuldade. Ainda assim, ele não tinha trazido vinte mil homens por mais de trezentos quilômetros para se fazer de pretendente envergonhado. O objetivo era chegar ao fim.

— Confessei meus pecados e ofereci minha alma a Deus. Acredito que estou pronto, milorde Warwick — gritou ele. — Agora, ficará comigo?

— Sim. Sim, ficarei — respondeu o conde.

Eduardo sorriu, e ambos apearam. Viam os estandartes de Somerset e Percy à frente, as linhas marchando cada vez mais próximas, acompanhadas de tambores, pífanos e trompas para agitar o sangue.

Quando Warwick e o rei Eduardo tocaram o chão, um grito dos capitães próximos deteve o batalhão central com impressionante disciplina. Milhares de olhos passaram do jovem rei para as fileiras que se aproximavam, desejando sua destruição. Elas pareciam não ter fim.

Warwick deu um tapinha no pescoço do cavalo e depois pegou a alabarda de um soldado surpreso, girou o lado do martelo da arma e o fez cair com um estalo terrível na testa larga de sua montaria. O animal desmoronou imediatamente, já morto. Os homens em torno dele deram vivas, e Eduardo praguejou com surpresa e uma risadinha.

— Um belo gesto, Ricardo — berrou para os homens ouvirem. — Então você não fugirá. Mas, se eu fizer o mesmo, não encontrarei outro cavalo com tamanho suficiente para me levar!

Para seu deleite, os homens ao redor dele riram e repetiram as palavras para os que não tinham ouvido. O imenso corcel de Eduardo foi levado pelas fileiras por garotos orgulhosos. Outros saíram correndo até a vanguarda para distribuir água a quem precisasse. O tempo todo, as linhas escuras se aproximavam, cada vez mais homens surgiam nos flancos, saindo da neve que se agitava com o vento.

A pé, Eduardo e Warwick assumiram posição na terceira fileira. Os estandartes foram erguidos em torno deles, declarando sua presença no campo de batalha tanto a aliados quanto a inimigos. Ambos escondiam o nervosismo enquanto mexiam os ombros para alongá-los e assoviavam para os capitães. Todo o batalhão central se pôs em movimento mais uma vez, agora com um rei andando entre eles. O cavalo morto sumiu nas fileiras em marcha.

O elmo de Eduardo deixava os olhos e o nariz descobertos, embora o metal envolvesse o queixo e o maxilar. Ele havia recusado os elmos que reduziam o mundo a uma fenda, apesar da ameaça de uma flecha no rosto. Melhor enxergar, tinha dito. Seus olhos estavam pálidos e cruéis ao fitar as linhas que o enfrentavam. Não havia dúvida neles.

— Vamos dar fim a esses fracotes! — gritou. — Sem *pax*! Sem rendição! Sem resgate! — Sua voz soou como um golpe para os que estavam perto dele.

— Pelo rei Eduardo! — rugiu Warwick.

Milhares de homens berraram ainda mais alto, arranhando a garganta e batendo achas e facões. Eduardo riu com prazer e ergueu a espada para saudá-los. O som explodiu, e alguns que se aproximavam se encolheram ou perderam o passo. Os soldados de Eduardo não deixaram o som morrer, embora por algum tempo tenha se transformado num grunhido incoerente de homens irritados, forçados a ir àquele lugar frio com ferro nas mãos.

Warwick sentiu a bexiga se espremer e a respiração ficar leve no peito, como se o pulmão não conseguisse respirar direito. Ele usava o escudo da família no tabardo sobre a armadura e levava espada e escudo com as mesmas cores dos Nevilles. Havia desempenhado seu papel ao tornar Eduardo rei, ao lançar aquela blasfêmia sobre o rei Henrique e o trono de Lancaster.

— Seu tio foi extraordinariamente bem, Ricardo — comentou Eduardo em seu ouvido, interrompendo os pensamentos de Warwick. — Acho que ele entendeu a neve melhor que nós. Melhor que todo mundo.

— Ele é um bom homem — gritou Warwick em resposta, dando de ombros.

O barulho em torno deles tinha chegado ao nível de um trovão estalando no céu ou leões rugindo. O chão parecia tremer, e Warwick se sentiu levado por uma grande onda, empurrado com tanta força que não era capaz de resistir. Seu foco estava naqueles que Eduardo fingia não notar, piqueiros e machadeiros marchando juntos, o rosto ardente de prazer com a ideia de se engajar na causa do rei usurpador. Eles conseguiam ver os estandartes com a rosa branca e se dirigiam para lá.

— Tem alguma notícia de Norfolk? Não sei dele desde o amanhecer. — Eduardo segurou o ombro de Warwick, os elmos encostados, se esfregando. — Temo o pior vindo dele.

Warwick arriscou um olhar de soslaio, percebendo mais uma vez que Eduardo era muito jovem. O rei tinha acabado de reivindicar o trono e marchava rumo a um exército enorme apenas três meses depois da morte do pai e do irmão. No entanto, isso parecia maior que o simples desejo nervoso de falar. Cada passo punha mais e mais fileiras dos Lancasters ao alcance da vista. Sem Norfolk, Eduardo sabia que se encontravam em grande inferioridade numérica. Seu olhar estava preocupado.

— É preciso confiar em Norfolk, *Vossa Alteza* — gritou Warwick acima do tumulto. Ele deu a York seu título de propósito, querendo que Eduardo o ouvisse e se lembrasse. O exército que tinham reunido precisava dele ousado e feroz, não com dúvidas. — Tenho certeza de que ele se perdeu na neve e na escuridão de ontem à noite. Mas Norfolk é um homem da região. Não deve estar muito longe. Virá com toda a fúria, ainda mais por ter ficado para trás.

Eduardo baixou a cabeça, embora Warwick pudesse ver que as sombras em seus olhos tinham escurecido e sua expressão havia ficado ainda mais fria. Eles estavam ao alcance das flechas, e Warwick entendeu quantas vidas Fauconberg tinha salvado incapacitando os arqueiros de Lancaster de manhã cedo. Como quem já havia sofrido o terror peculiar das flechas, Warwick deu graças por isso. Não havia no mundo som tão assustador quanto o silvo das flechas chegando.

Nisso, menos de cem metros separavam os dois exércitos. Muitos homens riram e brincaram a princípio, ou gritaram pensamentos e recordações de antigas dívidas quando se aproximaram. Voz a voz, eles sentiram a boca seca. Os tambores ainda rufavam, e capitães e sargentos exortavam os homens a golpear primeiro e com força, mas os risos e as palavras leves tinham chegado ao fim. Os grandes batalhões se estendiam a perder de vista, e a neve ainda caía.

Warwick se preparou para a tarefa física mais difícil que já havia enfrentado. Ele tinha treinado a vida inteira para isso, da infância passada golpeando varas a dezenas de torneios. Estava no auge de sua força e forma física. Respirava rápido, ofegando no elmo. Gostaria que o vento cessasse e que a neve parasse de cair. Ninguém lutava no inverno, porque chegar ao campo de batalha já era um sofrimento, antes que arqueiros e fileiras se encontrassem.

Em ambos os lados, os capitães respiraram fundo no ar gelado e gritaram para que seus rapazes atacassem. Trompas soaram por toda a linha, um clangor feio e metálico que levou os homens a correrem tropeçando no caminho. As fileiras dispararam na direção umas das outras, preparando-se para brandir as lâminas, prontas para aquele primeiro golpe forte no traidor filho de uma meretriz que se levantasse contra eles.

Os homens pisoteavam a neve que jazia perfeita e intocada, transformando-a numa lama parda num instante e depois manchando-a de vermelho-escuro quando o primeiro sangue espirrasse, jorrasse ou escorresse de feridos e moribundos.

Derry Brewer saiu da tenda, absorto em pensamentos. O vento estava congelante, uivando pelo acampamento atrás das linhas de combatentes. A perda da pequena força de Clifford não era nada, mas Derry mal podia acreditar na quantidade de homens que havia caído com a barragem de flechas que tinha vindo sobre eles na neve. Os comandantes ingleses conheciam os perigos dos arqueiros desde antes de Crécy, havia pelo menos um século. Exércitos simplesmente não podiam marchar sem um contingente de arqueiros, se esperavam sobreviver. Mas o choque de Somerset havia deixado uns seis mil homens mortos ou feridos. Derry nunca vira tantas vítimas, tudo em questão de minutos de um combate entre arqueiros. A maldita neve realmente os havia prejudicado. Muitos sobreviventes morreriam sangrando no decorrer do dia porque não havia quem pudesse fazer um curativo. Os médicos do rei tinham instruído alguns meninos e criados, mas era um trabalho grosseiro e havia feridos demais com o combate recém-começado.

Derry estremeceu ao pensar nos homens que choravam e gemiam na tenda, contorcendo o rosto de dor, todos com ferimentos graves. Ele já havia sobrevivido a batalhas — e em seguida tinha feito uma refeição substanciosa à noite. Mas havia algo perturbador em observar o cirurgião do rei arrancar um globo ocular ferido. Foi esse horror específico que o fez buscar ar fresco.

Ele teria de mandar um mensageiro para a rainha, é claro. Ela devia estar desesperada à espera de notícias. Pelo menos, estava a salvo na cidade, com o marido e o filho. Com mais de trinta mil homens para lutar por ela, seria de esperar uma grande vitória e o fim das guerras.

Quando se afastou da tenda com todos aqueles horrores, foi detido por uma mão no peito. Por instinto, ele a agarrou e ergueu os olhos para um sujeito de cara feia e barba por fazer, de meias e túnica com cinto e tachas, com o odor desagradável de pele não lavada. Derry torceu a mão enquanto sentia outros avançarem atrás dele. Eram quatro no total, cada um dos homens o observando com atenção enquanto o da frente olhava para ele com raiva e esfregava o pulso.

Derry se sentiu inundado de calma, grande cansaço e compreensão.

— Ah, rapazes — disse ele, quase reprovador. — Então, quem foi? Quem deu a ordem?

— Milorde Clifford — respondeu um deles com orgulho. — Um preço por sua cabeça, caso haja notícias de sua morte. Vamos pedir ao tesoureiro aquele saco de moedas, mestre Brewer. Seria melhor o senhor ir embora quieto, mas dá na mesma se não for.

Derry viu que eles se retesavam, prontos para realizar um ato de violência. Olhou por sobre os ombros atrás de alguém, qualquer um, que pudesse ajudá-lo. O problema é que no acampamento só estavam as meretrizes e os feridos. Deveria haver criados e comerciantes, esposas e costureiras, mas todos deviam estar nos limites do acampamento, forçando os olhos em busca de algum sinal do combate. Os capitães e os sargentos estavam todos longe, na batalha.

Derry estava sozinho. Ele fechou os olhos um instante, surpreso com a força de sua aceitação. Não era mais jovem, essa era a verdade. Não poderia lutar para se safar das garras de quatro soldados robustos, todos prontos a enfiar uma faca no meio de suas costelas ao primeiro sinal de briga. Não. Ele estava acabado. O melhor que poderia fazer era ir com dignidade.

— Muito bem, rapazes — disse, baixinho, olhando para todos eles em volta. — Mas haverá um homem que irá atrás de vocês depois. Ele fará questão de procurá-los e lhes mostrar por que deveriam ter desobedecido à ordem de um lorde morto, por que deveriam ter fugido enquanto podiam.

— Você é cheio de mentiras e bravatas, não é, filho? — disse um deles com uma risadinha ríspida e lhe deu um empurrão pela trilha lamacenta. — Agora, ande. — O homem virou a cabeça para os outros três. — Vamos fazer na floresta, no silêncio, ou quase. — Ele deu outro empurrão em Derry, fazendo-o tropeçar na lama. — Se não criar confusão, vou agir depressa, como um ganso de Natal.

Derry balançou a cabeça enquanto era levado. A neve ainda caía. Era difícil até identificar os rostos a pouca distância. Ele sabia que, se gritasse socorro, eles simplesmente o esfaqueariam ali mesmo e iriam embora. Ninguém viria. Os homens de Clifford tinham escolhido bem o momento. Derry quase sorriu da situação, embora sentisse azia, o que o fez arrotar. Ele não achava que Clifford tivesse isso dentro de si, aquele sodomita desprezível.

O pior era ter trabalho a fazer, trabalho que precisava do conjunto de talentos específico de Derry Brewer. Ou foi o que disse a si mesmo. Seus ombros caíram e ele abandonou as preocupações, sentindo-se mais leve por ter tomado a decisão, de modo que ergueu a cabeça. Derry Brewer foi para oeste com os homens, saindo do acampamento, enquanto todos olhavam para o sul, para o prado coberto de sangue perto da aldeia de Towton.

Warwick temeu que seu coração fosse explodir. Talvez ele sofresse uma apoplexia, um ataque no campo de batalha que o deixaria incapaz de falar e com o rosto parecendo cera derretida. A respiração tinha deixado de ser só ofegante, e ele tinha passado a gemer cada vez que expirava, como se cuspisse chamas pelos lábios de uma ferida. Respirar doía. Andar doía. Warwick sabia que não havia ação nem trabalho que demandasse mais forças que o combate. Apenas derrubar árvores chegava perto, e por isso todo cavaleiro brandia machado e espada durante horas de treinamento diário caso tivesse esperança de lutar num campo de batalha algum dia. O talento nato de nada adiantaria se os braços ficassem extenuados. Um guerreiro fortalecia os ossos e transformava os músculos em tábuas de carvalho para protegê-los. Dessa maneira, talvez sobrevivesse.

Eduardo parecia um leão à espreita. Não devido a sua altura, mas ao fato de ter nascido para o serviço. Movia-se com graça e controle, de modo que demorava mais a se cansar que os homens em volta. Nenhum golpe era desperdiçado, nenhum movimento ia longe demais. Ele havia matado pelo menos uns dez homens, e sua armadura já estava amassada, marcada, furada. As alabardas nas mãos daqueles que enfrentavam tinham mais de vinte centímetros de ferro rijo que terminavam numa ponta projetada para cortar armaduras, se um homem forte a empunhasse. As placas do peitoral de Eduardo mostravam três cortes triangulares, e de um deles pingava sangue. Os três que conseguiram penetrar sua guarda tinham ficado para trás havia muito tempo, frios e pisoteados.

Warwick só podia observar o rei avançar com seu equilíbrio perfeito, incansável. Ninguém mais queria enfrentar o rei. Havia algo selvagem nele, leonino ou lupino. Warwick tremia enquanto se esforçava para simplesmente respirar e se manter em pé. Não tinha mais dúvidas de que Eduardo estava apto a ser rei. Ele tinha a linhagem e era um Golias no campo de batalha. Impérios foram erguidos com menos. Enquanto Warwick observava e respirava dor, Eduardo avançava com suavidade pelo chão revirado, em busca de qualquer um que se levantasse contra ele. Em resposta ao imenso guerreiro de armadura brilhante, os soldados saíam do caminho dele, como se Eduardo ardesse com calor demasiado. O rei ria para os homens quando eles escorregavam e caíam; atingia o escudo dele com a espada e os fazia recuar em desordem.

Warwick se virou de repente ao ouvir as trompas de alerta soarem à esquerda. O som não era constante sob o elmo, e ele virou a cabeça de um lado para o outro enquanto caminhava à frente com Eduardo, protegendo o flanco de qualquer um que viesse correndo. Mal pensou nisso e um jovem agricultor vestido de lã e couro avançou brandindo a alabarda, tentando pegar Eduardo desprevenido. Warwick levou sua lâmina ao braço do homem, estilhaçando o osso e deixando o membro pendurado por um fio de tendão. O agricultor caiu aos gritos, encolhido. Um golpe deu fim aos berros, mas as trompas ainda soavam.

Warwick procurou a fonte, estreitando os olhos para a distância. O batalhão central de Eduardo tinha avançado profundamente nas forças de Lancaster, formando uma ponta de lança larga e rasa. Cada passo havia sido conquistado com dificuldade, mas Warwick achava que tinham ganhado pelo menos uns cem metros sobre os corpos inimigos. Era impossível saber como seu tio mantinha protegida a ala esquerda, mas a coragem de Eduardo e sua violência impeliam o centro, cerca de oito mil homens reproduzindo a postura e a confiança do rei de armadura que rugia, desafiando o inimigo.

Em algum ponto à esquerda, Warwick ouviu cavaleiros onde os cavalos não tinham o direito de estar. Ele engoliu em seco, a garganta tão inchada e ardida que mal conseguiu gritar para chamar o rei.

— Vossa Alteza... *Eduardo*. A ala esquerda!

Seu tio Fauconberg devia estar em algum ponto daquele lado, com seu irmão João, embora Warwick não tivesse avistado nenhum dos dois desde as flechas e os alarmes da manhã. Ele tinha aprendido a odiar a neve por causa da falta de visibilidade que ela causava, mais até do que o frio que piorava os ferimentos e deixava as mãos dormentes demais para segurar o punho da espada.

Ele viu Eduardo se virar e seguir sua manopla que apontava para a esquerda. A boca do jovem rei se firmou, e ele olhou em volta numa avaliação fria, julgando que tipo de homem poderia chamar.

— Alguns cavaleiros lá, na floresta — berrou para Warwick.

O ruído que se seguiu foi brutal, um estrondo de metal e gritos de dor que ecoou como uma trovoada pelo campo de batalha. Centenas se viraram para ver o que acontecia e perderam a vida com o momento de desatenção.

— Quantos? — gritou Warwick. Ele desejou então não ter matado o cavalo, apesar de toda a vantagem que isso tinha lhe trazido.

— Muitos — respondeu Eduardo. Ele pôs as mãos em concha em torno da boca. — Meu *cavalo* aqui! Tragam-no para cá.

Eduardo permitiu que as duas fileiras da vanguarda passassem por ele marchando, engolido pelos seus homens ao se unir à terceira fileira novamente para aguardar o grande garanhão capaz de suportar seu peso com armadura. Quando entendeu o que Eduardo pretendia, Warwick mandou seus mensageiros a quatro capitães próximos para lhes dizer que o rei requisitava sua ajuda e presença imediatas ao seu lado. Eles começaram a se aproximar da posição de Eduardo.

— Você, continue com meu centro, Warwick — gritou Eduardo.

— Esses são meus melhores homens. Eles não hesitarão.

Para surpresa de Warwick, Eduardo sorria, animado por algum prazer sombrio. Sua armadura estava respingada de lama e sangue, o tabardo manchado de vermelho sobre os leões reais. Mas, naquele momento, com sua juventude, pesar e fúria, Warwick soube que Eduardo nunca havia sentido alegria tão desmesurada. Ele estava embriagado de violência. O campo de batalha podia deixar um homem arrasado — Warwick sabia disso muito bem. Também criava alguns poucos, que descobriam um lugar onde sua força, habilidade e mãos velozes importavam, sem nenhuma preocupação para distraí-los.

O prazer de Eduardo aparecia em seu olhar furioso e na selvageria. Ele apoiou o joelho nas mãos do cavaleiro que lhe trouxe a montaria, encontrou a sela com facilidade e, num piscar de olhos, se tornou um guerreiro montado, unindo-se ao animal de modo que sua própria força e alcance pareceram triplicar. O corcel deu um coice súbito e por pouco não atingiu um homem que marchava atrás.

— Forcem o centro! — gritou Eduardo para os homens que estavam em volta, embora se concentrasse em Warwick. — Esses homens de Lancaster são apenas meninos. Não podem aguentar.

O rei trotou em sua montaria através do batalhão, interrompendo fileiras que paravam e davam vivas. Seus cavaleiros formaram uma falange em torno dele, mantendo erguidos os mastros dos estandartes. Com os quatro capitães, centenas atravessaram o campo de batalha com ele, sorrindo como loucos para correr juntos na esteira do rei em seu cavalo de batalha. Eles seguiam rumo ao tumulto da luta no flanco esquerdo para reagir à força que tinha surgido das árvores.

Fauconberg xingou ao desviar uma lança com o punho da espada. O bosque à sua esquerda parecia pequeno demais para esconder todos os cavaleiros que saíram dele numa carga. Suas fileiras mais à esquerda foram pegas de surpresa, com a atenção voltada para o meio do combate à frente. A menos de quarenta metros de onde estava, os soldados da vanguarda de Fauconberg ainda cortavam ossos e ferro e derramavam sangue, enquanto capitães e sargentos de ambos os lados rugiam a cada avanço, a cada passo conquistado. As linhas oscilavam para a frente e para trás, como lábios ensanguentados. Guinadas súbitas e pressão constante cederam algum terreno a Fauconberg, mas o custo tinha sido alto. Normalmente, a ala esquerda era a mais fraca — a última a entrar em combate. Mas, juntamente com a neve, a escala imensa da batalha reescrevia as regras. Se estivesse lá, a ala direita de Norfolk teria entrado em combate primeiro, apoiada por Eduardo e Warwick no centro e, por fim, se houvesse necessidade, a ala esquerda de Fauconberg. Em vez disso, as linhas de batalha eram tão amplas, que o centro e a esquerda entraram na luta ao mesmo tempo — e Norfolk havia sumido na neve.

Mais e mais homens eram lançados na vanguarda, onde permaneciam até ficarem exaustos — e caíam, para serem novamente substituídos. Fauconberg marchava na segunda ou na terceira fileira, empurrando os homens para a frente ou para trás com dois sargentos, tentando dar algum alívio aos mortalmente cansados antes que sua vida lhes fosse arrancada. Ele enfrentava a ala mais forte de Lancaster, com os estandartes de Somerset visíveis a menos de cem metros.

Naquele impasse, tinha vindo a emboscada do bosque, duzentos cavalos pesados escondidos para atacar seu flanco. Eles carregavam longas lanças e já estavam a pleno galope quando Fauconberg os viu aparecer na neve, apenas um borrão e um trovão crescente, até fileiras inteiras recuarem como um menino que se afastasse depressa do caminho de um cão selvagem.

Eles caíram diretamente sobre os homens que marchavam impassíveis, aguardando sua vez no estuário da batalha com coragem e paciência. Mas, em vez disso, foram derrubados, vencidos imediatamente pelo peso coberto por armadura que se lançou sobre eles ou perfurados por ferro e madeira lascada. Estilhaços explodiram na ala esquerda, que se retraía, afastando-se da carga. Todo o batalhão esquerdo titubeou, comprimindo as linhas que marchavam até pararem, enquanto outros continuavam a avançar pelas orlas quase sem pensar. Alguns homens puseram piques em filas, como lhes ensinaram a fazer contra cavaleiros. Eram pouquíssimos, e Fauconberg engoliu em seco enquanto cuspia ordens, protegendo as linhas, afastando os homens para voltarem a entrar em formação. Eles deixaram para trás os feridos aos gritos e os mortos que esfriavam.

Fauconberg descalçou uma manopla para limpar o suor do rosto. O verdadeiro inimigo era o pânico, como sempre havia sido. Duzentos cavaleiros não podiam destruir um exército, nem mesmo um de seus flancos, não quando esse flanco tinha o efetivo de oito mil homens. Mas, enquanto os cavaleiros avançavam sem resistência e matavam sem reação, as fileiras se afastavam deles, aguardando que outros reagissem à ameaça. Fauconberg viu um de seus homens lançar o pique como uma lança e fazer um dos atacantes despencar do cavalo. Então o homem disparou rumo ao que tinha caído, mas foi forçado a recuar às fileiras pelos companheiros do cavaleiro, que vieram a galope. Estavam com a espada desembainhada para abater as fileiras em marcha. Com fúria e frustração, Fauconberg mandou um mensageiro correr para a retaguarda, onde os arqueiros avançavam devagar. Algumas centenas de flechas dariam fim à ameaça. Eles usaram tudo horas antes, mas talvez ainda restassem algumas. Era uma esperança vã, e ele sabia.

Doze cavaleiros atacaram seu flanco mais uma vez. Alguns sargentos pediram piques, e a linha se eriçou com as armas, embora não antes que os cavaleiros se afastassem com sangue novo nas espadas. Eles rugiam e comemoravam enquanto cavalgavam de um lado para o outro, refestelando-se com seu poder sobre as linhas miseráveis que passavam marchando.

Fauconberg deu uma olhada para a direita, em busca de ajuda. Seu coração pareceu se encher no peito quando viu os estandartes de Eduardo se aproximando.

— Isso! — murmurou. — Bom rapaz. Bom *rei*.

Ele deu uma risadinha com as próprias palavras enquanto Eduardo vinha a toda. Os grandes batalhões diminuíam a velocidade quando ele atravessava seu caminho. Alguns homens simplesmente pararam para fitá-lo, enquanto seus oficiais berravam a plenos pulmões para que voltassem a se mexer. Por apenas um instante nas horas de luta, soldados de ambos os lados observaram Eduardo cavalgar para proteger uma ala atingida.

— Abram caminho! — berrou Fauconberg para os homens que estavam ao seu redor. — Deixem o rei passar!

Ele sorria como um idiota e sabia disso, mas os estandartes alegraram seu coração: a rosa branca, o falcão de York, o sol em chamas, os leões reais.

Os cavaleiros que atacaram a ala também perceberam a chegada de Eduardo. Alguns apontaram para o bosque lá atrás, preferindo se preservar. Outros indicaram claramente o rei que avançava pelas fileiras para alcançá-los. Não era difícil imaginar a discussão entre eles. Se derrubassem Eduardo, poderiam virar o dia a favor do rei Henrique.

Fauconberg sentiu um aperto no peito. O rei Eduardo passou no máximo a vinte metros dele, seu imenso cavalo de batalha trotando com graça e tranquilidade. Com o rei, vinha um grupo de porta-estandartes e, em volta, homens com achas e alabardas, robustos e em boa forma, correndo ao lado do rei.

Eduardo e seus cavaleiros se lançaram sobre o flanco daqueles guerreiros montados que os aguardavam. Em pouco tempo, o rei derrubou os dois primeiros soldados que vieram confrontá-lo. Foi atingido duas vezes por lanças que escorregaram pela armadura. Uma terceira foi lançada por um homem no caminho de Eduardo, com toda a força. A arma errou, e Eduardo avançou a meio-galope, derrubando-o do cavalo menor com um golpe de ombro. Fauconberg se retraiu com o impacto. Era como ver um falcão atingir um pombo e deixá-lo esmagado. A velocidade e o peso importavam, e ele mal conseguia imaginar como seria difícil manter a coragem ao ser atacado por Eduardo. O rei não hesitava nem recuava. Cavalgava na direção de qualquer guerreiro que estivesse em seu caminho e o derrubava, cortando-o com a espada ou derrubando-o com um golpe. O rei era mais habilidoso e muito mais rápido que os homens mais velhos — ele se esquivava e os mandava para um lado só para arrancá-los da sela quando se viravam. Na flor da juventude, fazia alguns deles parecerem crianças se debatendo.

Em torno do rei, os alabardeiros de Eduardo estavam se sentindo em casa. Enquanto os cavaleiros inimigos giravam e enxameavam, mantendo o terreno, homens rijos avançavam e cortavam as patas dos cavalos ou atingiam os inimigos por baixo, fazendo-os cair com o sangue jorrando. Os mais habilidosos com a alabarda eram açougueiros, ferreiros, curtidores e pedreiros, acostumados ao serviço.

O confronto não durou muito. Eduardo olhou para os cadáveres em volta e os cavalos que morriam guinchando em torno dele. Tinha sido um trabalho brutal, mas ele se viu exultante, a ponto de pensar em esconder a emoção um tanto obscena. Não conseguiu. Ergueu a espada e berrou a vitória. Em torno dele, centenas sorriram e comemoraram, o som se espalhando por toda a ala esquerda e além dela até o centro, onde Warwick ria enquanto lutava. Foi uma pequena ação, mas Eduardo havia provado seu valor. Sua cavalgada através do exército tinha sido vista por quase todos os seus homens. Se houvera dúvidas antes, agora não havia nenhuma. Eles lutavam por um rei da Inglaterra e, com isso em mente, encontraram novas forças.

19

A neve continuava caindo, com rajadas de vento que faziam os combatentes franzir os olhos para se proteger de flocos de gelo. A pele, o cabelo, as dobras de pano estavam todas debruadas de flocos que estalavam e caíam a cada passo ou movimento de uma lâmina. O dia se passou com os dois vastos exércitos engajados, sem que nenhum desistisse, a menos que fosse por cima dos cadáveres dos seus. Os piques se enfiavam à frente quando os capitães se lançavam contra uma lacuna, perfurando as linhas. O tempo todo, as achas e as alabardas subiam e baixavam, enquanto alfanjes curtos faziam o serviço pesado.

Atrás das linhas de combatentes, as fileiras se comprimiam para se aquecer e se proteger do vento que assoviava entre elas e roubava suas forças. Os homens batiam os pés e tentavam esquentar as mãos com o hálito enquanto eram arrastados inexoravelmente para a frente. Não podiam recuar, mal conseguiam manobrar, enquanto a luz fraca começava a se esvair e as sombras caíam sobre dezenas de milhares em pé na terra congelada, com madeira e ferro nas mãos.

Houve momentos em que a neve era soprada para longe e o campo de batalha se revelava. Para os lordes e os homens de armas que foram para o norte com Eduardo, a visão não era inspiradora. O exército de Lancaster ainda era uma hoste, um rebanho escuro que enxameava como estorninhos no chão branco. Os homens exaustos do sul se entreolhavam e balançavam a cabeça. Com a luz sumindo, era difícil ver uma cena daquelas e não estremecer, não sentir algum toque de desespero, com o corpo dolorido e rígido de frio.

Meninos ainda corriam pelas linhas, levando odres de água com um tubo que podia ser sugado como a teta da mãe. Os moleques permitiam que homens morrendo de sede dessem um gole desesperado, mas xingavam e os cutucavam quando bebiam demais ou deixavam o líquido precioso escorrer pela barba. O tempo todo, o combate continuava, as linhas se erguendo juntas, homens gritando por amigos e entes queridos quando compreendiam que morreriam na escuridão, gritando no fim ou escorregando por entre as pernas dos que passavam em marcha.

Quando se pôs, o sol levou consigo algo vital. Guerreiros experientes curvaram os ombros e baixaram a cabeça, preparando-se para resistir com austeridade na escuridão. Ninguém gritou para pararem, nem os lordes, nem os capitães. Eles pareciam compreender que tinham ido àquele lugar a serviço de dois reis; sairiam servindo a um apenas. Trompas e tambores se calaram, não mais encobrindo o rugido de homens que aumentava e ondulava como ondas batendo em cascalho, nem a voz dos moribundos, que gritavam como gaivotas.

Homens de armas que lutavam havia horas tinham chegado a um nível de cansaço e confusão que só piorou no escuro. Andavam aos tropeços ao lado dos camaradas, e, quando pegos por inimigos descansados, eram ceifados como trigo. O número de mortes aumentou cada vez mais, enquanto os fortes se lançavam selvagemente sobre homens enfraquecidos — e então eles se tornavam fracos, e por sua vez eram ceifados.

Um desespero soturno crescia nas fileiras de York. Mesmo no centro, onde Eduardo se mantinha e lutava como se não pudesse se cansar, eles viram a extensão das linhas de Lancaster. O jovem rei não havia devolvido seu cavalo à retaguarda. Com uma saudação a Fauconberg, tinha cavalgado até Warwick e aceitara os vivas do centro quando lhe deram as boas-vindas. Naquele momento, não havia flechas nem dardo, buscando o belo alvo que ele representava. Sem canhões em campo, Eduardo era quase intocável enquanto suas forças aguentassem. Cavaleiros exaustos podiam ser derrubados e esfaqueados entre as placas ou ter o elmo esmagado. Mas, se um homem do tamanho de Eduardo conseguisse continuar lutando, era difícil ver como poderiam detê-lo. Seria preciso um golpe quase perfeito para perfurar sua armadura — e, enquanto preparassem tal golpe, lá estava ele, olhando para o adversário com um sorriso selvagem, atacando antes que o golpe o atingisse. Eduardo tinha acabado perdendo a conta de quantos havia derrubado.

A escuridão já os cobria quando Eduardo viu um movimento à direita. Sem a neve, não teria notado, mas no chão branco ele avistou o assalto de uma massa escura, surgindo enquanto a neve ainda girava. Do alto de seu cavalo, Eduardo podia ver antes de todos, embora se limitasse a observar. Mensageiros já corriam em sua direção, meninos apostando corrida para levar suas ordens, independentemente de quais fossem elas. Eduardo ergueu a mão para eles, os dedos estendidos. Pediu-lhes que esperassem como ele esperava, o coração batendo com tanta força que se sentiu tonto e enjoado. Se o exército da rainha tivesse trazido novos reforços, ele encarava a própria morte e a desonra final de York. Seus homens estavam em desvantagem numérica desde o princípio. As fileiras que chegavam o derrotariam.

O martelo se chocou com o flanco esquerdo de Lancaster. Norfolk os havia encontrado, na neve e na escuridão, levando toda a ala direita de Eduardo em direção às fileiras mais vulneráveis do adversário. Eles começaram a correr e deram um rugido que ecoou pelo campo inteiro. Os estandartes de Norfolk subiram para mostrar o caminho, e, ao vê-los, Eduardo e Warwick trocaram um olhar e uivaram com o restante dos homens. O cálculo não poderia ter sido melhor — e, se duzentos cavaleiros quase tinham rompido a ala de Fauconberg mais cedo, nove mil guerreiros descansados arrasariam a ala lancastriana, abrindo uma fenda no exército e deixando milhares no chão. Sem dúvida os homens de Norfolk estavam cansados depois de um dia em marcha na neve, em busca do campo de batalha. No entanto, estavam descansados e cheios de vida quando comparados às pobres criaturas semimortas que lutaram todo aquele tempo.

No escuro, houve completa confusão nas linhas de Lancaster. Um grande ataque estava para acontecer, e os homens fugiram dele cegos de terror, confiando nas trevas para esconder qualquer desonra. Enquanto Norfolk avançava, Eduardo, Warwick e Fauconberg sentiram as linhas cederem de repente diante deles.

Homens que teriam resistido para sempre à luz do dia desmoronaram na escuridão. Deram meia-volta e correram, atacados por todos os lados por homens gritando e ferro se chocando. Escorregavam, caíam e se levantavam, espalhando o pânico enquanto forçavam caminho através das linhas que ainda não sabiam o que estava acontecendo, que os agarravam e faziam perguntas enquanto eles se soltavam e continuavam recuando. Centenas cederam, depois milhares, deixando o medo fechar suas gargantas e enlouquecê-los. Eles correram pelo declive até o rio, caindo de armadura e rolando várias vezes.

Atrás deles, as fileiras de Eduardo e Warwick encontraram as de Norfolk, que avançavam através de sua vanguarda. Juntas, elas urraram sentindo uma alegria selvagem, caçando homens em fuga. Pouco antes, todos viam um exército de tamanho pelo menos igual ao seu. O exército de York se agarrou a essa noção enquanto avançava pelo campo. Dois ou três homens pegavam um cavaleiro sem sorte e o derrubavam com um golpe nas pernas ou atingiam suas costas com a acha para que tropeçasse e caísse. Ao atingir o chão, alguém girava o cabo da acha num círculo rápido e deixava a arma cair na cabeça ou no pescoço do sujeito. E não paravam, o próprio medo os impelindo à selvageria. Davam golpes e mais golpes até ossos serem despedaçados e corpos serem perfurados centenas de vezes.

Cavaleiros e lordes nobres gritavam "*Pax*! Resgate!" enquanto eram derrubados na escuridão, berrando a plenos pulmões para homens que não podiam vê-los por causa da neve. Nenhuma misericórdia lhes era concedida, e as alabardas golpeavam.

A chacina continuou até o sol nascente lançar uma luz fraca no céu claro, com a neve já dissipada, cobrindo corpos torcidos em todas as direções. Milhares de homens de armadura se afogaram no rio Cock Beck, mantidos debaixo d'água ou atingidos pelos que os caçavam enquanto tentavam atravessar. Cadáveres se espalhavam por quilômetros em todas as direções, derrubados e agredidos por homens que, por algum tempo, ficaram perdidos. Quando a aurora chegou, eles não conseguiam se encarar. A escuridão havia ocultado horrores que os despertariam de pesadelos suados durante anos. Os homens de York triunfaram, mas estavam esgotados, exaustos, sem dormir, com manchas de sangue e imundície, os lábios azulados, os olhos fatigados.

Sob o céu que empalidecia, formaram mais uma vez os batalhões, com Fauconberg cavalgando para verificar se o sobrinho e o rei tinham sobrevivido. Norfolk havia oferecido a vida por sua falha, mas Eduardo não o castigou. O homem estava visivelmente exausto e adoecido, com sangue seco nos lábios e uma tosse que parecia lhe causar uma dor que o subjugava. Era verdade que seu atraso quase havia lhes custado a batalha, mas, no fim, Norfolk tinha chegado quando precisavam dele. Ele se redimira, e tanto Eduardo quanto Warwick entendiam o poder disso.

Quando o sol iluminou o horizonte, os homens esvaziaram a bexiga, tremeram e bateram os pés no chão. Estavam com fome suficiente para comer os mortos, esfaimados e doloridos depois do dia anterior. O acampamento do rei Henrique ficava apenas três quilômetros ao norte, em Tadcaster. Eduardo sentiu alguma satisfação ao dizer aos seus capitães que comeriam lá. Ele imaginou os acompanhantes do exército aguardando que os seus retornassem e riu. Em vez deles, veriam os estandartes de York, erguidos e orgulhosos.

Ele não havia feito nenhum prisioneiro, não tinha mantido nenhum lorde como refém. Não aceitaria o jogo que aqueles homens conheciam, nem naquele momento nem nunca mais. Assim como lorde Clifford, Henrique Percy, conde de Northumberland, havia morrido em combate, juntamente com vários lordes menores e centenas, quiçá milhares, de cavaleiros e seguidores abastados. Isso significava que havia uma rica colheita entre os mortos. Os capitães de Eduardo não tiveram dificuldade em encontrar voluntários que permanecessem no campo para recolher qualquer objeto de valor. Era um trabalho fundamental, e receberiam comida por isso. Eles contariam os mortos. Grandes valas receberiam cadáveres de soldados desconhecidos, mas seria um trabalho árduo no chão congelado. Os capitães mandariam criados fazerem listas de nomes da melhor forma possível, com base no brasão dos anéis e dos tabardos e em cartas guardadas junto ao corpo. Outros percorreriam o campo de batalha com machadinhas, buscando os que estivessem inconscientes ou que tivessem se escondido na esperança de escapar. Um grupo de carregadores levaria os feridos para solares próximos, onde seriam tratados ou, mais provavelmente, sangrariam até a morte. Seriam muitos dias de trabalho, embora Eduardo não quisesse saber disso. Ele tinha outras tarefas a cumprir, e seguiu para o norte com os sobreviventes sujos de sangue, contra um vento que havia mudado de direção e soprava ainda mais frio. O rei Henrique e a rainha Margarida descobririam que, durante a noite, o mundo tinha mudado em torno deles.

Tinham encontrado para Warwick um cavalo castrado sem dono. Era um animal arisco e o forçou a girar em círculos fechados de poucos em poucos passos antes de conseguir que avançasse. Ele entendia os olhos arregalados do animal. Embora o vento afastasse o cheiro de sangue e excrementos, ainda havia uma sensação de morte em torno deles, como a sensação do movimento lento dos insetos sob o assoalho. A neve escondia uma parte, mas, sempre que permitia aos olhos descansarem, eles percebiam lentamente alguma forma que se tornava um horror.

Warwick fez o cavalo parar e baixou a cabeça ao se aproximar de Eduardo e Norfolk, Fauconberg e seu irmão João. Warwick foi o último a se juntar aos outros, quatro homens com sangue Neville e um Plantageneta. Estavam todos abatidos, embora, ao examiná-los, Warwick visse que Eduardo se recuperava, o rosto firme e decidido.

O momento de silêncio se demorou em torno deles. Alguns homens vomitaram de fraqueza ao voltarem a se reunir em fileiras. Ninguém zombou deles enquanto escarravam e cuspiam torrentes amarelas. Pelo menos, não havia neles comida a ser perdida. Estavam sérios devido a tudo o que tinham feito, tudo o que tinham visto. Deram vivas ao rei, é claro, quando seus capitães mandaram. O som e a ação trouxeram um pouco de vida de volta a faces pálidas e olhos vidrados.

Com cerca de mil homens deixados para trás para cuidar uns dos outros e contar espólios e baixas, o exército esfarrapado do rei Eduardo marchou para o norte.

Margarida observou o sol nascer atrás da janela de um quarto alto na sede da guilda de York, as costas aquecidas por uma boa lareira. Ela viu a névoa da respiração no vidro e a limpou, a mão parecendo fina e pálida. Para além daquela janela, o portão sul da cidade podia ser visto. Não conseguia descansar, não com um exército lutando por ela. Cada momento que passava aumentava a tensão, enquanto sua imaginação lhe fornecia horrores intermináveis.

Em momentos como esse, Margarida gostaria de pedir a opinião de Derry Brewer. Ela sabia que seu espião-mor tinha ido ao acampamento em seu velho pangaré. Mas ele havia passado o dia ausente, enquanto ela esperava sentada, torcendo as mãos até os nós dos dedos ficarem rosados e doloridos. Havia sentido um calafrio com a neve que caía e tornava o mundo belo, embora fatal, e por isso ficou perto do fogo.

O filho tinha passado a manhã se divertindo com soldadinhos de brinquedo e uma bola, sem fazer ideia do que estava em jogo naquele dia. Por fim, Margarida havia perdido a paciência e dado um tapa no menino de 7 anos, deixando-lhe uma marca rosada no rosto. Ele a olhara com fúria, e a reação dela tinha sido abraçá-lo enquanto o filho se contorcia e reclamava. Quando o soltou, ele saiu do quarto aos tropeços, e o silêncio voltou. O marido cabeceava perto do fogo, sem ler nem dormir, simplesmente contemplando pacificamente as chamas que serpeavam e bruxuleavam diante dele.

Margarida inspirou de repente ao ouvir o barulho de cascos na rua. Havia neve no lado de fora da janela, que permaneceu onde estava quando ela esfregou a palma da mão na superfície interna. Conseguia ver muito pouco através do vidro, apenas alguns cavaleiros apeando lá embaixo. Margarida se voltou para a porta, enquanto soavam vozes altas e seus criados respondiam.

A porta se escancarou, e lá estava Somerset, o peito arfando enquanto ele trazia frio, neve e medo para aquele quarto quente.

— Milady, sinto muito. A batalha está perdida.

Margarida foi até ele com um gemido baixo, pegou suas mãos e tremeu com a exaustão estampada no rosto dele. Quando Somerset se mexeu, ela percebeu que mancava, uma das pernas mal se dobrando. Gotículas de neve derretida cintilaram na pele de Margarida, fazendo-a tremer.

— Como é *possível*? — sussurrou ela.

Os olhos de Somerset pareciam machucados, escuros em volta e ainda mostrando as linhas vermelhas do elmo pressionado contra a pele.

— Onde os homens se reunirão? — indagou ela. — Aqui, junto a esta cidade? Por isso você retornou?

Os ombros de Somerset se afundaram quando ele se forçou a falar.

— Há... muitos mortos, Margarida. — Doía-lhe dar essa notícia a Margarida, mas Somerset sabia que o tempo estava contra ele, e cuspiu as palavras. — Todos mortos. O exército foi rompido, massacrado. É o fim, e eles virão para cá com o sol. Ao meio-dia, espero ver o rei Eduardo chegar em seu cavalo pelo Portão de Micklegate de York.

— *Rei* Eduardo? Como pode me dizer uma coisa dessas? — gritou Margarida com pesar.

Somerset balançou a cabeça.

— Agora é a mais pura verdade. Eu o vi no campo de batalha, milady. Dou-lhe essa honra, embora me doa admiti-lo.

O rosto de Margarida endureceu. Homens eram propensos a gestos grandiosos. Era verdade que às vezes isso provocava sonhos de heróis e távolas redondas. Também fazia com que, quando encontravam um lobo para seguir, virassem a cabeça como uma menininha. Ela estendeu o braço e levou a mão ao rosto de Somerset, tremendo de novo com a profunda frieza do rapaz.

— Veio me matar, então?

A vida retornou aos olhos dele, embora o duque cambaleasse. A mão de Somerset se ergueu e segurou o pulso de Margarida.

— O quê? *Não*, milady. Vim tirá-la deste lugar com seu marido e seu filho. Vou poupá-la do fim que York tem em mente, seja ele qual for. Por minha honra, a senhora agora deve pensar num lugar seguro, se ainda existir.

Margarida pensou depressa, tentando se concentrar enquanto o medo e a raiva gritavam dentro dela. Na véspera, um exército imenso havia se levantado por ela, um exército que apequenava as forças de Azincourt ou Hastings ou de qualquer outra vez em que os ingleses tinham lutado. Porém, eles fracassaram e caíram, e ela estava *perdida*...

— Margarida? Milady? — chamou Somerset, assustado com o tempo que ela levou fitando o nada.

— Sim. Será a Escócia — respondeu ela. — Se não resta nada na Inglaterra, tenho de ir para a fronteira. Maria de Gueldres ocupa o trono em nome do filho, e acho que ela me manterá a salvo. Acho que sim.

Somerset se virou para dar ordens pela escada aos homens que aguardavam embaixo. Ele parou com o toque da mão dela em seu braço.

— Onde está Derry Brewer? — perguntou Margarida. — Você o viu ou soube dele? Preciso que venha a mim.

O jovem duque balançou a cabeça, permitindo que ela visse brevemente sua irritação.

— Não sei, milady — declarou ele com censura. — Lorde Percy e o barão Clifford foram mortos. Caso Derry Brewer esteja vivo, tenho certeza de que nos encontrará a tempo. Agora a senhora deveria mandar os criados embalarem o que será necessário. — Ele mordeu o lábio, os olhos repentinamente reluzentes com um toque de pesar. — Milady, a senhora não deve ter esperanças de retornar. Leve ouro e... roupas, tudo o que não puder abandonar. Tenho cavalos de sobra aqui. Podemos levar tudo.

Margarida o olhou severamente.

— Muito bem. Agora se recomponha, milorde Somerset. Preciso que esteja atento, e duvido que tenha dormido.

Ele deu um sorriso triste e piscou.

— É só poeira, milady. Peço desculpas.

— É o que eu deveria *pensar*. Agora reúna seus homens aqui em cima para ajudar a juntar as coisas de que precisarei para a viagem. Quero que fique a meu lado, milorde. Para me ajudar com meu marido e me contar tudo o que aconteceu. — Ela parou um instante, levantando a cabeça para reprimir a onda de desespero. — Não consigo acreditar. Como é *possível*?

Somerset desviou o olhar e chamou seus homens pela escada. Quando voltou, Margarida ainda esperava uma resposta. Ele só pôde dar de ombros.

— A neve, milady. A neve e a sorte bastaram. Não sei se Deus ou o diabo estava do lado deles, mas... com certeza um dos dois estava. Eles tinham o rei Eduardo lutando no centro, comandando homens que lutaram como demônios para impressioná-lo. Mesmo assim, não deveriam ter vencido, não *poderiam* ter vencido contra o efetivo que levamos. Deus, o diabo ou ambos. Não sei.

20

Com longos estandartes tremulando de cada lado, Eduardo entrou no acampamento dos Lancasters. O estado de espírito do rei impedia conversas, embora não estivesse sendo frio, mas sim com a consciência entorpecida depois de tantos eventos ocorridos tão depressa.

Não houve resistência armada quando cavalgaram até o centro. Os poucos guardas que restavam tinham fugido assim que viram os estandartes de York vindo pela estrada. Atraído pelo cheiro de comida, Eduardo apeou para aceitar um prato de guisado de carneiro, um calor fumegante e glorioso que sufocou as dores da fome.

O rei de 18 anos tomou o caldo com Warwick e Montacute, Norfolk e Fauconberg, todos observando o acampamento. O único som vinha de Norfolk, que tossia num pano, um ruído úmido que não parava, até ele fazer uma careta ao ver sangue e cuspir mais no chão.

Depois de algum tempo, os capitães de Eduardo lhe trouxeram contagens registradas com linhas finas, mas ele os dispensou. Não se interessava pelo trabalho dos escriturários nem, ainda, pelo ofício de governar. Não tinha dúvida de que Poucher, o homem de seu pai, acabaria por encontrá-lo, mas havia coisas muito mais importantes para fazer primeiro.

Os criados de Lancaster correram para trazer comida e água, estarrecidos e em choque, mas já sentindo um mundo novo se formar a partir dos campos ensanguentados lá atrás. Ainda precisavam comer e ser pagos para trabalhar depois que seus senhores foram mortos. Alguns choravam enquanto trabalhavam, cientes de que o líder de sua casa não retornaria. Presuntos defumados inteiros foram descobertos num armazém e cortados com lâminas que cortaram carne viva não fazia muito tempo.

Enquanto homens exaustos se instalavam para comer e descansar, Eduardo voltou a montar, fazendo uma careta de dor por causa dos hematomas que iam do ombro e do braço direitos até as pernas. Sua armadura tinha absorvido dezenas de golpes, mas os havia espalhado por uma área maior, de modo que ele passaria semanas com manchas roxas. As placas de ferro exibiam furos onde algumas armas penetraram. Eduardo contou quatro triângulos de alabardas. Todos localizados no peito, o que combinava com seu orgulho. Todos estavam orlados de sangue, embora as feridas tivessem coagulado e ficado grudadas às camadas de couro e linho grosso costurado. Ele gemeu ao se alongar para montar, e o gemido se transformou num berro irritado quando todas as articulações protestaram. Eduardo deixou o elmo nas mãos de um criado e fechou os olhos enquanto o suor secava e a brisa o tocava. Ele não precisava da faixa de ouro com espinhos incrustada no ferro para mostrar que era rei. A verdade estava na batalha que tinha vencido. Nenhum estandarte esvoaçante nem as cores de nenhuma casa tinham sequer metade da importância desse feito.

Faltava pouco para o meio-dia quando seus seiscentos cavaleiros foram avistados nas muralhas da cidade de York. Eduardo tinha se perguntado se encontraria os portões fechados para ele, do mesmo modo que Margarida e Henrique foram impedidos de entrar em Londres. Já havia decidido reunir canhões e reduzir a cidade a escombros caso lhe recusassem a entrada. Seu olhar furioso se acalmou quando viu o Portão de Micklegate aberto à frente. Não havia guardas à vista nem mais ninguém na estrada que levava à cidade. Puxou as rédeas, deixando o corcel a passo, de repente temendo o que veria lá.

Warwick lançou um olhar curioso ao rei e depois enfiou os calcanhares no cavalo, chamando cavaleiros e capitães para acompanhar seu passo. Eles entraram depressa, os cascos ressoando sob a torre de pedra, com a casa de guarda e as muralhas assomando em ambos os lados.

Eduardo foi atrás, com o cavalo a passo, os punhos fechados nas manoplas. Ele puxou as rédeas, parou e olhou para as ruas enlameadas se espalhando a partir daquele ponto, o amontoado de casas grudadas e a torre das igrejas. As lareiras manchavam aquele mesmo ar havia dez mil anos ou mais. Era uma cidade antiga, de pedras antigas.

Quando ficou pronto, Eduardo virou a montaria para encarar o Portão de Micklegate e olhou para cima. Seus olhos se estreitaram e seu peito tremeu com algo que lembrava soluços enquanto observava as cabeças do pai e do irmão, Edmundo. A terceira cabeça havia girado em seu espeto e se inclinava de um jeito esquisito. Eduardo deu uma olhada em volta quando Warwick apeou e andou na direção dos degraus de pedra incrustados de ambos os lados da torre do portão.

Eduardo pulou e estava um ou dois passos apenas atrás do conde quando começaram a subir juntos. A tempestade de neve tinha enfraquecido no dia anterior, restando agora somente uma brisa. O rei da Inglaterra arrastou os pés sobre uma plataforma e alcançou a cabeça do irmão, Edmundo, tremendo de horror com o alcatrão negro grudado na pele. Mal conseguiu distinguir os traços que conhecia, e ficou grato por isso.

As cabeças tinham apodrecido nos meses decorridos desde a batalha do Castelo de Sandal. Estavam presas de leve pelo ferro e, quase sem olhar, Eduardo removeu e jogou a primeira para Fauconberg pegar e embrulhar. Um sepultamento cristão viria em seguida; a agonia da humilhação do irmão tinha sido paga com a melhor das moedas. Eduardo viu que Warwick erguera a cabeça do pai e, soltando o ar devagar pelos lábios franzidos, ele fez o mesmo, murmurando orações enquanto segurava o maxilar coberto de alcatrão e, com um arrepio, sentiu o cabelo tocar as costas de sua mão.

Fauconberg e Montacute estavam lá embaixo, com os braços estendidos. Eles receberam as cabeças com solenidade e as entregaram para serem envoltas em panos limpos. Lá em cima, Eduardo Plantageneta e Ricardo Neville descansaram um instante, as costas apoiadas na pedra fria.

— Você fez seu papel, Ricardo — disse Eduardo. — Você e os Nevilles. Posso fazer de seu tio o novo conde de Kent, um belo título com boas terras e grande riqueza. Ele cumpriu seu papel e muito mais. Viu quantos foram atingidos por flechas quando passamos por eles? Milhares, Ricardo. Ele pode ter vencido a batalha por nós. — Então a expressão do rei ficou séria e pensativa enquanto contemplava o conde mais velho. — E você, Warwick? Você tem tantos castelos e cidades quanto eu, ou até mais. O que posso lhe oferecer, após tanto esforço seu para me tornar rei?

— Não me falta nada — respondeu Warwick, a voz baixa e rouca.

— E você defendeu a ala esquerda quando outro homem a veria ser esmagada. Você inspirou os homens, de tal modo que agora mesmo consigo vê-lo em minha imaginação. Não me esquecerei disso. Sem você, eu não teria a cabeça de meu pai para sepultá-la em solo consagrado. Isso não é pouca coisa, não para mim.

— Você deve aceitar *algo* de minha mão, Warwick. Não admitirei que isso me seja negado nem deixarei que você se retire para suas propriedades. Preciso de você ao meu lado enquanto restauramos a paz do reino.

— Então me chame de conselheiro ou companheiro do rei. Por uma honra dessas, ficarei para sempre ao seu lado. Como o último rei Eduardo, você reinará por cinquenta anos. — Warwick se forçou a sorrir, embora seus olhos brilhassem de emoção. — Talvez você reconquiste a França.

Viu as sobrancelhas de Eduardo se erguerem de interesse com a ideia e riu.

— Você achará alguma recompensa para Norfolk? — perguntou Warwick de repente.

Norfolk estava a menos de cem metros, visível enquanto esperava os mais jovens descerem de volta ao mundo. Parecia diminuído pelo frio. Enquanto Warwick observava, Norfolk se curvou para tossir e ofegar.

O estado de espírito de Eduardo abrandou, e ele deu de ombros.

— Sei que ele foi fundamental no desfecho, com a ajuda de Deus. Talvez com o tempo eu encontre em mim a vontade de lhe prestar honras. Mas ainda não dormi uma só noite desde que amaldiçoei Norfolk com o inferno pela lacuna que ele deixou em meu exército. Seu irmão João lutou bem, acho eu. Estou com vontade de prestar honras aos Nevilles, Ricardo. O lugar de seu pai na Ordem da Jarreteira ainda está vago.

Warwick pensou no que o pai diria diante de uma oferta dessas. Ele esfregou entre dois dedos uma bola grudenta de alcatrão.

— O conde Percy estava entre os mortos, Vossa Alteza. Se quiser prestar honras à família de meu pai e à minha...

Northumberland era um condado vasto, com milhões de hectares de terra selvagem e um título de poder real. Mas Eduardo não precisava de mais agitação no bastião do norte. Warwick o viu morder o interior da bochecha.

— Meu irmão será sempre leal, Eduardo.

O rei baixou a cabeça, a expressão se aliviando agora que a decisão tinha sido tomada.

— Muito bem. Vou lhe dar um decreto com meu selo e ver com que rapidez ele faz a ordem voltar ao norte. Fico satisfeito de ter um Neville em Northumberland. Afinal de contas, Ricardo, agora precisarei de gente leal à minha volta. Aqueles com inteligência e coragem! Acho que tenho um reino para governar.

Os dois homens desceram e mostraram reverência mais uma vez enquanto observavam as cabeças serem embrulhadas em pano e couro, presas com correias e amarradas às selas. Foi Norfolk quem se aproximou de Eduardo, baixando um joelho sobre as pedras enquanto aguardava de cabeça baixa.

— Levante-se, milorde — pediu Eduardo baixinho.

— Meus rapazes foram interpelados na taverna, Vossa Alteza. O povo da cidade teme que o senhor lhes imponha alguma punição por abrigarem o rei Henrique e a rainha Margarida.

— E ainda posso — respondeu Eduardo, embora seu coração não estivesse verdadeiramente naquelas palavras.

Diante de um exército do tamanho daquele que havia acampado em Tadcaster, a cidade de York tinha sido feita refém. Ele decidiu na mesma hora considerá-la inocente e não impor nenhuma punição, nem em ouro, nem em execuções sangrentas. Seu pai dissera que o homem se revelava pelo modo como se comportava quando detinha o poder. Isso importava para o jovem rei.

Norfolk baixou ainda mais a cabeça, consciente de que ainda era culpado pelo atraso, odiado e elogiado ao mesmo tempo por alguns. Ele havia escolhido não pedir desculpas, embora as horas perdidas e desesperadas na neve talvez tivessem sido as mais difíceis de toda a sua vida. Ele tinha pensado que se arrastaria para sempre pelo nada branco e veria o reino perdido como consequência. Tinha pensado que morreria sufocado pelo sangue que subia por sua garganta.

— Vossa Alteza, eles também dizem que a rainha Margarida e o marido fugiram da cidade com o nascer do sol.

— Com carroças, carruagens? — retorquiu Eduardo, o olhar se aguçando.

Passava apenas uma ou duas horas do meio-dia. Se Margarida tivesse usado uma carroça lenta e pesada, talvez conseguisse alcançá-los.

— Ficaram para trás, Vossa Alteza. Só levaram cavalos, com alforjes para dinheiro e equipamento. Mesmo assim, posso mandar alguns homens atrás deles, milorde. Eles foram para o leste, talvez para o litoral. Todos disseram a mesma coisa na taverna.

— Mande seus homens — ordenou Eduardo, satisfeito por tomar uma decisão rápida. — Traga-os de volta.

— Sim, Vossa Alteza — acatou o duque, curvando-se mais.

Eduardo observou Norfolk caminhar pela rua até os cavaleiros à espera. O jovem rei estava gostando do modo como os homens o procuravam em busca de favores e respostas. Era uma sensação inebriante, e o melhor era saber que o espírito do pai estaria rugindo de prazer. A casa de York havia passado a comandar toda a Inglaterra. Para onde quer que Margarida fugisse, nada mudaria o que ela e o marido tinham perdido no campo da morte entre Saxton e Towton — nem o que Eduardo havia ganhado. Era como se eles tivessem deixado uma coroa cair e a vissem rolar pelo sangue até suas mãos.

21

Margarida escondeu a amargura, mantendo a cabeça erguida e o mais leve dos sorrisos nos lábios. Agora compreendia o que era ver uma aliança preciosa ser dilacerada e jogada ao fogo. Só lhe restava seu orgulho, e ela se agarrava a ele.

A princípio, entrar na Escócia tinha sido como se livrar de um fardo. A dura cavalgada para o norte havia tirado sua família do alcance do rei Eduardo, provocando uma sensação de alívio tão intensa, que Margarida se sentira tonta e quase havia caído da sela. Mas, desde seu primeiro encontro, a rainha Maria de Gueldres não escondeu a raiva e o desapontamento, que apareceram nos muxoxos e olhares desdenhosos dos *lairds* escoceses, em seu próprio tom de voz quando se dignavam a falar com Margarida.

Antes, Margarida era uma mulher a ser lisonjeada. Depois do massacre de Towton, não lhe restava nada a oferecer. Pior ainda, era perseguida, estava cansada e se agarrava à sua dignidade com o pouco de força que lhe restava. Ao atravessar o porto ao luar, ela tentou não permitir que vissem como a tinham ferido.

Ela praguejou quando sentiu o pé se torcer no pavimento, como se até as pedras a quisessem longe. Margarida mordeu o lábio e estendeu o braço, que Somerset segurou até ela se firmar. A aurora ainda demoraria um pouco, e o *laird* Douglas tinha decidido usar a escuridão para levar o pequeno grupo à embarcação que os aguardava.

O rei Henrique e o filho andavam no meio deles, o menino dessa vez calado naquele grupo unido de guerreiros, todos prontos para defender ou atacar. Margarida não conseguia ver a expressão do marido, mas rilhou os dentes com o som de seus murmúrios, o homem totalmente despreocupado, sem nenhuma ideia do perigo que corria. Não era improvável encontrarem homens armados à espera nas docas, caçadores enviados por Eduardo ou apenas agressores locais que não tivessem sido adequadamente comprados.

Margarida tinha ouvido as ordens que Maria de Gueldres dera ao *laird* Andrew Douglas e seus soldados. Se fossem detidos ou desafiados, a reação seria cobrir de sangue aquelas pedras. Independentemente de qualquer acontecimento, a embarcação zarparia antes do amanhecer. Margarida desconfiava de que a rainha escocesa só desejava se livrar de sua pequena família. Nada tinha sido dito em voz alta, mas era claro que não haveria o presente de Berwick à corte escocesa em troca do exército que Margarida tinha levado para o sul. Nem se esperava que seu filho desposasse uma princesa escocesa. Margarida havia perdido tudo o que estivera em seu poder para realizar promessas, e Maria de Gueldres teria de fazer a paz com um novo rei da Inglaterra.

Margarida rezou na escuridão, pedindo para não ser traída. Ela sabia que dependia do sentimento de pena de uma mulher — e essa ideia não era agradável. Era fácil demais imaginar a embarcação contornando o litoral e subindo o Tâmisa para ser saudada por uma multidão deliciada de lordes de Eduardo. Ela estremeceu com a ideia.

Margarida conseguia ver a coca mercante ao luar. A embarcação balançava na doca de pedra, esticando os cabos que a mantinham à margem. Figuras escuras corriam pelo cordame e pelas vergas, afrouxando gaxetas nas velas, de modo que elas flutuavam, brancas na escuridão.

Quando chegaram à beira do cais, Margarida viu que um portaló se abria na barriga da embarcação, largo o bastante para um cavalo. O *laird* Douglas pigarreou e fez o grupo parar, enquanto seis homens seus subiam a bordo para revistar o porão e as minúsculas cabines. Retornaram com um assovio baixo, e Douglas relaxou, provocando um crepitar no pulmão quando soltou o ar. Margarida percebeu que ele não estava bem de saúde, mas o escocês havia cumprido o dever que lhe fora designado. Ele não havia sido um dos que franziram demais a testa para ela por tudo o que tinha perdido, e se sentia grata ao *laird*. Isso tudo fazia parte do mundo que deixava para trás — um mundo de homens leais. Tinha consigo cinco criados, dois guardas e três moças para ajudá-la com o marido. Uma delas era uma mocinha escocesa robusta oferecida por Maria de Gueldres. Bessamy tinha antebraços que pareciam presuntos e, embora não falasse bem o inglês, tinha sido extremamente prestativa ao entreter o príncipe de Gales.

Margarida sentiu o sorriso ficar tenso e falso ao pensar nisso. O filho seria apenas Eduardo de Westminster ou Eduardo de Lancaster quando deixassem o litoral. Seu título lhe havia sido roubado, junto de sua herança, embora ele não compreendesse inteiramente a perda, não ainda.

Os guardas escoceses ocuparam posições ao longo do cais. Os criados embarcaram com sacos e cofres, e Bessamy tinha levado Eduardo pela mão, dizendo-lhe que ele era uma criança muito agradável. Margarida ficou com o *laird* Douglas, Somerset e o marido, que havia parado de cantarolar para olhar para a embarcação e para o além-mar.

— Milorde Douglas, o senhor tem meus agradecimentos por tudo o que fez — disse Margarida. — O senhor permitiria agora um momento para que eu fale a sós com milorde Somerset? Há coisas que devo dizer.

— É claro, milady — respondeu o *laird* Douglas com uma reverência, embora o gesto fizesse seu pulmão chiar mais uma vez. Ele se afastou e levou consigo seus homens mais próximos pela doca, parecendo ao mundo um pai que passeasse com os filhos guerreiros.

Margarida se virou para Somerset e segurou a mão dele entre as suas, sem se importar com quem visse o gesto. Semanas se passaram desde Towton. A primavera havia chegado tão longe ao norte quanto o litoral leste da Escócia. Eles não poderiam zarpar se assim não fosse, mas mesmo na primavera a pequena coca mercante cabotaria até atravessarem o mar para a França. Disseram-lhe que só levaria três ou quatro dias com bom vento. Fora isso, ela havia escrito cartas que correriam à sua frente, apelando a nomes e lugares na França nos quais não pensou durante metade de sua vida.

Ela soltou o ar devagar, consciente de que sua mente se voltava para detalhes triviais só para evitar proferir em voz alta a decisão que havia tomado. Margarida não queria que Somerset ficasse desapontado com ela.

— Margarida, o que foi? Esqueceu algo? Depois que estiver a salvo na França, posso lhe mandar o que precisar.

— Quero que fique com meu marido — declarou Margarida. Sua voz falhou de nervoso, enquanto ela continuava a falar às pressas antes que ele pudesse interrompê-la. — Você ainda tem amigos e partidários, homens que esconderiam o verdadeiro rei da Inglaterra. Eu só tenho alguns criados, e não posso cuidar de Henrique para aonde vou. Por favor. Ele não sabe nada da França, não com sua vida como é agora. Henrique sofreria longe dos lugares que conhece.

Ela olhou de relance para Henrique, mas ele continuava contemplando o mar, perdido nas cintilações do luar nas águas profundas.

Suavemente, Somerset removeu as mãos dela da sua.

— Margarida, sem dúvida ele ficará mais seguro na França, onde pode ser escondido. O rei Eduardo não invadiria outro reino para procurá-lo, pelo menos creio que não. Mas, se o deixar aqui, sempre haverá a possibilidade de que seja encontrado ou traído. Não acho que tenha pensado em tudo, milady.

Margarida trincou os dentes, forçando tanto os músculos, que os dentes rangeram. Ela havia suportado muita coisa em quinze anos. A Inglaterra lhe dera muito, mas lhe roubara mais do que ela ousava avaliar. Pensou no casamento feliz da irmã e no menos feliz da mãe. O pai de Margarida ainda estava vivo, ela sabia. Visitaria o velho no Castelo de Saumur. Esse pensamento provocou uma pontada de saudade que ela não sentia havia anos. Margarida olhou de relance para o marido outra vez, mais criança que homem, mais bobo que rei. O pai dela o desprezaria e o humilharia. Se levasse Henrique para a França, o mais provável é que fosse usado e vendido à corte francesa.

Limpariam nele as facas, pendurariam capas em seus ombros. Talvez Somerset fosse um homem decente demais para saber como Henrique seria maltratado. Ela ergueu a cabeça, controlando cada um de seus movimentos.

— É uma ordem minha, milorde Somerset. Mantenha meu marido a salvo, em solares longe das estradas. Permita que lhe deem os livros que pedir... e tenha um padre de confiança para ouvir seus pecados todos os dias. Então ele será feliz. É tudo o que peço.

— Muito bem, milady — respondeu Somerset.

Ele estava sendo formal e tinha sido ferido, como ela sabia que seria. O rapaz tinha a mesma expressão de sofrimento quando ela lhe disse que ele não a acompanharia. Embora com certeza fossem caçar e desonrar Somerset, o jovem duque era um homem de boa reputação e posição elevada. Outros talvez ainda se unissem a ele. Como quer que fosse, Somerset não se encaixava em sua nova vida na França.

Uma a uma, Margarida havia lançado as moedas que pesavam nas costuras da capa. Tinha o filho e, embora perdesse o resto, pelo menos o perdera bem. Tinha dedicado metade da vida à Inglaterra. Era o suficiente.

— Mensagem aqui! Ei! Mensagem! — veio uma voz dos prédios do porto, onde os mercadores guardavam suas cargas.

O *laird* e seus homens se eriçaram imediatamente, desembainhando adagas e espadas e voltando a passos largos pelo pavimento para se pôr entre Margarida e qualquer possível ameaça. Até o navio deixar o cais, ela era responsabilidade deles.

O mensageiro era um rapaz trajando uma bela capa sobre roupas que talvez tivessem cores vivas com luz melhor. Margarida não tinha como saber. O *laird* Douglas mandou trazer do navio lâmpadas a óleo enquanto o estranho continuava calado, sob guarda. Sob a luz que lançavam, Margarida viu o homem dar de ombros e se despir até a cintura ao ser dada a ordem. Ele revelou músculos tão fortes e delineados quanto os de qualquer lutador das ruas de Londres. Embora os soldados escoceses tivessem removido uma única e evidente adaga com sua bainha, a aparência e o número de cicatrizes incomodou Douglas e Somerset na mesma medida.

— Não gosto disso, milady — murmurou Somerset. — O sujeito está vestido como arauto, mas eu não confiaria em tê-lo muito perto.

Margarida fez que sim, sabendo muito bem que o rei Eduardo poderia ter mandado uns dez assassinos atrás dela. Esses homens eram mais comuns na França e na Itália, mas existiam até em Catai e passavam a vida treinando para matar com eficiência. Ela tremeu.

— Diga sua mensagem em voz alta, senhor — gritou ela. — Esses homens à minha volta são de confiança e o matarão se me fizer mal.

O rapaz fez uma reverência elaborada, embora seu rosto continuasse austero.

— Milady, mandaram-me lhe dizer o seguinte: "Sou o sorridente com a faca sob a capa." Eu a servirei por minha honra. Meu nome é Garrick Dyer.

Margarida se sentiu empalidecer, enquanto Somerset e Douglas explodiam de fúria e confusão.

— Creio que conheço o mestre Dyer, cavalheiros. Sinto muito não o ter... reconhecido antes.

Foi um momento agridoce, perfeitamente adequado ao seu estado de espírito ao deixar um reino que tinha passado a amar — e odiar. Margarida se virou, levantando as saias e a capa para caminhar até o navio que a esperava. Nisso, todo movimento tinha cessado, e os marinheiros estavam imóveis nas velas e no cordame.

Ela ouviu atrás de si o estalo de uma besta, mas não viu Garrick Dyer ser atingido e levar a mão, confuso, até os centímetros de ferro que apareciam entre as costelas. Ele caiu no calçamento. Margarida ainda estava se virando quando Douglas vociferou ordens e Somerset agarrou a rainha e a empurrou para o portaló.

— Embarque, Margarida! — gritou o jovem duque em seu ouvido.

As lâmpadas saíram voando quando os homens as largaram para pegar a espada. Mas o luar era suficiente. Àquela luz pálida, detrás dos armazéns saiu uma figura que arrastava os pés, curvada, com um andar estranho. Somerset teria levado Margarida diretamente pelo convés e descido até o porão, mas ela se soltou das mãos dele, querendo ver.

— É só um homem — disse ela, ofegante. — Um assassino que lançou seu dardo e agora não viverá para me alcançar.

Margarida observou os escoceses cercarem a figura sombria. O homem falava com eles, ela conseguia ver, as mãos gesticulando. Estava pronta para se virar assim que fossem matá-lo. Tinha visto mortes demais em seus 31 anos. Mas os homens não o fizeram. Um deles chamou o *laird*, e Margarida franziu a testa quando Douglas foi com passos pesados ouvir o que o homem dizia. Para sua surpresa, o velho escocês pegou o sujeito com firmeza pelo braço e o trouxe pelo cais, seguindo na direção dela. Alguns de seus seguidores pegaram as lâmpadas de volta, acendendo uma atrás da outra até poderem lançar luz sobre o assassino.

Margarida arfou e levou a mão à boca. O rosto de Derry Brewer estava envolto em tiras de pano imundas, tão grossas por causa do sangue seco que mudavam o formato da cabeça do espião. Ele a observava com um brilho no olhar, embora ela percebesse que Derry estava curvado por causa de algum ferimento mais profundo que o impedia de se manter ereto. Ele mancava a cada passo, e ela percebeu que o havia deixado no acampamento de Tadcaster, mais de trezentos quilômetros ao sul. Nesse momento, Margarida teve um vislumbre da determinação do espião-mor. Sentiu-se envergonhada pela bela recepção e pela ajuda que havia recebido, enquanto um homem ferido ia atrás dela.

— Boa noite, milady — saudou Derry Brewer. — *Eu* sou o sorridente com a faca sob a capa. Não sei quem era aquele outro pederasta.

— *Derry!* — exclamou Margarida, tão surpresa com sua aparência quanto com suas palavras.

— Sinto muito, milady. — Derry olhou para o corpo nas pedras e balançou a cabeça. — Era um dos meus. Eu o reivindicarei na morte, milady. Posso fazer isso por ele.

— Se era um dos seus, por que você...?

Margarida se interrompeu quando Derry levantou a cabeça, espiando-a por baixo do pano marrom. Ele levou uma das mãos ao estômago, e cada centímetro seu estava coberto de sujeira ou sangue.

— Ele comemoraria meu retorno, com certeza, e depois daria cabo de mim com uma dose de veneno, uma faca, uma queda da amurada. Ou o avaliei mal. Seja como for, aprendi a não lamentar o que não posso mudar. Estou de volta ao seu serviço, milady.

Derry cambaleou de leve e teria caído de joelhos se Douglas não o segurasse.

— Permitirá então que esse sujeito embarque, milady? — perguntou o escocês, a expressão cética.

— É claro, milorde Douglas. Seja lá o que ele tenha feito, Derry Brewer ainda é meu leal seguidor. Leve-o lá para baixo, por favor, para que seja lavado, alimentado e cuidado em um lugar quente. — Ela podia ver que a cabeça de Derry balançava, no extremo da exaustão e dos ferimentos não tratados.

Margarida esperou que os escoceses deixassem Derry aos cuidados de seus criados e desceu até a beira do cais. Ela encarou Douglas e Somerset de frente, aceitou suas reverências antes de se virar para o marido e ficou entre ele e o mar.

— Lorde Somerset o manterá a salvo, Henrique — avisou ela.

O rei baixou os olhos para ela, sorrindo gentilmente.

— Como quiser, Margarida — murmurou.

Não havia nada nos olhos de Henrique além de paz. Margarida tinha se perguntado se sentiria lágrimas nos seus, mas isso não aconteceu. Todas as batalhas estavam perdidas. A mão havia escrito "*Mene, Mene, Tequel, Ufarsim*" na parede, aquelas antigas palavras numa língua que ninguém conhecia. Nenhuma letra poderia ser removida, e todas as suas decisões tinham sido tomadas.

Sem mais palavras, ela caminhou até a embarcação, agarrada a um corrimão, enquanto os marinheiros soltavam as amarras e pulavam a bordo atrás de Margarida, ágeis como macacos. O vento e a maré levaram Margarida embora: para a França, para a propriedade de

Saumur de sua infância e para seu pai. Não tinha dúvidas de que a velha lesma zombaria de seu fracasso, mas ela havia chegado muito perto. Tinha sido rainha da Inglaterra, e dezenas de milhares lutaram e morreram em seu nome, por sua honra. Margarida ergueu a cabeça com orgulho outra vez ao pensar nisso, afastando o desespero enquanto o vento aumentava.

O filho Eduardo foi para o convés com os passos fazendo a madeira ranger assim que sentiu o movimento da embarcação e se inclinou por cima da amurada para observar a água escura formando um rastro de espuma, empolgado, chamando a mãe para ver também. A primavera estava a caminho, o que animou Margarida. Ela não se virou para olhar para os homens em pé no litoral, deixados para trás.

PARTE II

1464

Três anos depois de Towton

22

— Quem *é* essa mulher? — indagou o rei Luís da França, abanando-se por causa do ar quente e parado do palácio. — Para escrever com tanta frequência, para me importunar dessa maneira?

— Margarida de Anjou é sua prima em primeiro grau, Vossa Majestade — sussurrou o chanceler, inclinando-se à frente para falar perto do ouvido do rei.

Luís se virou para ele com uma expressão de desdém.

— Eu sei muito *bem* quem ela é, Lalonde! Minha exclamação é uma pergunta *théorique* ou *de rhétorique*, pois parece que nenhum de vocês é capaz de explicar o que devo fazer.

O boato na corte era de que o chanceler Albert Lalonde tinha pelo menos 80 anos, talvez 90; ninguém sabia ao certo. Ele andava e falava devagar, mas sua pele era surpreendentemente lisa, com rugas tão finas que não eram visíveis até que franzisse a testa ou sofresse dores nos dois molares que lhe restavam. Ele só admitia estar na sexta década, embora todos os seus companheiros de infância tivessem morrido havia muito. Alguns na corte diziam que a lembrança mais antiga do chanceler era ter avistado a arca de Noé. O rei Luís o tolerava pelas histórias que Lalonde conseguia recordar de seu pai quando menino e rapaz. Sem dúvida não era pela inteligência do chanceler.

O rei francês observou com fascínio o velho tensionar o maxilar sem nenhuma firmeza, irrequieto com o calor. Os lábios superior e inferior esfregavam-se um no outro com frouxidão extraordinária. Com alguma relutância, Luís desviou o olhar. Seis nobres cuidavam dele e juntos controlavam fortunas e um número imenso de soldados armados, caso houvesse necessidade. Ele esfregou a extensão do longo nariz, esfregando a ponta usando o indicador e o polegar enquanto pensava.

— O pai dela, duque Renato, não é um idiota, apesar de todas as pretensões fracassadas a Jerusalém e Nápoles. Ainda assim, não criticarei homem nenhum pela ambição. Por outro lado, isso significa que não devo supor que falte inteligência à filha. Ela sabe que prefiro não encontrar pretendentes para seu filho, um menino sem terras, sem título, sem um tostão! Não, minha preocupação maior é o *rei* Eduardo da Inglaterra. Por que eu apoiaria um príncipe mendicante da casa de Lancaster? Por que antagonizaria Eduardo Plantageneta no início de seu reinado? Ele ocupa os próximos anos, Lalonde. Ele manda seu amigo Warwick à minha corte para pedir uma princesa e oferece presentes e ilhas e me lisonjeia falando de cem anos de paz depois de cem anos de guerra. Apenas mentiras, é claro, mas mentiras tão, mas *tão* belas.

O rei se levantou do trono e começou a andar de um lado para o outro, com o leque o abanando outra vez. Os lordes e os criados recuaram às pressas para não o tocar por acaso e, talvez, perder a mão.

— Eu deveria mandar um rei desses para os braços de meus inimigos, Lalonde? Não duvido que o duque da Borgonha receberia bem seu interesse, ou o duque da Bretanha. Todos os meus duques rebeldes têm filhas ou irmãs solteiras. E lá está Eduardo, rei da Inglaterra e sem herdeiro.

O leque movia o ar lentamente, e ele enxugou o suor da testa com um pano de seda.

— A prima Margarida com certeza sabe disso tudo, e mesmo assim, Lalonde... e *mesmo assim* ela me faz esse pedido! Como se... — Ele tocou os lábios com o dedo, pressionando no centro. — Como se soubesse que Eduardo jamais será amigo desta corte. Como se eu *tivesse* de apoiá-la e que saberei que não há opção. É tudo muito estranho. Ela não implora, embora não haja favores devidos a ela nem recursos além de algumas pequenas rendas do pai. Ela só tem o filho a oferecer. — Luís se animou de repente, um sorriso passando por seu rosto. — É como uma aposta, Lalonde. Ela está dizendo: "Meu pequeno Eduardo é filho do rei Henrique da Inglaterra. Encontre uma esposa para ele, Luís... e talvez algum dia você seja pago." Pouca probabilidade de isso acontecer, Lalonde, hein?

O chanceler idoso o fitou com olhos semicerrados. Antes que fizesse algum comentário, Luís gesticulou com a mão no ar para demonstrar sua frustração.

— Ela aposta seu futuro em meu desagrado pelos reis ingleses. Sim, se eu tivesse umas dez irmãs ainda solteiras, talvez pensasse numa delas para dar ao filho dela, mas vi tantas morrerem, Lalonde. *Você* sabe. As gêmeas, pobre Isabela. E vi três filhos meus morrerem, Lalonde! Estendi os braços para sacudir os ombros de mais corpinhos do que um pai jamais deveria ver.

O rei parou de falar por um momento, fitando o outro lado do grande salão vazio do palácio. Todos os homens e mulheres presentes ficaram imóveis para não interromper o encadeamento de suas ideias. Depois de um longo tempo, ele pigarreou e tremeu.

— Chega dessas coisas. Minha mente me fustiga com antigas tristezas. Está quente demais. Não. Milady Margarida ficará desapontada, Lalonde. Esboce uma resposta expressando desculpas eternas. Ofereça-lhe uma pequena pensão. Talvez assim ela pare de me importunar.

Em resposta, o chanceler se curvou sobre a bengala.

— Quanto ao rei Eduardo Plantageneta, que roubou a coroa de outro primo meu... *mon Dieu*, Lalonde. Devo dar minha filha Anne quando crescer a um lobo daqueles? Devo lançar minha querida cordeirinha a um inglês gigante e rude? Quando meu pai deu uma irmã aos ingleses, o rei Henrique deles decidiu que era rei da França! Eu me lembro de quando os ingleses ainda pisavam em cidades e aldeias francesas, Lalonde... e as consideravam suas. Se eu honrar esse rei Eduardo com minha menininha, quanto tempo demorará até que as trompas voltem a soar? Caso contrário, quanto tempo demorará até a Borgonha e a Bretanha tocarem suas trompas de guerra? É muito aborrecimento.

Para sua surpresa, o chanceler Lalonde respondeu.

— Os ingleses sangraram quase até a morte, Vossa Majestade, na batalha que chamam de Campo de York ou Towton. Eles não ameaçarão a França outra vez, não enquanto eu for vivo.

Luís olhou para o homem com dubiedade.

— Sim, mas teremos sorte se você sobreviver a mais um inverno, Lalonde. E esse Eduardo é filho de York. Eu me lembro do pai, antes que esse filhote enorme nascesse. O duque Ricardo era... impressionante: cruel e esperto. Meu pai gostava dele, tanto quanto gostava de todo mundo. Não posso transformar em inimigo esse filho gigante que triunfou contra trinta mil no campo de batalha! Não, tomei minha decisão. Nenhuma das minhas irmãs permanece solteira. Minha filha tem 3 anos e, é claro, a recém-nascida, que Deus permita que viva. Eu poderia lhe prometer Anne quando ela tiver 14 anos, daqui a onze. Que ele esfrie seu ardor por uma década! Que se prove como rei antes que eu mande outra filha da França para o outro lado do mar.

— Vossa Majestade... — começou Lalonde. Luís ergueu a mão.

— *Sim.* Eu *sei* que ele não esperará. Você não entende um devaneio, chanceler Lalonde? Será que compreende o humor? Ou é a surdez? Mandarei uma delegação de nobres e belos pássaros encontrar o rei Eduardo, com espiões, escribas e pombos prontos para trazer notícias para mim. Eles sugerirão minha filha, talvez, mas ele vai se opor, recusar! Impossível esperar tanto tempo sem herdeiros! Então lhe ofereceremos Bona, minha cunhada viúva, ou alguma das sobrinhas que se reúnem no Natal e imploram presentes vindos de minha mão. Ele aceitará, e talvez impeçamos que o gigante traga um exército através daquele mar de lágrimas que eles chamam de canal Inglês. Entende agora, Lalonde? Preciso me explicar outra vez?

— Uma vez... basta, neste calor — respondeu o velho, os olhos frios.

O rei Luís deu uma risadinha.

— Espírito! Em alguém tão antigo! *Incroyable*, monsieur. Bravo! Talvez você devesse fazer parte dessa delegação, que tal? Para encontrar o rei em Londres. Não, não me agradeça, Lalonde. Simplesmente saia daqui e vá se preparar. Imediatamente.

O verão parecia ter durado uma vida inteira, como se nunca tivesse havido um inverno antes. O reino todo assava, murchando e ficando mais mole a cada dia que nascia com nova promessa de calor. As paredes internas do Castelo de Windsor permaneciam um tanto mais frescas, todos aqueles metros de pedra à prova até dos dias mais quentes. Enquanto Warwick observava, o rei Eduardo comprimia a testa na lisa pedra calcária e fechava os olhos.

— Eduardo, até você ter um *herdeiro*, nada será permanente! — exclamou Warwick, exasperado. — Se você sofrer uma apoplexia depois de um de seus banquetes, ou se um corte apodrecer e azedar seu sangue... — Ele reuniu coragem para dizer as palavras ao homem enorme que olhava furioso pela janela. — Se você *morresse*, Eduardo, com a situação que temos, o que acha que iria acontecer? Você não tem filhos, e seus irmãos são jovens demais para herdar. George tem o quê? 14? Ricardo só tem 11. Teria de haver um regente. Quanto tempo até Margarida, Henrique e o *filho* deles porem os pés na Inglaterra mais uma vez? Não faz tanto tempo que todas as famílias do reino perderam alguém em Towton, Eduardo. Quer ver o caos retornar?

— Tudo isso é loucura. Eu *não vou* morrer — disse o rei ao se virar. — A menos, é claro, que você possa usar a língua para açoitar um homem até a morte — continuou, meio que para si. — Como está Ricardo agora? Ele se instalou em Middleham?

— Está vendo? É por isso que nunca sei o que você *dirá*! — reclamou Warwick, erguendo as mãos, exasperado. — Num só fôlego você consegue recusar todos os bons conselhos e depois me lembrar de que deixou um irmão sob meus cuidados! Se confia em mim, deveria me dar ouvidos!

— Eu *dou* ouvidos — declarou Eduardo. — Mas acho que você se preocupa demais. O pior não vai acontecer! Quanto ao meu irmão

Ricardo, ele tem mais ou menos a idade que eu tinha quando fui para Calais com você. Naquela época, você foi um bom professor, e não esqueci como eu o admirava. Pensei um pouco em mandá-lo para a guarnição de lá, mas ele é... bom, mais delicado do que eu com a mesma idade. Minha mãe o mimou, tenho certeza. Ele precisa de trabalho com a espada e horas com um machado todos os dias. Você saberá o que fazer, assim como fez comigo.

Warwick suspirou, irritado com o papel que era forçado a desempenhar, uma combinação de irmão mais velho, padrasto e chanceler, o que fazia com que não tivesse poder nenhum sobre o jovem rei cabeça-dura. A princípio, ele havia considerado uma grande honra quando Eduardo tinha passado o irmão mais novo para seus cuidados. Era bastante comum permitir que rapazolas chegassem à idade adulta longe da família. Isso os enrijecia e permitia que cometessem seus últimos erros infantis longe daqueles que ficariam desapontados. Também construía alianças, e Warwick ficou satisfeito quando Eduardo achou que ele era merecedor. Nada disso obscurecia o vazio total do papel de Warwick como companheiro do rei.

Isso não havia importado muito nos dois ou três primeiros anos, em que ele e Eduardo combateram as rebeliões dos Lancasters no norte. Tinha sido um período inebriante, com pequenas batalhas e corridas pela terra para capturar espiões e traidores. Em consequência, centenas de grandes casas e títulos estavam sem ocupantes, com seus donos ainda foragidos da justiça, pendurados em árvores ou espetados na Ponte de Londres. Eduardo tinha sentido imensa satisfação em desonrar as casas nobres que apoiaram a casa de Lancaster, removendo delas tanto os títulos quanto a riqueza de suas terras. Ele e Warwick foram impiedosos, sem dúvida, mas tinham suas razões.

Havia sido um trabalho empolgante e perigoso enquanto durou, mas então o reino se aquietou e não houve nenhuma rebelião durante um verão inteiro, nem mesmo um solar incendiado nem notícias de levantes em nome do rei Henrique. Foram aqueles meses de ar pesado e encharcados de suor que deixaram Eduardo arranhando todas as portas, louco para ir à caça. Ele sempre ficava mais contente no frio, quando podia se envolver em peles. Não havia alívio para o calor do verão, que furtava até sua enorme força e o deixava fraco como Sansão privado de seu cabelo.

Warwick o observou, perguntando-se qual seria a causa de sua inquietude. Uma suspeita lhe veio à mente e ele resolveu falar.

— Eduardo, você sabe que, desde Towton, não estamos ainda fortes a ponto de pensar em atravessar o canal, por mais que você queira. Não temos exército para isso.

— Eles eram apenas seis mil em Azincourt — retorquiu Eduardo, com raiva por ter seus pensamentos lidos. — Cinco mil eram arqueiros.

— E aquele exército foi comandado por um rei que *já* havia gerado seu filho e herdeiro! — exclamou Warwick. — Eduardo, você tem 22 anos e é rei da Inglaterra. Há tempo para todas as campanhas que quiser nos próximos anos, mas, por favor, garanta seus herdeiros primeiro. Não há uma princesa viva que não consideraria sua pretensão.

Warwick parou um instante, sabendo que Eduardo fitava o terreno de Windsor. Ele não duvidava de que o rapaz pensava em largar seus deveres e sumir por uma semana ou duas, e voltar fedendo a sangue e suor, como se não tivesse outras responsabilidades. Não era preciso mais que um boato de algum animal selvagem ameaçando um rebanho ou uma aldeia para Eduardo reunir seus cavaleiros e tocar a trompa de caça.

Warwick sentiu que perdia o interesse e a atenção do rei quando o olhar de Eduardo se aguçou e ele se inclinou para se aproximar mais da vidraça, a respiração deixando-a enevoada. Era possível ver o Tâmisa da torre. Sem dúvida, Eduardo tinha visto patos pousando. Quando não era a caça com cães, era a falcoaria que deixava o jovem rei obcecado. Ele parecia ter talento para aquilo, ou assim se dizia nas estrebarias reais. Algo nas aves de rapina selvagens fazia com que Eduardo ficasse de bom humor, e nada o deixava mais feliz do que cavalgar com seu grande falcão-gerifalte no braço ou voltar com algumas fiadas de pombos ou patos no ombro.

— Vossa Alteza? — chamou Warwick baixinho.

Eduardo se afastou do vidro ao ouvir seu título. Com a longa associação, eles adotaram o uso do primeiro nome. Eduardo sabia que Warwick só usava uma das formas de tratamento real quando achava que algo era realmente importante. Ele fez que sim, em pé, as mãos cruzadas nas costas, se perguntando se deveria dar voz ao que realmente o incomodava. Pela primeira vez na vida, Eduardo estava sem graça.

— Esse rei francês Luís é primo-irmão de Margarida — continuou Warwick, sem perceber a luta interna do homem diante dele. — No exílio, ela poderia ter lhe pedido terras ou títulos, mas em vez disso ela o procura para combinar o casamento do filho. Dizem que o rei Luís é inteligente, Eduardo. Não posso dizer que tenha sentido algum entusiasmo dele ao considerar nossa solicitação. Mas sei que qualquer união do menino de Margarida com o trono francês seria perigosa.

— Nada disso importaria se o marido simplório de Margarida não tivesse perdido a França! — retorquiu Eduardo.

Warwick deu de ombros.

— Isso ficou no passado. Mas, se permitirmos que o filho dela se case com uma princesa francesa, algum dia ele poderia ser rei da França e depois reivindicar a Inglaterra como seu direito de nascença. Vê o perigo agora? Entende por que passei dois anos lisonjeando o rei Luís e a corte francesa, mandando presentes em seu nome? Vê por que ofereci banquetes a vários embaixadores deles e os diverti em minhas propriedades?

— Sim, entendo. Mas você me dirá de qualquer modo — respondeu Eduardo, voltando mais uma vez à janela com expressão taciturna.

A boca de Warwick se apertou com o antigo surto de raiva causado pelo sentimento de impotência. Ele tinha certeza absoluta de qual era o melhor caminho, mas era completamente incapaz de impô-lo a um homem que era seu superior em armas e condição social. Eduardo não era idiota, disse Warwick com seus botões. Era apenas tão cabeça-dura, implacável e autocentrado quanto os falcões com que caçava.

O conde Sir João Neville tinha razões para estar satisfeito com a vida. Depois de Towton, o rei Eduardo o havia incluído na Ordem da Jarreteira, tornando-o um dos integrantes de um grupo seleto de cavaleiros que sempre tinham acesso ao rei e eram ouvidos. O lugar na ordem tinha pertencido ao seu pai, e João sentiu um orgulho imenso de poder pôr em seu escudo o dístico da Ordem: "HONI SOIT QUI MAL Y PENSE" — "Que o mal recaia sobre quem pensa o mal." Havia sido uma grande honra, que empalidecia diante de se tornar lorde do Castelo de Alnwick.

O antigo conde de Northumberland havia sido rei de um dos sete reinos antes que Æthelstan unisse todos e formasse a Inglaterra. Era uma das maiores propriedades do reino, e tinha sido passada à família Neville depois da linhagem dos Percys. Não havia nenhum outro título que pudesse significar tanto para um homem que havia lutado contra pai e filhos Percy. João Neville tinha sobrevivido a um ataque Percy ao seu próprio casamento. Tinha visto o velho conde Percy morrer em St. Albans. Um a um, os lordes do norte caíram. Era uma alegria constante saber que o último herdeiro definhava na Torre de Londres, enquanto um Neville percorria as ameias de Alnwick e usava suas criadas para se divertir.

Ele havia sido cruel com os servos, era verdade, separando aqueles nos quais não confiava e deixando-os passar fome sem trabalho. Era sempre difícil quando um lorde novo substituía uma linhagem antiga. Difícil, mas representava a vitória de um sangue melhor, em sua humilde opinião.

Em troca dessa generosidade, o novo conde de Northumberland tinha cavalgado e trabalhado três anos para eliminar todos os últimos esconderijos de apoio lancastriano. Ele foi diretamente responsável pela execução de mais de cem homens, e descobriu que gostava do serviço. Com sua tropa de sessenta homens de armas veteranos, João Neville seguia boatos e pagava informantes, como imaginava que Derry Brewer havia feito antes dele.

Esse era um homem que gostaria de rever. A letra "T" que Brewer havia talhado nas costas de sua mão tinha formado uma cicatriz grossa e rosada. O corte tinha sido tão profundo, que João Neville achava difícil segurar uma faca para comer, e seus dedos podiam ser abertos com o mais leve dos golpes. Ainda assim, por tudo que lhe fora tirado ele havia recebido mais. Ele não avaliava o custo de sua boa sorte.

Lorde Somerset havia perdido a cabeça, estirado num toco de árvore, arrancado do porão onde se escondia de homens leais a York. João Neville sorriu com a lembrança da fúria selvagem do duque. Era extraordinário que aqueles lordes e cavaleiros de Lancaster se enfiassem na terra para se esconder de seu justo destino. Sir William Tailboys tinha sido pego numa mina de carvão e arrastado para fora tossindo, negro de poeira. Dezenas foram rastreados e encontrados ou traídos em troca de dinheiro ou vingança. Seu trabalho o absorveu, e ele sabia que lamentaria o dia em que terminasse. A paz nunca trouxe a João Neville as satisfações e as recompensas da guerra.

Seu único arrependimento foi ter chegado tão perto de pegar o próprio rei Henrique. João tinha certeza de que o rei ainda estava na Inglaterra. Havia rumores de que tinha sido visto em alguns lugares ao norte, principalmente perto de Lancashire. João Neville e seus homens encontraram um gorro com um escudo de Lancaster num castelo abandonado, apenas duas semanas antes. Ele quase conseguia sentir que os rastros ficavam mais recentes e que os homens que escondiam o rei se desesperavam cada vez mais conforme ele se aproximava, seguindo todos os cheiros e sussurros. Poderia ter deixado essa última tarefa a outros, mas queria estar lá no fim. A verdade era que gostava mais de caçar homens que veados, lobos ou javalis. Havia mais diversão naqueles que entendiam o que estava em jogo e lutavam com a mesma facilidade com que fugiam.

O conde mantinha sua empolgação sob estrito controle enquanto seguia o caminho acidentado pela floresta de Clitheroe. Fazia sentido que o rei Henrique estivesse em maior segurança em Lancashire. O nome de sua família vinha da antiga fortaleza de Lancaster no noroeste, um dos maiores castelos da Inglaterra. Lancashire era a pátria de Henrique, talvez mais que todos os outros lugares. Mesmo assim, a família Tempest o havia traído, se por lealdade a York ou pelas promessas de recompensa posterior, João Neville não sabia nem queria saber.

Quando ele chegou ao solar dos Tempests, o rei Henrique tinha sido retirado de seus aposentos. Três acompanhantes do rei escaparam com ele: dois capelães e um escudeiro. Até onde poderiam ter viajado num único dia, se os filhos dos Tempests tivessem falado a verdade? João Neville tinha homens bastante eficientes em seguir os passos de alguém, homens do xerife, acostumados a rastrear criminosos fugitivos. Mesmo nas estradas acidentadas, endurecidas pelo calor do verão, eles não demoravam a identificar um rastro entre todos os outros. Um grupo de quatro, com apenas um a cavalo. Não poderia haver muitos grupos desse tipo.

O conde de Northumberland ergueu o olhar quando sombras verdes se deslocaram por seu rosto. Ele não gostava de mata fechada, onde bandoleiros e traidores se escondiam. Era um homem que preferia o espaço aberto onde o vento pudesse uivar. Ajustava-se bem a Northumberland, com suas vastidões e vales e morros escarpados que mexiam com sua alma. Mas tinha de seguir por onde os rastros o levavam; era esse o seu dever.

Ele murmurou ordens em voz baixa, trazendo à frente oito besteiros e seis outros homens em boa armadura para perto de si, embora fosse difícil ir mais depressa do que a passo entre as sarças e as samambaias. Conforme a luz desaparecia e o ambiente era coberto pelas trevas, João Neville mandou seus dois melhores rastreadores avançar bem à frente, dois irmãos de Suffolk que não sabiam ler nem escrever e raramente falavam, mesmo entre si. Eles farejavam o ar como sabujos pelo caminho e pareciam conhecer todos os truques das presas, morenos e rudes como eram. À noite, dormiam enrolados, um nos braços do outro, e, na verdade, seu senhor desconfiava de alguma intimidade imunda entre eles. Açoitá-los não causava nenhum efeito, porque meramente suportavam o castigo e fitavam com ressentimento, inúteis para trabalhar nos dias a seguir.

Os irmãos sumiram no verde à frente, enquanto seus caçadores cortavam e arrancavam a folhagem. Havia trilhas de animais em alguns lugares, formadas por veados ou raposas com o passar dos anos. Eram estreitas demais para cavaleiros de armadura, e o avanço era lento e irritante, como se a própria floresta tentasse impedir seu progresso. João Neville trincou os dentes de raiva. Se assim fosse, se as próprias árvores quisessem que ele partisse, *mesmo assim* ele prosseguiria e cumpriria seu dever para com o rei Eduardo, que o havia elevado além de seus sonhos mais loucos e tinha respondido a todas as suas orações.

Seu pé ficou preso em alguma trepadeira espinhosa. Murmurando uma praga, ele o puxou. À frente, ouviu uma coruja piar e sua cabeça se ergueu de repente. Os rapazes de Suffolk faziam esse som quando viam alguma coisa e não queriam fazê-la sair correndo. João Neville usou a adaga para soltar a bota. Não pôde evitar o barulho das folhas secas, embora não estivessem caçando veados, que, com certeza, sumiriam na mesma hora. Seus homens cortaram os piores arbustos, e ele avançou até avistar os dois rapazes imundos deitados no chão, olhando o declive.

O lorde Neville escutou um rio mais além e apeou, rastejando o mais silenciosamente possível. Os dois rapazes de Suffolk se viraram para sorrir para ele, embora só tivessem alguns dentes no total, e estavam podres. Ele os ignorou e espiou através das folhas de uma bétula agarrada à encosta, com suas raízes meio expostas. O tronco estremeceu quando ele se apoiou, fraco, prestes a cair a qualquer momento.

A menos de quarenta metros, o rei Henrique da Inglaterra atravessava o rio, pisando de uma pedra para outra com um homem à frente e outro atrás dele, segurando seus braços estendidos para o caso de ele cair. O rei sorria de prazer com a luz do sol na água e o próprio rio largo, com trutas castanhas que apareciam entre as pedras e disparavam em fuga. Enquanto João Neville observava espantado, o rei Henrique apontou com assombro para uma delas, que passou debaixo dele.

João Neville se levantou e saiu da folhagem. Chegou à água e não hesitou: entrou na corrente com grandes passos, fazendo voar uma cortina de respingos. O rio rápido mal chegava aos seus joelhos, e ele mantinha os olhos no rei e em seus ajudantes.

Um deles baixou a mão para uma adaga no cinto. O lorde Neville lhe deu uma olhada e tocou a espada no quadril com significado inconfundível. O escudeiro deixou a mão cair e ali ficou, como um cão espancado, miserável e temeroso. João Neville agarrou o rei Henrique pelo alto do braço, fazendo-o gritar de surpresa e dor.

— Ponho minhas mãos sobre o senhor, Henrique de Lancaster. Agora virá comigo.

Por um instante, João Neville lançou um olhar furioso aos dois capelães. Eles viram homens armados se espalharem ao longo das margens do rio e estavam muito longe da estrada e da lei. Sabiam muito bem que suas vidas nada valiam naquele momento. Ambos fizeram o sinal da cruz e rezaram numa torrente de latim sussurrado. Ficaram de cabeça baixa, sem ousar erguer os olhos.

João Neville soltou um som de nojo e puxou Henrique com ele pela água rasa, quase arrastando o rei de volta à margem.

— Esta é a terceira vez que o senhor foi capturado — comentou lorde Neville enquanto puxava Henrique pelo aclive lamacento.

O rei parecia totalmente confuso, a ponto de chorar. Com um rosnado súbito, seu captor lhe deu um tapa forte no rosto. Henrique olhou para ele com assombro e horror, a consciência se aguçando, de modo que a vida voltou aos seus olhos.

— Por que você me bateu? Criminoso! Como ousa...? Onde está o escudeiro Evenson? O padre Geoffrey? O padre Elias?

Ninguém lhe respondeu, embora ele repetisse os nomes várias vezes em seu medo. Um dos homens de armas Neville o ajudou a montar e depois amarrou seus pés aos estribos, para que não caísse. Levaram seu cavalo pelo caminho que tinham aberto na floresta verde até chegarem ao fim das árvores e verem a estrada à frente.

23

Warwick franziu a testa e balançou a cabeça para os dois criados que tentavam chamar sua atenção. Ambos tinham potencial de envergonhá-lo, e era por isso que havia sido tão rígido em suas instruções antes de levá-los a Londres. Vestiam libré branca e vermelho-escura, as cores de sua casa. O mais velho era Henrique Percy, último filho da linhagem de condes de Northumberland. O menino tinha perdido o pai, o avô e o tio na guerra, antes que toda a sua família fosse desonrada e o título que poderia ser herdado, passado a outros. A verdade era que, ao retornar de Towton, Ricardo Neville viu que não teria coragem de abandonar um rapaz choroso de 14 anos na Torre de Londres. O garoto Percy havia ficado ridiculamente agradecido e desde então lhe servia de escudeiro, pronto a atender ao seu chamado.

O óbvio a fazer foi pôr o menino para treinar com Ricardo, duque de Gloucester, ainda jovem demais para seu título. Warwick se viu suando enquanto tentava não olhar para o rapaz mais novo se inclinando para chamar sua atenção. Ambos prendiam o riso, os olhos brilhantes. Warwick oscilava entre a irritação e a indulgência com suas travessuras. Os dois jovens barulhentos provocaram surtos de caos extraordinários no Castelo de Middleham. Eles regularmente acordavam a casa com seus gritos. Em certa ocasião, tiveram de ser convencidos a descer da parte mais alta do telhado, onde tentaram encenar uma luta com espadas e quase caíram para a morte certa. Comiam quantidades prodigiosas de comida e atormentavam as criadas com raposas capturadas e besouros chifrudos trazidos da floresta. Mesmo assim, Warwick não se arrependia do impulso de se tornar tutor dos dois. Ele não tinha filhos. Quando estava em casa e a paz de Middleham era interrompida pela barulheira dos dois garotos, ele se sentia pensativo e um pouco triste. Então sua mãe ou sua esposa percebia seu olhar e lhe dava um abraço choroso, rindo ao mesmo tempo. Em seguida, elas interrogavam os meninos e usavam a vara no que tivesse provocado a destruição do dia.

Cercado pela delegação da corte francesa, Warwick ignorou os dois rapazes que se agitavam como pardais nos arredores. O que quer que fosse, sem dúvida poderia esperar, e estava na hora de eles aprenderem a ter um pouco de paciência. Ele lhes deu as costas.

Ao sentir outros olhos sobre si, ele se curvou por cima da taça de vinho diante do líder do grupo, o embaixador Lalonde. O homem era um ancião que se apoiava numa bengala de prata, com os ombros curvados, embora não fosse isso que mantinha Warwick absorto e fascinado. De tempos em tempos, o velho passava o vinho a um criado pessoal, pegava um pote de algum unguento numa bolsa à cintura, mergulhava o dedo e o passava numa linha de dentes amarelo-claros que se destacava na boca. Warwick não conseguia decidir se eram dentes de verdade tirados de mortos, como tinha ouvido dizer, ou esculpidos em marfim, com alguma madeira escura moldada, furada e presa com arame para sustentá-los. O resultado era extraordinário, e os dentes deslizavam e faziam barulho quando o embaixador falava, de modo que seu francês já arcaico se tornava incompreensível.

Warwick só podia esperar e observar o velho untar os dentes postiços até ficar satisfeito, de modo que os lábios deslizassem outra vez com suavidade pela superfície. Enquanto o criado do embaixador lhe devolvia a bebida, Warwick se espantou ao sentir um toque no braço. Ele se virou e viu Henrique Percy ali de pé, o rosto muito corado. Com o grupo francês observando cada movimento seu, Warwick só pôde sorrir, como se tivesse pedido para ser interrompido.

— Isso é importante? Hein?

O rapaz baixou a cabeça, claramente nervoso na companhia daqueles estranhos. Warwick relaxou um pouquinho. Ocorreu-lhe que seus hóspedes franceses não esperariam que um criado comum falasse sua língua. Mas o herdeiro Percy havia sido criado por um tutor francês e era fluente no idioma. Ele pensou em deixar o rapaz perto do embaixador para ouvir sua conversa particular. Por enquanto, contudo, via que algo fazia o rapaz explodir de vontade de falar. Warwick pegou Percy pelo braço e começou a conduzi-lo ao outro lado da sala. Enquanto andava, viu dois homens do grupo francês se curvarem para falar com seus criados, que estavam sem fôlego, e logo um terceiro veio correndo e se curvou diante de seu senhor.

Alguma coisa estava acontecendo. Warwick nunca havia duvidado de que alguns criados franceses eram espiões ou informantes, além daqueles que sabiam fazer esboços de rostos e do leito de um rio. Toda delegação da França era assim, exatamente como acontecia quando a Inglaterra mandava homens ao outro lado do canal para eventos formais.

O embaixador Lalonde ignorou os dentes para observar o progresso dos criados franceses. Warwick segurou o braço do garoto com mais força e o levou até onde Ricardo de Gloucester aguardava junto à porta aberta do salão, longe dos ouvidos franceses mais próximos.

— O que foi? — sibilou Warwick. — Vamos, *um* de vocês. Rápido agora!

— Seu irmão, milorde — começou Henrique Percy. — O conde Sir João. Ele está com o rei sob custódia na Catedral de São Paulo, em Ludgate.

— Que loucura é essa? Por que meu irmão...? Espere... o rei Henrique?

— Prisioneiro — completou Gloucester, a voz aguda. — O mensageiro de seu irmão veio correndo e dissemos que traríamos a notícia. Ele está esperando lá fora.

— Entendo. Então vocês dois agiram bem — elogiou Warwick.

Ele teve de se esforçar para manter a expressão vazia sob o escrutínio de todos aqueles que fingiam não o observar. Olhou para o embaixador francês e para os trinta e seis homens que chegaram havia apenas duas manhãs. O rei Eduardo deveria estar entre eles ao meio-dia para cumprimentá-los e lhes mostrar que macho belo e saudável era, sem marcas, sem cicatrizes e com esperança de reinar na Inglaterra durante meio século. Tudo encontraria seu caminho até as róseas orelhas do rei francês.

— Diga ao mensageiro de meu irmão que já vou — pediu Warwick, mandando embora o irmão mais novo de Eduardo com um empurrão.

O menino Percy foi atrás quando Warwick o enxotou, distraído. Podia ver que a notícia se espalhava pelo grupo. Não havia nada que pudesse fazer além de manter todos eles naquele salão.

— Milordes, *cavalheiros* — chamou Warwick, com sua melhor voz de comando. O silêncio se fez e todos se viraram para ele, alguns desconfiados, outros com meticuloso desinteresse. — Sinto muito, mas me chamam. Devo auxiliar Sua Majestade o rei Eduardo durante uma hora, talvez menos.

Warwick estalou os dedos para três criados e lhes murmurou instruções rápidas antes de erguer a voz outra vez.

— Por favor, continuem apreciando os frios e esse belo clarete. Mais será trazido. Esses criados ficarão honrados em lhes mostrar a câmara onde se reúne nosso Parlamento e talvez... o rio...

Ele perdeu a inspiração, então fez uma profunda reverência para o embaixador Lalonde e se virou para sair. Warwick parou mais uma vez à porta para avisar ao mestre de armas que não deixasse ninguém sair. Enquanto corria, ouviu o começo de uma discussão furiosa quando os criados franceses descobriram que não teriam permissão de segui-lo.

O cavalo de Warwick ainda estava com os adornos que a criadagem havia colocado nele para receber os franceses, com uma espécie de capuz vermelho e dourado que se estendia até o pescoço, deixando de fora apenas os olhos do animal. O cavalo não gostava da vestimenta e bufava constantemente, sacudindo a cabeça, irritado, enquanto cavalgava pelo caminho do rio até a cidade propriamente dita. Em resposta, pôs a montaria a galope, lançando torrões de terra para o alto e afastando mães e crianças enquanto avançava, fazendo-as gritar de raiva ou uivar de alegria com sua passagem.

Quando chegou à ponte de pedra sobre o rio Fleet e viu Ludgate aberto à sua frente, Warwick estava com respingos de lama dos pés à cabeça. Ficou satisfeito ao ver que a tropa de caçadores do irmão ainda não havia entrado na cidade, aparentemente se contentando em esperá-lo.

A certa distância, Warwick reconheceu a capa escura que o irmão João usava sobre a armadura prateada, assim como a figura esguia e curvada ao lado dele. Warwick notou também o orgulho do irmão, impossível de não ser percebido na postura do peito e dos ombros.

Warwick pôs o cavalo a passo e se aproximou da tropa, com os homens rijos de João Neville abrindo caminho para ele. Sabia que a fama deles era merecida, mas, se tinham esperança de deixá-lo nervoso com olhares frios, ele só tinha olhos para o rei.

Henrique não tinha sido bem tratado, isso era evidente. Seus pés estavam amarrados aos estribos, e a sela de couro estava escura de urina. Henrique oscilava levemente, os olhos vazios quando Warwick se aproximou. Um dos homens segurava as rédeas do cavalo, mas o pobre rei não parecia em condições de escapar, isso Warwick podia ver. Henrique mal estava consciente, além de magérrimo e desgrenhado.

Era difícil odiar um homem daqueles, percebeu Warwick. Em certo sentido, a fraqueza de Henrique tinha causado a morte do pai de Warwick, mas, se esperava sentir raiva do rei, todos os vestígios do sentimento tinham se esvaído nos anos decorridos desde Towton. O rei havia sofrido tanto quanto todos, se é que ele chegava a entender o que era sofrimento. Warwick suspirou, sentindo-se vazio. Seu irmão João aguardava congratulações, mas ele não estava feliz com aquilo. De certa forma, Henrique era inocente. Havia pouca satisfação em capturar um homem daqueles, mesmo que fosse o cerne da causa lancastriana.

— Passe-o para minha custódia, irmão — ordenou Warwick.
— Ele não fugirá de mim. Eu o levarei à Torre.

Para sua surpresa, seu irmão fechou o rosto. João Neville puxou as rédeas, fazendo o cavalo dar um passo atrás e outro à frente, enquanto o animal se remexia e relinchava.

— Ele é meu prisioneiro, Ricardo. Não seu. Quer para você o louvor que conquistei? — Ele viu Warwick enrubescer de raiva e voltou a falar. — Você não o caçou por charcos e charnecas, Ricardo! Não teve de subornar ninguém nem ouviu dezenas de plebeus que pediram algumas moedas para passar informações sobre ele. Ele é meu. Pela memória de nosso pai.

Warwick sabia muito bem que o irmão mais novo tinha dezenas de veteranos em volta para cumprir suas ordens. Não havia como tomar Henrique à força, embora Warwick estivesse se sentindo furioso pela falta de gratidão e pelo pressuposto de algum truque vil. Ele havia feito mais do que ninguém para que João Neville subisse das fileiras dos cavaleiros para a nobreza. Seu irmão lhe devia pelos títulos e pelas propriedades. Warwick tinha imaginado que isso fosse compreendido e apreciado. Em vez disso, o Neville mais jovem agia como se não houvesse nenhuma dívida entre eles. Mesmo assim, Henrique não podia ser arrancado dele, não com tantos bandoleiros de armadura em volta.

— Irmão, não vou impor minha condição a você... — começou Warwick.

— E nem *poderia*! Então você é duque? Ou somos ambos condes? *Irmão*, não pensei que veria essa arrogância em você! Chamei-o primeiro porque esta é uma causa Neville, e...

— E sou o *líder* da casa e do clã Neville — interrompeu Warwick. — Como nosso pai antes de mim. E sou eu o homem que pediu para que você se tornasse conde de Northumberland quando o rei Eduardo me perguntou como poderia recompensar minha família. Não ponha à prova minha boa vontade, João. Não busco ganhos, mas levarei Henrique à torre, como fiz com o herdeiro de 14 anos da família Percy para permanecer numa cela enquanto você goza das terras que eram dele.

Talvez não fosse o momento de revelar que ele tinha dado um novo nome ao rapaz e o havia posto a seu serviço. Warwick não estava acima de manipular o irmão quando a necessidade era grande. Como no caso do rei Eduardo: quando os que estivessem ao redor não conseguissem ver a melhor opção, seria tarefa de Warwick dar um jeito de curvá-los a sua vontade. Não lhe importava se com lisonjas, força ou persuasão, desde que seguissem seu caminho.

O conde Sir João Neville sentiu um músculo se contrair no canto da boca enquanto, desapontado, fitava o irmão mais velho. Ele havia adorado Warwick na infância, quando nenhum dos dois conhecia títulos e propriedades. Quando rapaz, João tinha alimentado um ressentimento invejoso pelo casamento extraordinário do irmão mais velho. Num único gesto grandioso, Ricardo Neville tinha herdado honrarias e terras suficientes para se sentar às mesas mais elevadas da Inglaterra. Com isso, Warwick havia se tornado companheiro íntimo do pai e partidário fundamental da casa de York, e os três determinaram o rumo da guerra. Enquanto isso, João Neville não passava de um simples cavaleiro, nem sequer era membro de uma ordem grandiosa como a Ordem da Jarreteira. A morte do pai o tornara lorde Montacute; Towton e a generosidade do rei o tornaram conde. Ele sabia que o irmão Ricardo havia crescido com seus títulos, usando o poder como uma capa velha e confortável. O conde de Warwick intimidava com sua confiança mesmo ali, mesmo cercado pelos homens de João.

O Neville mais jovem se perguntou se algum dia usaria a autoridade com tanta leveza. Fez uma expressão de desagrado e balançou a cabeça. Ele era o conde de Northumberland e um companheiro do rei. Com o tempo, se acostumaria com essa capa, sem nada a provar a ninguém, e com certeza não ao irmão. Mesmo assim, sentiu uma pontada ao pensar em entregar Henrique. Apesar de João Neville dizer a si mesmo que o homem não era mais rei, era difícil não olhar para ele com assombro. João ainda sentia na mão o lugar que tinha batido no rosto de Henrique. Pensar nisso aprofundou seu rubor, por saber como Warwick reagiria se soubesse.

Warwick esperou uma eternidade enquanto o irmão o fitava em silêncio. Ricardo Neville sabia quando segurar seus argumentos. Deixou o irmão mais novo recordar as dívidas que tinha. Warwick podia ver a raiva tremular ali dentro e não a compreendia, depois de tudo o que havia feito por João. Ele supunha que o sentimento constante de gratidão seria cansativo, mas isso não significava que não fosse merecido. Na verdade, o irmão não representava metade do homem que ele era. Warwick esperava que João Neville soubesse disso.

— Tudo bem — concluiu João com a voz rouca. — Entrego Henrique de Lancaster a sua custódia. Vou lhe deixar alguns de meus homens para assegurar a passagem a salvo pela cidade até a Torre. A multidão vai se reunir quando passarem, assim que ele for visto.

Warwick baixou a cabeça, comovido e contente com a maneira como João Neville havia amadurecido. Ele ainda era um rapaz muito irritadiço, mas tinha presenciado a execução de vários cavaleiros, capitães e lordes Lancaster. Talvez todo aquele sangue tivesse esfriado só um pouquinho o desejo de vingança de João. Assim esperava Warwick.

Henrique não resistiu quando Warwick tomou as rédeas do homem que as segurava e conduziu o cavalo através de Ludgate até o interior da cidade de Londres. A Catedral de São Paulo, maciça e sólida, assomava acima das ruas, com as vozes do coro cantando suavemente lá dentro.

Na escuridão, a Torre de Londres era um lugar assustador. O portão principal era iluminado apenas por dois pequenos braseiros sobre mastros de ferro. Lançavam luz em olhos amarelos ao redor do portão, gradativamente escurecendo nas paredes internas. Indivíduos de posição elevada podiam ter velas ou lâmpadas nas celas e tudo o que a família se dispusesse a comprar enquanto estivessem confinados. Mas a maior parte da antiga fortaleza não tinha luz, as pedras se mostrando invisíveis contra o rio negro que corria ao lado.

Warwick conseguiu ouvir a chegada de Eduardo muito antes de vê-lo. Engoliu em seco, nervoso, sem saber o que testemunharia naquela noite. O rei havia mandado avisar que estava chegando, e, durante as horas de espera, os guardas da Torre correram de um lado para o outro, verificando tudo e fazendo relatórios ao condestável, cuja responsabilidade começava e terminava com a presença do rei. Todo o enorme complexo de torres e prédios, celas e fossos era propriedade do rei, inclusive a Real Casa da Moeda e o jardim zoológico no interior das muralhas. Em sua ausência, o condestável administrava a Torre, supervisionando cada movimento de guardas e chaves.

O portão estava aberto para receber Eduardo e um grupo de três guardas a cavalo e de armadura, que entraram depressa, como o rei recomendava. Eles apearam e ficaram atrás de Eduardo e do condestável, que os guiou até os aposentos onde Henrique estava preso.

Warwick ouviu o tinir metálico se aproximar até Eduardo aparecer, sério e com a cabeça descoberta. Warwick se apoiou no joelho e baixou a cabeça. O jovem rei apreciava a honraria, embora em geral estivesse bem-humorado e fizesse os homens se levantarem logo.

— Levante-se, Ricardo. Seus joelhos devem estar se queixando nessas pedras antigas.

Warwick deu um sorriso rígido ao ouvir isso, embora, com 36 anos, fosse verdade que o joelho direito provocava uma pontada de dor toda vez que se apoiava nele.

— Você conhece meu irmão George — disse Eduardo casualmente, olhando para além de Warwick, para o corredor de pedra mais além.

Warwick sorriu e fez uma profunda reverência.

— Conheço, é claro. Boa noite, Vossa Graça.

O rapaz de 15 anos havia se tornado duque de Clarence três anos antes, na coroação formal de Eduardo, removido da obscuridade e içado à riqueza e ao poder pelo irmão mais velho. Apenas três filhos de York sobreviveram aos perigos da infância e à violência da guerra. Warwick achou que era um belo testemunho a favor de Eduardo ele ter elevado os dois irmãos ao título mais alto da nobreza. Ele se perguntou se a prodigalidade em títulos e concessões tentava compensar a perda do amado pai. Em silêncio, percorrendo o caminho sombrio até o quarto de Henrique, Warwick pensou novamente no irmão João, tornado conde de Northumberland. O título não havia trazido o pai de volta à vida, mas, se o velho pudesse ver, Warwick sabia que ficaria orgulhoso. Isso era importante.

Desde a morte do pai, ele tinha a sensação de ser observado, de que seus momentos mais íntimos talvez fossem vistos e julgados pelo pai. Por mais que amasse o velho, a sensação não era agradável.

Sem dúvida Warwick não poderia censurar o jovem rei por esses atos de generosidade. Eduardo era uma criatura de gestos grandiosos, capaz de conceder condados ao mesmo tempo que ordenava a prisão ou a execução de alguém. Era totalmente volúvel, pensou Warwick, um rei mercurial. Era melhor lhe prestar honra e respeito. Eduardo parecia não notar as cortesias elaboradas, mas tinha profunda consciência de quando não lhe eram oferecidas.

Eduardo conduziu o irmão George à frente até a entrada dos aposentos de Henrique. A mão no braço do irmão era paternal, e Warwick sorriu, compreendendo que a visita toda talvez fosse apenas para mostrar ao irmão mais novo a face de um rei caído.

Eduardo bateu o punho no carvalho. Eles aguardaram enquanto a vigia abria e fechava e a porta era destrancada por um dos guardas que sempre ficavam com Henrique de Lancaster, como criados e carcereiros. Eduardo não demonstrou perceber o antigo inimigo ao avistá-lo por outra porta, ajoelhado na pedra com o rosto erguido para uma janela de ferro e vidro colorido. Não havia luz no lado de fora, mas uma pequena lâmpada a óleo num nicho iluminava parte do rosto de Henrique. Seus olhos estavam fechados; as mãos, entrelaçadas. Parecia em paz, e Eduardo franziu a testa ao vê-lo, inconscientemente irritado.

Warwick ficou nervoso ao se lembrar da vez em que ele e Eduardo encontraram o rei Henrique numa tenda e o capturaram sem luta. Mais de uma vez, Eduardo havia ponderado que eles poderiam ter mudado os anos que vieram depois se tivessem matado Henrique naquela ocasião.

Henrique estava sob o poder de Eduardo, sem nenhum amigo ou partidário. O olhar de Warwick recaía sobre Eduardo, que o sentiu, virando-se de repente com um sorriso. Com um dos braços, ele empurrou à frente o emudecido irmão George para observar o rei ajoelhado. Ao mesmo tempo, Eduardo parou para cochichar no ouvido de Warwick.

— Não tema, Ricardo. Não vim aqui para violências, não esta noite. Afinal de contas, agora sou rei, abençoado pela Igreja e provado em combate. Esse pobre sujeito não pode tirar isso de mim.

Warwick assentiu. Para seu grande embaraço, Eduardo colocou a mão em sua nuca, quase como se quisesse puxá-lo para um abraço desajeitado. Talvez tivesse a intenção de tranquilizá-lo, mas Warwick tinha 36 anos, era casado e pai de duas filhas. Não gostava de receber tapinhas como o cão de caça preferido. Ele enrijeceu o corpo até Eduardo lhe dar dois tapinhas no ombro e retirar o braço. Eduardo o fitou, viu algo como resistência e não compreendeu muito bem. Então pegou o braço de Warwick e o levou até os cômodos externos, longe do rei ajoelhado à luz do fogo.

— Eu só sinto pena quando olho para ele — comentou Eduardo em voz baixa. — Juro, Ricardo, ele não corre perigo. — Eduardo deu uma risadinha, o som com um toque de amargura. — Afinal de contas, enquanto Henrique viver, seu filho não pode reivindicar meu trono. Acredite em mim, desejo a esse simplório quarenta anos de boa saúde, para que nunca possam ter um rei do outro lado do mar. Não tema por Henrique de Lancaster aos meus cuidados.

Warwick se tranquilizou, embora quase tivesse cometido o erro de se soltar quando Eduardo pegou seu braço de novo para levá-lo para dentro. O rei era muitíssimo mais dado ao contato físico do que Warwick, principalmente em sua juventude despreocupada. Warwick suspirou bem baixo ao passar pelos cavaleiros embasbacados diante de Henrique.

Pelo menos o rei ajoelhado estava limpo, embora muito magro, com o crânio visível sob a pele esticada. Henrique não tinha aberto os olhos nenhuma vez enquanto Warwick o observava, e suas mãos tremiam um pouco com a pressão de serem apertadas uma contra a outra. Warwick percebeu que não era uma postura de paz, mas de pesar e desespero. Ele balançou a cabeça, com pena do homem fragilizado e de tudo o que ele havia perdido.

George, duque de Clarence, ajoelhou-se por um tempo ao lado de Henrique, a cabeça baixa em oração. Os cavaleiros e o rei Eduardo se uniram a ele, fazendo sua própria paz e pedindo perdão por seus pecados. Um a um, fizeram o sinal da cruz e saíram do quarto, deixando com os guardas seu único ocupante permanente. À porta, Warwick olhou para além da cama estreita do outro lado do quarto. Havia livros sobre uma mesa, com uma jarra de vinho e duas maçãs pequenas. Não era muito para o homem que havia reinado sobre a Inglaterra. Ao mesmo tempo, era mais do que ele poderia ter recebido.

No lado de fora, o condestável da Torre praticamente se desvelou para agradecer pela presença de Eduardo. Warwick cavalgou com o pequeno grupo até o portão principal e respirou fundo quando saíram. Era um pequeno prazer, mas eles podiam respirar o ar livre, algo que aqueles dentro das muralhas não podiam. Encher o pulmão ao máximo aliviou um leve aperto no peito de Warwick, deixando para trás a imobilidade daquele lugar.

Warwick levou a montaria até mais perto do rei ao perceber que todos estavam num clima contemplativo.

— Vossa Alteza, o senhor não me contou como foi a reunião com o embaixador francês — disse Warwick. — Tenho de encontrá-lo amanhã ao alvorecer para discutir qual das encantadoras princesas francesas será sua.

Semanas ou meses de negociação o aguardavam, e ele disse a última frase com uma risadinha, mas Eduardo não respondeu, parecendo até mais sombrio. O jovem rei bufou e olhou para o outro lado do Tâmisa.

— Eduardo? — chamou Warwick. — O que foi? Há algo que eu deva saber?

Ele o conhecia quase desde que Eduardo havia nascido, mas o sorriso sem graça do rei era algo que nunca tinha visto. Warwick percebeu que George, o irmão de Eduardo, desviou o olhar, fitando deliberadamente o rio. O rosto do jovem duque estava em chamas. Ele sabia de alguma coisa.

— Vossa Alteza, se devo servi-lo nesse assunto, preciso...

— Eu sou casado, Ricardo — declarou Eduardo de repente. Ele respirou fundo e bufou de novo. — Pronto. Contei. Ah, que alívio! Eu não conseguia pensar num jeito de contar ao conselho dos lordes ao mesmo tempo que você negociava com os franceses. Então eles vieram a Londres, e pensei: eu *tenho* de lhe contar a verdade; isso já foi longe demais...

O rei balbuciava, enquanto Warwick simplesmente o observava em choque, totalmente imóvel. Ele percebeu que tinha ficado boquiaberto de espanto, então fechou a boca com cuidado antes que ela secasse no ar noturno.

— Eu não consigo... Eduardo, quem *é* ela? Você se casou? Como? *Quando*, em nome de Jesus? Não, *quem*! Isso é o que mais importa.

— Elizabeth Grey, Ricardo. Ou Elizabeth Woodville, antes de se casar. — Eduardo esperou que a informação fosse compreendida, mas Warwick só o fitava, por isso continuou. — O marido dela morreu em combate na segunda batalha de St. Albans. Um cavaleiro, Sir John Grey, que lutava pela rainha Margarida e pelo rei Henrique. — Então Eduardo arriscou um sorriso tímido. — Sua defesa significou a morte do único homem que poderia me negar a felicidade. Isso não lhe soa estranhíssimo? Nossas vidas se entrelaçam como...

— A família dela não tem sangue real? — perguntou Warwick com espanto. Ele viu o rubor de Eduardo se aprofundar, tocado pela raiva que estava sempre perto da superfície. Ele não aceitaria ser interrompido.

— Não, isso é verdade, embora seu pai seja o barão Rivers. Ela tem dois filhos do primeiro marido. Bons rapazes, os dois.

— É claro. Dois filhos. E agora eu tenho de ir aos homens da delegação francesa e lhes dizer que voltem a sua embarcação e retornem de mãos vazias ao rei Luís, como se tivéssemos zombado deles para nos divertir.

— Eu sinto muito, Ricardo, de verdade. Quis lhe contar antes, mas eu sabia que seria difícil.

— *Difícil?* — indagou Warwick. — Nunca houve um rei da Inglaterra que se casasse com alguém fora das famílias reais. Desde Æthelstan. Nunca. Quer dizer, eu teria de consultar os arquivistas da Torre Branca, mas acho que nunca aconteceu... e nunca com alguém que já tivesse se casado e com dois bebês, ainda por cima.

Eduardo fez que sim, depois se recompôs.

— Não, bebês, não. O mais velho tem 10 anos.

— O quê? Que idade tem a mãe? — perguntou Warwick.

— Acho que 28. Talvez 30. Ela não quer me dizer.

— É claro. Mais velha que você. Suponho que era de esperar. Casada antes, sem sangue real, mãe, mais velha que você. Tem mais alguma coisa? Imagino que o embaixador vá me perguntar quando eu tentar explicar que o rei da Inglaterra pode se casar em segredo, sem contar a vivalma! Quem foram as testemunhas, Eduardo? Onde a cerimônia aconteceu?

— Foi na capela da família dela, em Northamptonshire... e estou cansado dessas perguntas, Ricardo. Eu não sou um menino convocado a sua presença. Já disse tudo. Agora, como meu conselheiro, pode mandar os franceses para casa. Eu já me enchi de seu espanto. George, venha comigo!

Eduardo incitou a montaria a avançar, e seu corcel se lançou a meio-galope pela rua calçada de pedras. Seus dois cavaleiros avançaram para ficar ao lado dele, sem olhar para trás. George, duque de Clarence, olhou para Warwick se divertindo, rindo de tudo o que tinha ouvido, e depois foi atrás do irmão batendo as rédeas para aumentar a velocidade.

Warwick ficou sozinho na escuridão, quase incapaz de imaginar o que diria à delegação francesa quando o sol voltasse a nascer.

24

Os músicos se foram com os instrumentos erguidos, enrubescidos de orgulho com os aplausos e a satisfação do grupo reunido. O fato de vinho e cerveja terem corrido como um rio a noite inteira, sem que nenhuma taça ou caneca parassem vazias, não prejudicou a apreciação da performance. Longe das velas à mesa, várias figuras entravam e saíam, enchendo jarras e trocando pratos vazios por outros cheios. Os quarenta convidados à grande mesa do rei Eduardo estavam animados e barulhentos. Eles escutaram com prazer cada homem contar alguma história de um ato de coragem... ou de quando acreditaram que fugir era a melhor opção. O primeiro caso provocava brindes solenes e graças murmuradas à grande virtude; o segundo caso era divertido. A maioria dos presentes havia participado de combates ou justas. No total, tinham mil histórias dessas a contar, até que, bêbados, gritavam e secavam os olhos.

Com um pano, o rei Eduardo removeu dos lábios um naco de gordura de frango, sorrindo da cabeceira da mesa. Sua esposa estava sentada a sua direita, e ela estendeu a mão para tocar a sua quando ele a pousou, um momento de intimidade que mostrava que pensava no marido em meio aos risos e às obscenidades.

— Então é minha vez? — indagou o pai dela à mesa, agitando a taça de vinho e derramando gotas rubras. — Ah, bom, nessa vocês me pegaram. Nunca *corri* de homem nenhum, posso jurar!

O barão Rivers se levantou enquanto declamava sua história, a voz se transformando num mugido, respondido por vivas retumbantes.

Elizabeth escondeu a cabeça no braço, tomada ao mesmo tempo pelo riso e pela vergonha. O pai estava chegando ao limite de sua capacidade de beber. Ele cambaleava ali de pé, piscando enquanto tentava se lembrar do que tinha planejado dizer.

— Ah, sim! Nenhum homem! Mas já corri da esposa de um pescador, uma megera com antebraços grossos como os meus. Ela me achou com a filha, fodendo como focas, estou lhes dizendo, debaixo de um barco na praia. Ah, a juventude. Vou lhes dizer, o cheiro de peixe era tal...

— Pai! — exclamou Elizabeth.

O barão de Rivers parou para espiá-la, o rosto inchado, os olhos flutuantes.

— Longe demais? Minha filha é delicada para uma mãe de dois belos filhos. Um brinde aos meus netos. Que conheçam mulheres tão fex... tão *flexíveis* quanto enguias.

Uma grande gargalhada soou, e Elizabeth enterrou o rosto no braço mais uma vez. Seus dois filhos ficaram satisfeitíssimos de serem mencionados pelo avô e aceitaram as canecas de cerveja que foram enfiadas em suas mãos. Os dois se entreolharam com pesar depois de já terem de sair para vomitar no jardim. Ainda assim, estavam sentados com o rei da Inglaterra, e não puderam recusar quando ele ergueu a taça em sua direção.

Warwick se esforçava ao máximo para sorrir com os outros, e os breves e ocasionais momentos de comunicação silenciosa com o irmão João ajudavam um pouco. A nova rainha havia trazido para Londres quase uma corte inteira de familiares assim que a notícia do casamento se tornou pública. Em um mês, nada menos que quatorze Woodvilles se mudaram para quartos e grandes casas da capital, do Castelo de Baynard à Torre e ao próprio Palácio de Westminster. Eles chegaram como ratos famintos descobrindo um cachorro morto, até onde Warwick sabia, embora ele nunca fosse dizer uma coisa dessas, nem mesmo ao irmão.

Warwick deixou o olhar passar pelos irmãos e irmãs da nova rainha. Metade deles já ocupava cargos nas casas reais, cargos que garantiam uma remuneração decente. A própria irmã de Elizabeth havia se tornado sua aia, a quarenta libras por ano.

Na melhor das estimativas de Warwick, eles eram gente do campo, com modos rudes e sem sutilezas. Mas o verão daquele ano havia produzido grandes excedentes de frutas e cereais, o que foi favorável à linhagem Woodville, mesmo como reflexo pálido de Eduardo. O rei não negava nada a Elizabeth e realizava todos os desejos dela, por mais transparente que fosse o benefício a sua família. Ter engravidado tão rápido não prejudicava sua causa. A curva da barriga era evidente sob os novos vestidos feitos para ela. É claro que Eduardo estava orgulhoso como um frangote e a mimava. Warwick só podia sorrir e se manter calado enquanto títulos valiosos eram concedidos, um a um, a homens e mulheres que, antes, eram simples agricultores arrendatários, sem nenhuma propriedade própria.

Eduardo descansava a grande cabeça nos braços, rindo de alguma coisa que Elizabeth havia murmurado para ele. O cabelo dela se derramava sobre a mesa, ruivo com mechas de ouro, uma cor extraordinária. Enquanto Warwick observava, o jovem rei estendeu a mão e brincou com um cacho, murmurando algum carinho que fez a rainha corar e lhe dar um tapa na mão. Warwick achou que não percebiam seu escrutínio, mas Elizabeth tinha notado a atenção. Quando Eduardo se virou para pedir mais vinho a um criado, Warwick viu que era alvo do olhar calmo e firme da rainha.

Ele enrubesceu, como se tivesse sido flagrado fazendo algo que não devia, e não simplesmente olhando. Lentamente, ergueu a taça para ela. Achou que a expressão de Elizabeth tinha se tornado mais fria com isso, mas então ela sorriu, e ele se lembrou da sua beldade extraordinária. Sua pele era pálida e com leves marcas, os minúsculos círculos de antigas cicatrizes de varíola na bochecha. Tinha a boca um pouco fina, embora os lábios fossem vermelhos como se ela os tivesse mordido. Mas eram os olhos que prendiam sua atenção, com pálpebras pesadas, como se estivesse sonolenta, à beira de um bocejo. Havia algo cruel neles, e Warwick não conseguiu deixar de pensar num quarto quando ela ergueu a taça e inclinou a cabeça em resposta, como se o fizesse a um adversário antes de uma justa. Ele tomou um longo gole, e Elizabeth o imitou, manchando ainda mais seus lábios com o vinho tinto.

Warwick olhou de relance para Eduardo, quase nervoso, tão íntima havia parecido essa troca com Elizabeth. O rei tinha jogado a cabeça para trás e lançava para o alto parte da refeição para que caísse na boca aberta. Warwick deu uma risadinha com a bobagem da cena. Com todos os gritos e brincadeiras de bêbado, Eduardo tinha escolhido uma mulher que não havia lhe trazido nenhuma vantagem. Num homem mais velho, talvez isso fosse algo a admirar, uma escolha comedida do amor acima da aliança ou da riqueza. Mas Warwick não confiava na juventude de Eduardo.

Assim como havia se lançado à batalha de Towton — e, sim, triunfara lá —, Eduardo tinha se jogado num casamento com uma mulher que mal conhecia. O imenso número de Woodvilles que infestava os palácios reais parecia tê-lo surpreendido como a todo mundo, embora ele só balançasse a cabeça com indulgência e se retirasse para seus aposentos para que a esposa mais experiente o divertisse.

Warwick se mexeu bruscamente e derramou vinho quando um rapaz fez um gesto, cantando ou gritando com movimentos exagerados que derrubaram um presunto, fazendo-o sair rolando com o barulho de louça quebrada. Ele praguejou entre os dentes, sentindo que Elizabeth ainda o observava. Parecia intrigada com seu papel na vida do marido e não via razão para Eduardo ter reuniões particulares com Warwick e alguns outros homens. O conselho particular do rei ainda não tinha sido dissolvido, mas nos três meses anteriores, sob influência de Elizabeth, Eduardo só havia comparecido ao encontro uma vez. Se alguma questão legal ou de costumes exigisse sua atenção, teria de ser levada a ele pessoalmente, com Elizabeth quase sempre presente nas ocasiões, para dar uma olhada nos documentos e pedir ao marido que os explicasse.

Warwick se esforçava para tirar um cravo que havia ficado preso nos dentes. É claro que Eduardo não tinha nenhuma compreensão detalhada do Parlamento nem dos projetos de lei, e cabia aos advogados e aos lordes resumi-los para a rainha enquanto ela escutava de olhos arregalados, o busto exibido com arte. Homens muito mais velhos ficavam corados e sem graça sob a atenção e dedicação da rainha.

Warwick esvaziou a taça de vinho e a viu ser enchida outra vez. Percebeu que seu desagrado pela mulher era intenso — e, infelizmente, ao mesmo tempo ele a desejava. Era uma posição frustrante, e sentiu que não teria satisfação em nenhum dos aspectos. Elizabeth tinha sido coroada rainha consorte. Claramente, a opinião dela era de que o enorme marido precisava apenas de seus conselhos, ao menos no que dizia respeito aos Woodvilles.

— É claro que você tem de cantar para nós, Ricardo! — Warwick ouviu Elizabeth gritar.

Ele engasgou com um gole de vinho e teve um acesso de tosse, enquanto a mesa dava vivas e batia os pés. Mas foi o irmão de Eduardo quem se levantou e fez uma reverência, sorrindo com timidez para a cunhada e tomando um gole de vinho para limpar a garganta.

Warwick só torcia para que Ricardo de Gloucester não fosse feito de bobo naquele lugar. Nessa época, já o conhecia muito bem, a ponto de se orgulhar de suas realizações. Mais estranho ainda era pensar que Warwick se lembrava da alegria do pai com seu nascimento. Fazia apenas doze anos e talvez seis vidas, quando o mundo era melhor, quando seu próprio pai ainda estava vivo e quisera, de certo modo, forçar Henrique a ser um bom rei... Warwick sentiu o olhar do irmão João e ergueu os olhos, zombando amargamente de si mesmo. Não havia como voltar atrás. Era impossível desfazer antigos erros. Ou um homem continuava em frente ou a vida o derrotava.

O irmão do rei tinha uma voz bastante doce, clara e calma ao cantar o amor cortesão. Warwick deixou a canção inundá-lo, recordando-se de um jardineiro que tinha conhecido na propriedade de Middleham. O homem havia trabalhado trinta anos para seu pai, a pele tão escura quanto couro depois de passar a vida ao ar livre. Em retrospecto, Warwick percebeu que Charlie havia sido um simplório. A mulher com quem morava em sua cabana na propriedade era sua mãe e não sua esposa, como pensava o menino Warwick. É claro que Charlie nunca se lembrava de seu nome e o cumprimentava como "Cachinho" sempre que se encontravam, embora o cabelo de Warwick fosse liso.

Warwick fitou com olhos turvos a taça de vinho, sem saber por que a lembrança do homem o tinha invadido naquele lugar. Ele lembrou que a perna de Charlie tinha sido esmagada por uma carroça quando menino, deixando-a deformada, e a perna sempre, *sempre*, doía.

— Eu sofri com cortes e febres — dissera-lhe o jovem Warwick, com toda a sua inocência juvenil. — E um dente estragado que me fez chorar como uma criança até o arrancarem. Como é que você aguenta essa perna que, como você disse, dói insuportavelmente, quando anda e quando dorme, sem parar nunca? Charlie, como isso não quebra você ao meio?

— E você acha que não? — havia murmurado Charlie, contemplando a escuridão. — Ora, eu diria que me quebrei mil vezes, reduzido a um garotinho indefeso e chorão. Mas eu não morro, Cachinho! O sol nasce e tenho de me levantar e cuidar do meu trabalho outra vez. Mas nunca diga que não me quebro, luz do meu sol. Eu me quebro todos os dias.

Warwick balançou a cabeça, esfregando o olho com a palma da mão. O maldito vinho o estava deixando bêbado e sentimental — e na companhia de olhares de soslaio e sorrisos cruéis que o levavam a sentir que havia caído no meio de uma alcateia.

A música terminou, e o jovem cantor corou quando gritaram elogios de uma ponta à outra da mesa. Como duque de Gloucester, Ricardo Plantageneta tinha recebido vastas propriedades, todas administradas por mordomos, apenas esperando ele ter idade para assumi-las. A generosidade corria sem cessar da mão do rei Eduardo, sem pensar nas consequências.

Talvez Eduardo sentisse a intensidade do olhar de Warwick sobre ele. Ele cruzou seus olhos com os de Warwick e se levantou, cambaleando de leve, o que o fez se inclinar para a frente e apoiar um braço estendido entre os jarros. Seu irmão Ricardo se sentou, e o riso e as conversas desapareceram enquanto aguardavam que o rei da Inglaterra falasse.

— Esta noite é em honra a todos vocês, mas vou erguer a taça para aquele que me viu como rei antes de mim. Conde Warwick, Ricardo

Neville, cujo pai ficou ao lado do meu... e morreu com o meu. Cujo tio e irmão lutaram comigo em Towton, quando a neve caía e não conseguíamos enxergar... Vou lhes contar: eu não estaria aqui hoje sem sua ajuda. Então brindo a você. A Warwick.

Os outros se levantaram com muito arrastar de cadeiras, repetindo rapidamente as palavras finais do rei. Como único ainda sentado, Warwick tentou ignorar um dos irmãos de Elizabeth, que ria e cochichava. Eram homenzinhos e mulherezinhas de uma linhagem barata e vulgar. Ele baixou a cabeça para Eduardo como agradecimento.

Enquanto o rei bêbado desmoronava de volta na cadeira, Warwick ouviu a pergunta de Elizabeth a ele. A rainha tentou esconder a boca atrás da mão, mas o momento e o volume foram perfeitamente calculados para levar as palavras aos seus ouvidos.

— Mas ele não venceria sem você, meu amor. Não foi o que você disse?

Eduardo pareceu não perceber que as palavras tinham chegado a outra pessoa. O rei meramente deu uma risadinha e balançou a cabeça. Um criado pôs um prato de rins fumegantes na mesa larga junto de Eduardo, e seus olhos se arregalaram com novo interesse, estendendo a faca para espetar alguns antes de ser servido. O jovem rei estava bêbado demais para perceber que o volume dos risos e da conversa à mesa tinha se reduzido a cochichos e murmúrios. Metade dos Woodvilles ali esperava com prazer para ver como ele responderia, obtendo de Elizabeth sua confiança enquanto escondiam a boca com panos e trocavam olhares.

— Em St. Albans, Eduardo? — continuou Elizabeth, insistindo.
— Você disse que ele não venceria sem você lá. Você teve de comandar em Towton. Meu irmão Anthony lutou do outro lado... Ah, você já o perdoou, meu amor! Anthony disse que você era um colosso, um leão, um Hércules em campanha.

Elizabeth buscou o irmão ao longo da extensão da mesa, um homem grande como um boi, com antebraços peludos que, sem perceber, descansavam numa poça de cerveja e molho.

— Você viu milorde Warwick no campo de batalha de Towton, Anthony? Dizem que ele lutou no centro.

— Eu não o vi — respondeu o irmão, sorrindo na direção de Warwick.

O homem tinha parecido bastante inteligente antes. Talvez achasse que a irmã estava brincando, fazendo uma piada ou zombando de Warwick. Aos olhos do próprio conde, a rainhazinha estava sendo seriíssima, buscando alguma fraqueza nele. Warwick sorriu, ergueu a taça e baixou a cabeça em sua honra.

Para satisfação de Warwick, Ricardo de Gloucester falou na outra ponta da mesa, erguendo a taça e sorrindo para ele. O conde viu que seu divertimento era genuíno e se perguntou se o garoto havia percebido que tinha acabado com o momento desagradável ou se havia sido apenas sorte e um erro cometido por gentileza. O menino era bastante esperto, todos os seus tutores concordavam com isso, mas ainda era muito novo. Para sua surpresa, Ricardo de repente piscou para ele, deixando Warwick observando-o com prazer. Era difícil não gostar do diabinho.

O Castelo de Windsor era, ao mesmo tempo, uma antiga fortaleza e um lar familiar, mas o calor nunca esteve entre seus atributos. Quando o reino voltou a ter dias curtos e gelados, a lembrança de Towton retornou aos que estiveram lá, como acontecia em todos os invernos, com sonhos de neve e sangue.

Warwick tremia encostado com o irmão Jorge numa parede de pedra nua. O arcebispo de York havia ficado um tanto mais pesado no último ano, embora ainda suasse no treino com os irmãos quando tinha a oportunidade. Essas horas de lazer tinham se tornado mais raras desde a chegada dos Woodvilles à corte.

— É estranhíssimo — comentou Jorge. — No verão, me queixei do calor. Lembro que foi insuportável, mas a lembrança não parece mais verdadeira. Com o chão branco e o gelo no ar, convenço-me de que daria tudo para suar mais uma vez... e, se suasse, não duvido que ansiasse para retornar a este frio. O homem é uma criatura volúvel, Ricardo. Se não toda a classe dos homens, pelo menos a dos bispos.

Warwick deu uma risadinha, olhando para o irmão mais novo com afeto. Como arcebispo, Jorge era um homem de poder e influência. Só os cardeais de Roma estavam realmente acima dele, mas Jorge ainda era jovem e sorria para o irmão com humor travesso. Na verdade, ele tremia porque nenhuma lareira tinha sido acendida nos salões fora da câmara de audiências do rei.

Warwick estava esperando havia uma hora, embora parecessem seis. Enquanto o irmão recordava o verão com saudades, Warwick se lembrava dos dias em que conseguia abordar Eduardo sem se fazer anunciar, sem ficar à toa em salas de espera como um criado comum.

A razão da mudança não era um mistério. Tinha levado algum tempo, mas Warwick finalmente havia aceitado que seus temores não eram infundados. Elizabeth Woodville havia tirado parte da influência dos Nevilles sobre o marido e decidira afastá-los. Não havia outra explicação para o modo como tinha disposto sua família como peças num tabuleiro. Menos de um ano havia se passado depois de sua chegada à corte e o pai se tornara conde de Rivers e tesoureiro real. Duas irmãs foram casadas com famílias de poder, escolhidas com cuidado. Warwick só podia imaginar que a rainha se demorava nos arquivos da Torre, à procura de famílias que pudessem fornecer mais um título a sua linhagem. As irmãs herdariam casas e terras que, de outro modo, voltariam à Coroa ou, num dos casos, a um primo Neville. Warwick fez uma careta ao pensar no assunto, embora soubesse que ele mesmo não faria diferente. Elizabeth exercia influência sobre o marido — e Eduardo era um pouco liberal nas recompensas pelas brincadeiras na cama. Warwick e a casa de Neville teriam de aturar isso; não havia como impedir o que ele fazia.

— Como vão seus pupilos? — perguntou o irmão, interrompendo seus pensamentos. — Ainda fazendo fortuna?

Warwick gemeu ao se lembrar do dia em que Ricardo de Gloucester e Henrique Percy foram descobertos na feira de Middleham vendendo presuntos e garrafas de vinho da adega do próprio Warwick. Um vendedor tinha mandado um mensageiro ao castelo, e os garotos foram capturados e levados de volta. A lembrança ainda fazia Warwick corar de vergonha.

— Sinto muito dizer que agora eles descobriram o mundo das apostas. Alguns rapazes da aldeia ficam felicíssimos em tirar as moedas dos dois, é claro; depois, brigam, então mamãe ou minha esposa é chamada para decidir sobre um conjunto totalmente novo de injustiças.

O irmão de Warwick se aproximou, achando divertido o afeto que via.

— É uma pena que você não tenha filhos — comentou. — Vejo que você teria alegria com nisso.

Warwick fez que sim, os olhos semicerrados.

— Tenho *tantas* lembranças nossas com João, com nossos primos, com aqueles barcos que afundamos, você lembra? Ou o cavalo que pegamos e que arrastou João por quase um quilômetro, mas ele não quis soltar. Você se lembra disso? Deus sabe que amo minhas duas meninas, mas não é a mesma coisa. Middleham ficou silenciosa demais por algum tempo sem nós.

— Milorde Warwick? — chamou um criado.

Warwick piscou para o irmão e se afastou da parede. O arcebispo lhe deu um tapinha no ombro, passando-o para as grandes portas que levavam à presença real de Eduardo. Elas se abriram diante dele.

Os dias de salões vazios e criados silenciosos correndo de um lado para o outro estavam longe. Dezenas de escribas estavam sentados a mesinhas ao longo das paredes do longo salão, copiando documentos. Outros formavam pequenos grupos, discutindo seus assuntos como mercadores barganhando preços. A corte parecia movimentada, cheia de alvoroço e intenções sérias.

Warwick teve uma lembrança súbita de encontrar o rei sozinho naquele mesmo salão, cerca de um ano antes. Eduardo estava de armadura completa, faltando apenas o elmo e, por alguma razão, uma bota de metal, com o pé descalço à mostra. O rei perambulava pelo castelo com uma jarra de vinho imensa numa das mãos e um frango assado na outra. Parecia que aqueles dias tinham ficado no passado sob a influência de Elizabeth. Pela primeira vez, Eduardo tinha uma equipe trabalhando para o ajudar a aguentar o peso de comandar o reino. Seu feitor, Hugh Poucher, era um homem de quem Warwick tinha passado a gostar, que podia ser abordado e sempre dava ouvidos. O conde procurou algum sinal do feitor, mas não via o homem em lugar nenhum.

Warwick se viu seguindo o criado por uma antecâmara até um longo balcão de pedra calcária pálida. Quando se aproximaram, ele ouviu o som de um disparo de arco. O conde se encolheu instintivamente, como quem já havia enfrentado esse tipo de coisa em combate. O som ecoava de um jeito estranho num ambiente fechado, mesmo naquele grande salão. O criado tinha visto sua reação de surpresa, percebeu Warwick com um toque de irritação. Quando chegaram à galeria, o homem o anunciou e sumiu, trotando para longe como se tivesse dezenas de coisas a fazer.

Eduardo estava em pé, com o arco encordoado e um imenso cesto de flechas. Um alvo de pano e palha mais ou menos da altura de um homem estava preso na outra ponta do claustro, a pelo menos cem metros de distância. Seria uma distância fácil para um arqueiro de verdade, mas, até onde Warwick sabia, Eduardo nunca havia usado um arco. A maioria dos homens sequer conseguiria puxá-lo, mas o rei parecia ter a força necessária no braço da espada. Eduardo não tinha olhado em volta, totalmente concentrado em segurar o arco com firmeza. O alvo descansava contra o revestimento de carvalho e duas flechas tinham errado totalmente o círculo de palha. Com a ponta rosada da língua aparecendo no canto da boca, Eduardo era a imagem da concentração. Ele abriu a mão; a flecha voou rápido demais para ser vista e se afundou nas penas do alvo. Eduardo sorriu com alegria.

— Ah, Ricardo — disse o rei. — Apostei cem marcos em minha habilidade com Sir Anthony aqui. Gostaria de experimentar?

Warwick olhou de relance para o cavaleiro de braços grossos que o observava com atenção. Quatro homens Woodville foram acrescentados às fileiras da Ordem da Jarreteira, dando-lhes o direito de estar na presença do rei como seus mais leais companheiros. Warwick sabia com certeza que haveria um ou dois deles ali. Ele se perguntou se Eduardo percebia que ficava pouquíssimas horas do dia sem um Woodville em sua presença — e, é claro, as noites eram passadas com Elizabeth. Perturbava Warwick o modo como a família havia enlaçado completamente o jovem rei. Ele tinha pensado mais de uma vez em dar conselhos a esse respeito, mas criticar a mulher de um homem era bastante arriscado. Com esforço, ele manteve o silêncio, apesar de todas as farpas e espinhos sob a pele.

Entre os homens Woodville, talvez Anthony fosse o favorito de Eduardo. Dez anos mais velho que o rei, o grande cavaleiro parecia gostar de seus treinos juntos — e talvez fosse o único Woodville capaz de durar mais de alguns segundos na confusão de um torneio. Era possível sentir certa irritação em Anthony quando Warwick o mantinha sob seu olhar, como se o Woodville quisesse ser uma ameaça ou já tivesse decidido que o conde era seu inimigo.

— Vossa Alteza, se permitir que Sir Anthony retorne a seus deveres, eu tentaria um tiro ou dois com o senhor. Tenho alguns assuntos do conselho particular para discutir.

Eduardo coçou um dos lados do rosto, compreendendo, mas sem vontade de falar.

— Ah, tudo bem. Anthony, talvez você possa recolher as flechas. Ainda vou lhe tirar aqueles cem marcos. Tenho certeza de que milorde Warwick não tomará muito meu tempo.

Warwick escondeu a consternação e baixou a cabeça. Sentiu que Anthony Woodville o observava, e o ignorou até que estivesse a uma distância segura.

— Como vai meu irmão? — perguntou Eduardo antes que ele pudesse falar.

— Bastante feliz agora — respondeu Warwick. Parte do afeto que ele havia mostrado do lado de fora ainda podia ser visto. Eduardo olhou para ele com atenção.

— Ótimo. Machado e espada, contudo... talvez o arco também, para fortalecer os ombros. Ele era fraco demais. Avise se ele lhe criar algum problema.

— É claro. Os tutores dizem que ele é muito rápido nas lições.

— O que não lhe trará bem nenhum se for mole demais para ficar em pé de armadura enquanto outro homem tenta esmagar o rosto dele — retrucou Eduardo. — Eu era mole como couro molhado quando fui com você para Calais. Três anos com a guarnição me transformaram no homem que sou hoje... sob seu comando. Faça o mesmo com ele, por favor. É o mais novo de nós, e foi criança tempo demais.

Warwick olhou para Anthony Woodville do outro lado do claustro, tentando avaliar quanto tempo ainda tinha. O homem torcia e grunhia para uma flecha enfiada no lambri de madeira. Eduardo o viu olhar e rosnou.

— Ah, muito bem. Diga o que veio me dizer.

— É sobre esse último casamento, Eduardo — começou Warwick, aliviado. — John Woodville tem apenas 19 anos. A mãe de Norfolk tem quase 70. Se De Mowbray ainda estivesse vivo, pediria justiça, você sabe. Vossa Alteza, entendo que os Woodvilles queiram títulos, mas um casamento com tamanho abismo entre as idades é ir longe demais.

Eduardo tinha ficado imóvel enquanto ele falava, sem mais nenhuma leveza. Warwick sabia que estava exatamente na posição perigosa que tinha passado um ano tentando evitar. Norfolk mal havia sobrevivido à batalha de Towton e morrera de alguma pestilência no pulmão poucos meses depois, o que não surpreendeu ninguém que o viu naquele dia. Foi um milagre ter vivido para ver a primavera.

— De Mowbray era um homem decente, Vossa Alteza, leal ao senhor quando o mundo dizia que ele deveria ter marchado com os Lancasters. A mãe de Norfolk é uma Neville, Eduardo, e me orgulho de sua lealdade. Mas o senhor permitiria que um Woodville imberbe se sentasse a sua lareira, beijando o rosto enrugado daquela mãe? Acho que nós dois devemos àquela família um pouco mais de dignidade.

— Veja como fala... — disse Eduardo baixinho.

Ele segurava o arco como o cabo de um machado, quase tão largo quanto um em seu ponto central. Warwick teve a repentina sensação de que Eduardo imaginava usá-lo para atacar, um jogo quase imperceptível dos músculos que lhe deu vontade de correr para longe do perigo. Ele tinha visto Eduardo no campo de batalha e sabia muito bem do que o rei era capaz. Mas se manteve imóvel e fitou o rei com calma.

— Não discuto o direito de sua esposa de encontrar bons casamentos para suas irmãs e irmãos ou seus filhos. Mas esse... Esse é uma farsa, com meio século entre os dois. Quando a velha morrer, o título será dele. Como ela chorará por ter um estranho que a chama de "esposa" e tirará tudo o que era de seu filho? Seria melhor esse filhote Woodville comprar o título, Eduardo! Roubá-lo dessa maneira... é diabólico.

— Seu casamento lhe trouxe grandes propriedades, Ricardo, não foi? — retrucou Eduardo.

— Um casamento com uma *jovem* para gerar minhas duas lindas filhas. Como *você* fez, Eduardo. Essa união sem amor entre Norfolk e Woodville é óbvia demais, cruel demais. Só provocará agitação.

Em menos de um ano na corte, a nova rainha tinha dado à luz uma filha, Elizabeth de York, como era chamada. A esposa de Eduardo já estava grávida outra vez, fértil como uma égua jovem. Warwick havia concordado em ser padrinho da primeira filha, acreditando que a oferta era um ramo de oliveira entre eles. Mas no batizado a rainha tinha se inclinado para ele e murmurado que ansiava por ter uma dezena de belos meninos com o rei. A diversão dela com a expressão de Warwick havia azedado o dia e o incomodara desde então.

O pior era que os Nevilles tinham feito praticamente o mesmo na época de seu avô, colocando vários irmãos e irmãs nas famílias nobres da Inglaterra. Warwick tinha pensado que o casamento com a duquesa viúva de Norfolk poderia ser um ponto fraco, mas a expressão no rosto de Eduardo mostrava que ele havia se enganado. Percebeu que o jovem rei estava completamente prostrado, cego e surdo pelas saias da esposa. Havia raiva genuína no rosto de Eduardo quando sentiu a crítica a Elizabeth. Warwick não o via tão furioso desde que o rei tinha se erguido sobre o sangue de outros homens em Towton, cinco anos antes. Não conseguiu deixar de estremecer com a sensação de violência no gigante que o observava.

— Você me trouxe sua preocupação, Ricardo — disse Eduardo.
— Você é meu conselheiro e apenas cumpre seu dever. Pensarei nisso, mas você deve saber que acredito que John Woodville seja um bom homem. Ele usa uma camisa de crina de cavalo sob a seda, sabia disso? Vi quando ele se despiu para se banhar num rio enquanto caçávamos. A pele dele está em carne viva e ele não se queixa. É ótimo com uma matilha de cães e é irmão de minha esposa. Ela quer que ele suba. E me agrada satisfazer os desejos dela.

Anthony Woodville por fim voltava depois de cortar da parede com a faca a última flecha. Ele subia o claustro, esforçando-se para ouvir o fim da conversa. Warwick deu um passo atrás e fez uma reverência em vez de dar alguma satisfação ao homem. Dito isso, supôs que naquela noite suas palavras seriam repetidas pelos lábios de Eduardo a Elizabeth. Ele não poderia pedir ao rei que as mantivesse em segredo para a própria esposa. Warwick esperou que Eduardo lhe desse licença e foi embora, sentindo nas costas os olhos de Woodville.

25

Trinta cavalos precisaram ser tirados um a um das baias no porão fétido. Levou tempo, e, enquanto esperava, Warwick franzia a testa nas docas de Calais. O cais propriamente dito era de pedra de cantaria e blocos de ferro, mas as passarelas eram de tábuas e se estendiam até os armazéns e as tavernas à beira d'água, todos amontoados, nunca com espaço suficiente. Ele tinha boas e más lembranças da fortaleza costeira. Já havia sido o portal da Normandia inglesa, o lugar onde tudo podia ser comprado e vendido, desde marfim e grandes macacos até lavanda, rubis e lã. A fraqueza do rei Henrique havia posto tudo aquilo a perder.

O porto era tão barulhento e fedia tanto quanto ele se lembrava. Doze embarcações balançavam, ancoradas além das águas protegidas, todas aguardando o esquife a remo da capitania do porto, seus comandantes trocando insultos aos berros. Ninguém poderia entrar em Calais sem essa permissão, não com os canhões apontados para o mar para fazê-los em pedacinhos. As gaivotas grasnavam com voz aguda no céu, descendo para brigar por qualquer resto de escamas ou tripas de peixe.

No longo cais, oito tripulações mercantes içavam fardos e barris do porão o mais depressa que conseguiam, fazendo o possível para distrair e confundir os conferentes ingleses do porto que tentavam acompanhar os tributos devidos e uma série enlouquecedora de selos da alfândega, forjados ou reais. Barcos de pesca oscilavam entre e em torno deles, os patrões franceses erguendo bons exemplos de seu pescado. Warwick se lembrou da vida e das conversas do lugar, embora o cais tivesse adquirido uma energia espasmódica e febril desde sua juventude. Na época, era apenas um porto entre trinta, com todo o litoral e dois terços da França prosperando sob o controle inglês. Ele balançou a cabeça com tristeza.

Calais ainda valia milhares por ano para a Coroa em lucros e tributos — e nenhum metro de pano, nenhum prego de ferro, nenhum bacalhau que passava era estritamente legal, não entre dois reinos que nunca declararam uma paz formal. Homens de ambos os lados prosperaram com a incerteza, usando Calais como ponto de entrada para toda a França e a Borgonha, e até para a Sicília e para o norte da África, quando o suborno era suficiente.

Warwick observou um caixote de madeira cheio de laranjas ser aberto, seu olhar atraído pela mancha coral nas docas de madeira embranquecida. De repente, o mercador inglês que as espiava enfiou o polegar bem no fundo de uma delas e depois lambeu a gosma, fazendo que sim. Frutas no inverno, vindas de terras muito mais ao sul, onde limões e laranjas ainda cresciam. Açúcar de Chipre ou do Levante, e até armaduras da Itália, onde um mestre ferreiro podia cobrar fortunas por seu trabalho. O próprio Warwick possuía uma delas, feita sob medida para que coubesse nele perfeitamente e que já havia salvado sua vida mais de uma vez.

Warwick assoviou e o mercador ergueu os olhos, sua desconfiança se desanuviando ao ver o escudo no tabardo do conde. Warwick esperou enquanto o criado do homem corria com três grandes laranjas, pelas quais Warwick lhe jogou uma moedinha de prata. Calais ainda era um lugar onde se fazia fortuna, bastava ter bons olhos para ver a oportunidade. Mas não era o que já havia sido.

O último cavalo foi desembarcado e selado, e seus homens formaram uma falange organizada de armaduras e carne de cavalo para passar pelo porto. Warwick agitou o braço e virou sua montaria para longe do mar, seguindo pela rua principal até as muralhas que cercavam tudo na cidade portuária. Elas se elevavam acima de todos os seres vivos lá dentro, um lembrete constante de que aquele era um porto numa terra hostil, com muralhas de quase quatro metros de espessura para suportar um cerco. O rei Eduardo pagava centenas de homens para guardar aquelas muralhas, muitas vezes com mulheres e crianças que nunca tinham visto a Inglaterra. Calais era um mundinho fechado, com becos, lojas, ferreiros, ladrões e mulheres caídas cujos maridos morreram de doença ou afogados.

Warwick foi até o portão interno e apresentou seus documentos com o selo do rei Eduardo ao comandante. Às suas costas, trinta homens de armadura mantinham a conversa em voz baixa, sentindo que o humor do conde era sombrio. O único que não conseguia parar de olhar em volta com espanto e alegria era George, duque de Clarence. Para o rapaz, as docas eram temperadas com sabores e cheiros exóticos que enlevavam todos os sentidos. Quando o portão se abriu, Warwick jogou uma laranja para ele, que a pegou com um sorriso, apertando a estranha fruta no nariz e inspirando.

A imagem de George de Clarence tão cheio de vida contribuiu um pouco para aliviar a melancolia de Warwick. Do outro lado do canal, Calais era o degrau para um continente, ele sabia disso. Também era um mau lugar para desembarcar quando o destino era Paris, como no caso. Seria muito melhor pegar uma embarcação para Honfleur, muito embora não fosse mais um porto inglês.

Quando sentiu o cavalo começar um meio-galope, Warwick deixou o animal fazer como quisesse depois de ficar confinado e vendado num porão fedorento. Cavalos não vomitam, e a travessia marítima às vezes fazia com que sofressem terrivelmente, cada vez mais enjoados, porém incapazes de esvaziar o estômago. Faria bem a eles correr, e a estrada à frente ficou livre rapidamente quando os cavaleiros foram avistados trovejando por ela.

Ele ouviu Clarence dizer "opa!" quando o irmão do rei ficou ao seu lado. Warwick se inclinou por sobre o pescoço do cavalo, começando a galopar, envolvido no prazer da velocidade e do perigo. Uma queda poderia matá-los, mas o ar estava frio e doce, com a promessa da primavera nas margens verdes.

Warwick descobriu que ria enquanto cavalgava, quase sem ar. Também tinha ficado confinado tempo demais, quase três anos observando os Woodvilles se promoverem para todos os cargos e postos pagos na Inglaterra e em Gales. Era um prazer deixar aquilo para trás, em todos os sentidos.

Ele tinha idade suficiente para se lembrar de quando um lorde inglês velejava até Honfleur, subia o rio até Ruão e pegava um barco menor pelo Sena até o coração de Paris. Mas seus belos corcéis de combate não podiam ser transportados em frágeis barcos fluviais. Era verdade que ele chegaria com poeira, suor e sujeira em cada centímetro do corpo. Ele e seus homens precisariam de mais um dia para encontrar acomodações e se banhar. Mas talvez ele se sentisse renovado mesmo assim. Warwick ouviu Clarence rir enquanto troavam pela boa estrada a uma velocidade inconsequente.

O conde olhou para o rapaz que vinha atrás. Clarence se parecia com o irmão mais velho em alguns aspectos, embora não tivesse ficado tão alto e fosse infinitamente mais amistoso. Por ter observado Eduardo se tornar homem, a princípio Warwick tinha ficado receoso com outro filho de York e aceitou sua presença com relutância. Ele supôs que seria sempre provável que o irmão de Eduardo contasse os fatos mais interessantes ao rei e à rainha. Com o jovem Ricardo em Middleham, Warwick nunca conseguia fugir por completo da sensação de ter seus olhos sobre ele. Mas George de Clarence tinha o rosto franco, sem nenhuma malícia nem olhares suspeitos. Foi com uma pontada de tristeza que Warwick percebeu que gostava de todos os filhos de York. Se não fosse Elizabeth Woodville, ele achava que os Plantagenetas e os Nevilles poderiam criar um vínculo indestrutível.

Se usassem montarias inferiores, poderiam tê-las trocado nos postos de troca da estrada de Paris, a duzentos e cinquenta quilômetros da costa. Como as estradas mais antigas da Inglaterra, aquela era uma superfície limpa e larga de boa pedra romana que corria pela antiga fronteira da Gália de César. Mercadores percorriam sua extensão, mas tiravam as carroças e as famílias da estrada rapidamente quando viam os cavaleiros de Warwick passarem a galope.

Antes que a primeira manhã terminasse, Warwick tinha sido detido duas vezes por capitães franceses, todos mandados de volta assim que apresentava seus documentos, contrasselados pelo mestre da Casa Real de Paris. Depois disso, os soldados ficavam extremamente educados e prestativos e recomendavam os melhores lugares para descansar no caminho até a capital. Warwick e seus homens encontraram tavernas antes do anoitecer e, embora a maioria tivesse de dormir entre os cavalos no estábulo ou enfiados entre as traves do sótão, não foi tão ruim assim.

Na quarta noite, Warwick e Clarence ocuparam uma mesa posta com azeitonas, pão e uma jarra de um vinho tão forte que fazia a cabeça rodar. Os donos pareciam satisfeitíssimos em ter lordes ingleses em sua casa, mas mesmo assim Warwick mandou um dos homens acompanhar o preparo da comida. A desculpa era evitar venenos, mas na verdade seu homem era um hábil cozinheiro e adorava aprender novos sabores, fazendo perguntas sobre todos os pós e temperos e insistindo em provar. Quando voltasse à Inglaterra, Warwick sabia que teria vários novos pratos campestres franceses para apreciar.

Eles se sentaram numa grade de ferro perto do fogo, apreciando a noite sem o clangor da armadura, porque ambos desceram de seus quartos de calça e gibão simples. Quando o primeiro prato terminou e eles limparam os dedos, Warwick ergueu a taça ao rapaz, desejando-lhe boa sorte em tudo o que fizesse. Ele considerava Clarence uma companhia surpreendentemente agradável, nada tagarela para alguém tão jovem e gostava de ficar em silêncio. O brinde de Warwick provocou outro, e Clarence o fez, o rosto já corado pela bebida.

— E ao senhor, grande amigo de meu irmão. E ao meu irmão Eduardo, primeiro homem da Inglaterra!

O vinho forte estava afetando o rapaz, que falava com a voz arrastada. Warwick deu uma risadinha e esvaziou a taça, enchendo-a de novo antes que a criada da taverna pudesse fazer mais do que dar um passo em sua direção. Ela recuou, o rosto enrubescido, as mãos cruzadas na cintura. Não estava acostumada aos apetites nem aos modos ingleses. O primeiro prato de dois frangos pequenos com funcho e cogumelos tinha se reduzido a ossos em dois tempos, mal interrompendo a conversa dos dois homens.

— Eduardo arranjou um belo casamento, é claro — comentou George de repente. Ele fitava o fogo e não viu que a expressão de Warwick se contraíra. — Com duas filhas já nascidas, não duvido que um menino ou dois estejam por vir! Elizabeth está grávida pela terceira vez, e rezo para que seja um filho e herdeiro. Mas eu... bom, estou...

Warwick o fitou com atenção, e o rapaz o olhou de relance. Um rubor tão profundo apareceu em seu rosto, que ele parecia sufocar. Era claro que o jovem duque estava nervoso e suava mais do que o calor da pequena lareira justificaria.

— Eu... é... pedi para acompanhá-lo a Paris em parte porque não conheço a cidade e achei que seria uma bela viagem, com novas paisagens, e talvez eu descubra um livro ou dois para dar de p-presente...

Warwick olhou para ele surpreso. O silêncio pacífico dos últimos dias tinha sumido. Ele começou a se perguntar se George de Clarence teria uma apoplexia, de tanto que tremia e gaguejava.

— Tome um gole, George. Pronto, a comida chegou! Deixe que eu corte uma fatia para você. Talvez assim você consiga abordar o que o deixa tão entusiasmado.

Warwick se pôs a trinchar o quarto de leitão deixado na mesa, pondo fatias nos pratos de madeira diante deles. Ele pegou a própria faca e cortou pedaços que pudesse espetar enquanto falava e depois voltou a encher as duas taças de vinho. Sem dúvida partiriam tarde no dia seguinte, mas a ideia não o perturbou indevidamente. Algumas noites eram perfeitas quando passadas com vinho e boa companhia.

George, duque de Clarence, mastigou miseravelmente, a boca cheia demais para sequer tentar falar. Ele se esforçou para comer a tira do melhor torresmo que já havia provado, torcendo-o de um lado para o outro com a boca até achar que jamais cederia e engoli-lo com hombridade. A carne pareceu acalmar seu juízo flutuante e lhe permitiu voltar a falar, e ele se forçou a correr com as palavras antes que o coração explodisse no peito.

— Pensei em lhe pedir, senhor, milorde, a mão de sua filha Isabel em casamento.

Pronto, estava dito. O rapaz afundou na cadeira e virou a taça de vinho enquanto Warwick olhava para ele boquiaberto, a mente trabalhando. Seria um casamento melhor do que ele poderia esperar — principalmente com os homens e as mulheres Woodville exigindo todos os títulos do reino assim que ficavam livres.

— Você já mencionou seu desejo à minha filha?

George cuspiu o vinho e gaguejou a resposta.

— Não lhe falei de desejo, senhor! Não ousaria antes de ter falado com o pai dela. Até a noite de nosso casamento, milorde, senhor!

— *Respire* — disse Warwick. — Mais uma vez. Pronto. Eu me refiro ao seu desejo de se casar, só isso. Você... não sei, falou de amor com Isabel? Se falou, fico um pouco surpreso de ter conseguido emitir mais de uma palavra nessa torrente de balbucios.

— Falei três vezes com ela, milorde, em companhia casta. Duas vezes em Londres e uma em sua propriedade de Middleham, no verão passado.

— É, eu me lembro — disse Warwick, lembrando-se de ver sua filha, então com 16 anos, conversando com um menino suado. Ele se perguntou se George, duque de Clarence, estava interessado em sua filha pela beleza ou pelas terras que ela herdaria. Warwick não tinha filhos, e quem se casasse com Isabel acabaria se tornando o homem mais rico da Inglaterra ao herdar as vastas propriedades de Warwick e Salisbury. Isabel poderia já ter se casado se não fosse o domínio extraordinário de pretendentes Woodville quando ela chegou à idade matrimonial.

Warwick franziu a testa, olhando com novos olhos para o duque de 18 anos que poderia se tornar seu genro. Uma coisa era considerar George um irmão meio decente do rei, outra bem diferente era pensar nele como pai de seus netos. Viu um profundo nervosismo mas também alguma coragem no rapaz que enfrentou seu olhar sem desviar o rosto, compreendendo instintivamente o escrutínio.

— Eu sei que o senhor há de querer pensar em minha oferta, senhor. Não tocarei mais no assunto, agora que o trouxe à luz. Só isso, milorde. Eu realmente a amo, por minha honra. Isabel é uma moça maravilhosa. Quando a fiz sorrir, tive vontade de rir ou chorar de alegria.

Warwick ergueu a mão.

— Deixe-me digerir a notícia com essa bela refeição. Acho que gostaria de outra jarra deste vinho tinto para acalmar meu estômago. — Ele viu o rapaz engolir em seco e empalidecer e decidiu não o forçar. Em vez disso, bocejou. — Ou talvez seja melhor dormir e levantar cedo. Temos um dia longo na estrada à frente... e Paris depois de amanhã. Precisamos estar atentos.

— Terei minha resposta até lá, milorde? — perguntou George, os olhos desesperados.

— Sim, terá — respondeu Warwick.

Ele não tinha nenhuma vontade de torturar o rapaz. Seu instinto estava totalmente a favor, principalmente porque sua esposa jamais sonharia em casar a filha deles com um duque. Também era significativo que o casamento enfureceria Elizabeth Woodville, embora esse prazer tivesse de permanecer privado.

A ideia o deteve quando ele se levantou da mesa.

— Sabe, mesmo que eu me disponha a aceitar seu pedido, o rei ainda terá de conceder sua permissão, como é preciso em todos os casamentos entre famílias nobres.

— Que sorte, então, que o rei Eduardo é meu irmão — comentou George, sorrindo — e me concederia tudo o que estivesse em seu poder.

O entusiasmo do rapaz era contagiante, e Warwick sorriu junto com ele. George de Clarence ainda não era homem feito, estava a caminho do que viria a ser. Mesmo assim, Warwick viu que torcia para o irmão do rei ser bem-sucedido.

Charing Cross era uma encruzilhada perigosa entre as casas do Parlamento e as muralhas da cidade de Londres mais adiante ao longo do rio. Na curva do Tâmisa, era mais conhecida pela cruz imensa erigida pelo primeiro rei Eduardo quando da morte da esposa. Embora tivesse cento e oitenta anos, a cruz continuava a ser um marco da tristeza e da perda de um homem.

Eduardo baixou a cabeça e ergueu a mão para tocar o mármore polido. Dava para ver a marca onde mil outros tocaram a cruz para ter sorte, e ele fez uma oração pela rainha morta havia tanto tempo. Talvez tivesse mais peso por vir de quem tinha a mesma altura, nome e sangue do velho Pernas Longas. Eduardo se sentiu próximo do rei que os homens chamavam de Martelo dos Escoceses.

Além da cruz e do círculo em volta, a estrada ampla se estendia para oeste, até Chelsea, grande ponto de parada de carruagens com estábulos, onde os viajantes podiam se banhar e comer antes de seguir para a região desabitada. O rio ficava perto, e Eduardo conseguia sentir o cheiro de sua mancha verde e amarga, abrindo os pulmões. Ele pigarreou, engolindo o desagrado com o catarro denso e toda a umidade e desolação ao redor — além da tarefa que o esperava.

Ela precisava ser cumprida. Elizabeth tinha aberto seus olhos para a influência dos Nevilles na corte inglesa, como eles se insinuaram em todos os cantinhos. Era espantosa a frequência com que cargos lucrativos eram ocupados por homens e mulheres sem nobreza que, por acaso, tinham pais ou avós Neville. Elizabeth os descrevia como "a podridão", embora tivesse curiosidade em saber como isso tinha acontecido.

De repente, Eduardo deu uma risadinha, fazendo os homens que o acompanhavam erguerem o olhar em sua postura paciente. Sua esposa era uma maravilha, uma alegria privada que vinha da adoração que tinha por ele, do prazer que sentia com todas as suas partes. Os dois riam com facilidade, e, se seus lordes achavam que ela o havia prendido entre suas coxas, bom, ele não podia discordar por completo. Mas, ao mesmo tempo, Eduardo entendia que Elizabeth faria tudo para protegê-lo; não havia mais ninguém no mundo cujo interesse fosse tão igual ao seu. Ela tinha dito isso mil vezes. Ninguém mais poderia merecer sua total confiança, pois os dois tinham motivos, amores e amizades além dele. Elizabeth era devotada ao seu rei, amante e marido, pelos filhos e pela coroa.

Ele ergueu os olhos para a porta aberta da estalagem de Charing Cross, que ocupava uma ótima posição na estrada das carruagens para oeste e era famosa pela comida. O estalajadeiro tinha sido avisado de que receberia o rei. Ele permanecia curvado, incapaz de se levantar.

Eduardo apeou devagar, os pensamentos ainda na esposa. A rainha tinha razão, é claro. Se um jardineiro descobrisse que uma trepadeira havia crescido por todo canto, por todas as sebes, arbustos e flores, ele não a ignoraria. Cortaria a raiz e a arrancaria, gavinha por gavinha, para jogá-la no fogo. Era isso que Elizabeth queria.

Ter tantos Nevilles nos altos cargos do reino fazia com que Eduardo só reinasse com o apoio dessa casa. Ele havia discutido isso interminavelmente com Elizabeth até ver a trepadeira agarrada a todas as propriedades e famílias nobres, do litoral sul até a fronteira da Escócia.

O pobre rei Henrique nunca tinha visto até onde havia crescido, como se entrelaçara e se tornara forte. É claro que não. Eduardo também tinha ficado cego à extensão da influência de homens como Warwick e o conde Sir João Neville de Northumberland; de Fauconberg, conde de Kent; do duque de Norfolk, com sua mãe Neville; de Jorge Neville, arcebispo de York. O rei Eduardo trincou os dentes ao olhar para as janelas da estalagem na encruzilhada. Elizabeth havia pintado para ele um quadro apavorante. Ele só poderia reinar até onde não atrapalhasse os interesses dos Nevilles? E não podia permitir uma coisa dessas, agora que tinha tomado consciência disso. Mesmo que se afastasse da fogueira que Elizabeth queria ver, não faria mal podar parte daquela vegetação escura.

O arcebispo Jorge Neville saiu pela porta da taverna, atraído pela notícia que reverberava pelos quartos de que o rei estava em pessoa no lado de fora. Todo movimento havia cessado a centenas de metros em torno deles quando os transeuntes pararam para observar o rapaz que comandava a Inglaterra.

O arcebispo havia se ajoelhado diante do rei na coroação de Eduardo. Ele usava uma bela capa e os paramentos por baixo, mas, quando viu que o rei tinha vindo mesmo, não hesitou: aproximou-se de Eduardo e se apoiou num dos joelhos. Havia um ar lupino, selvagem, nos cavaleiros ao redor do rei. Mais de um tinha tocado o punho da espada quando o arcebispo se aproximou. Jorge Neville manteve a cabeça baixa até Eduardo murmurar que se levantasse.

— Tantos homens e cavalos — comentou com suavidade o arcebispo. — Sou seu leal criado, Vossa Alteza. O que deseja de mim?

Embora fosse uma cabeça mais baixo que o rei e um homem da Igreja, Jorge Neville tinha os ombros tão largos quanto qualquer um dos cavaleiros presentes. De pé, não lhes deu sinal de sentir culpa nem medo e meramente devolveu seus olhares com calma e firmeza.

— Vim buscar o grande selo, Vossa Graça — declarou Eduardo. — O senhor deve entregá-lo a Robert Kirkham aqui, o mestre dos Pergaminhos. Ele o manterá a salvo.

Jorge Neville empalideceu, os olhos arregalados de surpresa.

— Então serei demitido do cargo de chanceler, Vossa Alteza? Ofendi? Faltei com meus deveres?

Ele pôde ver que Eduardo se sentia pouco à vontade, com marquinhas de raiva se espalhando pelo rosto e pelo pescoço.

— Não, Vossa Graça. Eu meramente decidi passar o grande selo a outra pessoa.

— Quem, então, designará juízes e tribunais nos casos que já me foram trazidos? A quem devo dizer aos penitentes que procurem, Vossa Alteza? Eu... Eu não entendo... — Jorge Neville olhou para os cavaleiros em volta, que o encaravam com ódio. — Homens *armados*? Vossa Alteza achou que eu resistiria? Fiz um juramento de lealdade em sua coroação!

Eduardo enrubesceu ainda mais. Ele tinha imaginado fúria e manipulação, não a dor que via no arcebispo. O rei trincou os dentes e não disse nada, observando a ofensa se esvair e Jorge Neville ficar de ombros caídos.

— Marren! — chamou o arcebispo. — Vá buscar o selo do rei para mim. Está na bolsa de couro marcada com um escudo de ouro. Não, traga a bolsa também, para o caso de ele ser levado.

O criado correu de volta para a estalagem, fazendo barulho ao subir as escadas, e sumiu em seus aposentos. Na rua, Jorge Neville havia recuperado a dignidade. O rei ainda estava parado, em silêncio, irritado, esperando. Em torno deles, se formara uma multidão de rostos atentos, homens, mulheres e crianças, todos encantados ou assombrados.

— Não discuto seu direito de ter o chanceler que quiser — disse o arcebispo num murmúrio. — Mas desconfio de que o senhor foi mal informado. — Ele mostrou com um gesto os cavaleiros armados que o rodeavam com uma ameaça fria. — Eu sou um homem de Deus e um súdito leal. Até este momento, também era o chanceler da Inglaterra. Continuo leal e um homem de Deus. Isso não mudou.

Eduardo inclinou a cabeça, aceitando a reprimenda, embora não respondesse. O criado do arcebispo veio escorregando pela rua enlameada trazendo ao ombro uma bolsa de alça larga. Eduardo a passou para o mestre dos Pergaminhos, um homem envergonhado demais para fazer algo além de grunhir uma afirmativa ao conferir o conteúdo.

Com movimentos rápidos e bruscos, o rei e seus cavaleiros voltaram a montar. A multidão se abriu com pressa ao perceber que Eduardo estava indo embora. O arcebispo foi deixado para trás quando fizeram as montarias dar meia-volta e partiram para o leste a meio-galope, rumo a Ludgate e à cidade de Londres, levando consigo o grande selo.

26

O Palácio do Louvre era quase tão impressionante quanto pretendia ser, com o triplo do tamanho da Torre de Londres, mesmo sem levar em conta os vastos jardins. Quando Paris esteve sob ocupação inglesa, o Louvre ficou quase vazio, com apenas uma pequena parte usada como estábulo e residência do lugar-tenente e governador do rei.

Tudo isso era passado, pensou Warwick com tristeza — e sem dúvida ele não viveria para ver aqueles dias voltarem. Tinha sido de partir o coração cavalgar por campos que poderiam facilmente ser Kent, Sussex ou Cornualha. A Normandia e a Picardia se pareciam tanto com o sul da Inglaterra, que não era surpreendente os reis ingleses as terem tomado uma ou duas vezes. Warwick sorriu para seu reflexo na janela, olhando para as sebes ornamentadas que se estendiam aparentemente por quilômetros ao longo das margens do Sena. Não deveria estar pensando nisso com tudo o que se esperava dele.

A presença do jovem duque de Clarence não tinha prejudicado em nada sua causa, Warwick estava disposto a admitir. Desde o momento em que sua chegada à capital francesa foi formalmente anunciada, o rei Luís e seus cortesãos mais importantes não pouparam despesas nem lisonjas aos representantes do rei Eduardo. A simples presença do irmão do próprio rei foi saudada com prazer ruborizado, como se mandar Clarence fosse a prova de uma nova vontade inglesa de buscar paz e comércio legalizado. O fato de o jovem duque falar francês fluentemente ajudava, embora, por insistência de Warwick, Clarence se limitasse a cumprimentos no palácio e na cidade.

O rei Luís acordava cedo, ao que parecia. Para lhe fazer a cortesia de aguardar sua real presença, Warwick tinha de se levantar muito antes do amanhecer e trotar pelas ruas enevoadas de Paris enquanto a antiga cidade voltava à vida. Ele tinha adotado o hábito de parar numa padaria numa rua não muito distante de sua hospedaria e cavalgar enquanto comia pedaços de um pão quente. A maioria dos cavaleiros estava alojada pela cidade, deixando Warwick com apenas dois veteranos, o duque de Clarence e dois criados para acompanhá-lo até o palácio real toda manhã. Em outros anos, Warwick sabia que teria sido forçado a esperar dias inteiros, mas milagrosamente tinha se habituado a aguardar apenas o rei fazer seu desjejum e ser banhado e perfumado antes de aparecer com o cabelo oleado e o veludo escovado. Warwick ficou lisonjeado com a atenção do rei, que o saudava toda manhã como se fossem amigos.

As portas no outro lado do salão se escancararam, sinal para todos os guardas e criados ficarem empertigados. O arauto começou a recitar os muitos títulos e honrarias do rei Luís, e Warwick e Clarence se apoiaram num dos joelhos, um par perfeito de cortesãos ingleses em seus melhores trajes.

Entre os arautos veio andando o rei francês, sua grande túnica formal vermelha carregada por uma hoste de meninos muito pequenos em roupas azuis e brancas idênticas. Ao redor dele, vinham doze de seus escribas de rosto fino, que registravam todas as palavras que pronunciava, rabiscando com as penas numa língua só deles para acompanhar a velocidade da fala. Warwick havia presenciado um deles desmaiar dois dias antes. Aquele sujeito não estava mais lá, substituído, sem dúvida, por outro capaz de acompanhar a torrente. O rei Luís adorava falar, embora nunca fosse uma conversa vazia. Warwick descobriu que ele cuspia palavras como um pescador lança a isca, observando o tempo todo para ver se algo viria das profundezas.

— Levantem-se, meus bons lordes ingleses que despertaram antes do sol para me saudar esta manhã! Seu apetite foi saciado, cavalheiros? Sua sede, aliviada?

Não se esperava a verdadeira resposta, e Warwick e Clarence só confirmaram com a cabeça e se curvaram quando o rei passou por eles.

Permaneceram em absoluto silêncio vendo a corte se reunir, aparecendo pelas portas laterais enquanto Luís se instalava à cabeceira de sua mesa de mármore preto. A mesa tinha algum significado, como Warwick havia descoberto, embora não soubesse qual era. Ele notara que era raro alguém passar pelo móvel sem estender a mão para tocar a pedra, mas não sabia se era para dar sorte ou se ela se tratava de uma relíquia.

Trouxeram frutas e mais cadeiras, com oito ou nove desconhecidos que apareceram para cochichar nos ouvidos do rei. Podia ser uma pantomima para impressionar os hóspedes, embora Warwick sentisse que questões importantes eram discutidas diante dele, informações levadas ao rei e suas respostas dadas ocultadas por mãos protetoras.

Uma hora inteira se passou, talvez duas, sem que Warwick nem Clarence demonstrassem o menor sinal de fadiga ou tédio. Depois que Warwick transformou aquilo num desafio pessoal, a situação virou um jogo entre eles, e assim podiam cruzar os olhares com um leve interesse e ocultando o humor, não importando quanto tempo demorasse.

— Cavalheiros! Aproximem-se de mim, por favor. Aqui, aqui. Venham, venham. Ah, fico desolado de tê-los deixado aguardando todo esse tempo. O chanceler Lalonde estará presente para me aconselhar, é claro. — O rei olhou para o velho como se o desafiasse a responder. O chanceler devolveu o olhar, curvado sobre a bengala. — Os senhores sabem, cavalheiros, levanto-me toda manhã com o conhecimento de que, algum dia, Lalonde estará ausente, sumido dos pergaminhos. Lamento com antecedência, se me compreendem, imaginando a tristeza que certamente sentirei, como se assim pudesse reduzir a dor sentindo-a antes da hora.

— Desconfio de que sofrerá por ele mesmo assim, Vossa Majestade — comentou Warwick. — Eu aprendi que o tempo pode furtar o aguilhão do corte, mas pouco faz pela ferida mais profunda.

O rei Luís olhou de Warwick para Clarence por um tempo que pareceu longo, para variar, estranhamente calado. Ele ergueu um único dedo e o balançou para a frente e para trás antes de apertá-lo nos lábios.

— Ah, seu pai, o conde Salisbury. E, é claro, milorde, aquele grande homem e amigo desta casa, o duque de York. Ambos os senhores foram temperados pela dor, pela perda. Tornados mais fortes, como o metal na forja. Sabem, quando meu pai se foi deste mundo, ele e eu não estávamos... reconciliados, se os senhores me entendem. Meu pai parecia me ver como uma ameaça, um erro de julgamento de caráter que não parecia típico dele. Ele achava que eu desperdiçava meu talento. Mesmo assim, sinto falta dele.

Sem avisar, os olhos do rei ficaram brilhantes de lágrimas e ele engasgou, auxiliado imediatamente por criados que lhe trouxeram água, lenços de seda e vinho. No momento seguinte, os sinais de pesar sumiram, seu olhar se tornou frio e tão afiado quanto um esporão.

Warwick só conseguiu baixar a cabeça em resposta, mais uma vez afetado pela estranha sensação de ser observado por um homem que olhava para ele de verdade, como se os olhos fossem de vidro opaco colorido e a torrente de pensamentos e palavras servisse para esconder o verdadeiro rei lá dentro, espiando.

— Vejo no senhor, milorde Warwick, um homem de sensibilidade desde o primeiro momento. Um homem que, se me perdoa a lisonja, é merecedor de meu tempo e que pode retribuir minha confiança. O senhor veio a mim sem perfídia nem jogos para declarar seu desejo de paz e comércio dessa maneira inglesa maravilhosamente franca, tudo arranjado como feijões no couro de um tambor para serem contados e guardados ou descartados. Meu pai detestava todos os senhores, como tenho certeza de que é capaz de compreender, já que tolos e agricultores ingleses caminharam por suas ruas como se as possuíssem.

Warwick sorriu, aguardando a pergunta ou a repreenda que, a essa altura, sabia que viria com certeza.

— Agora enfrento uma escolha, milorde Warwick, quanto ao *seu* caráter, uma escolha que me causa dor. Devo decidir, antes que saia de minha presença aqui hoje, se o senhor é um idiota ingênuo ou se faz parte das maquinações e estratégias de sua corte em casa!

Para espanto de Warwick, o rei se levantou da cadeira e apontou um dedo para ele, o rosto do rei se escurecendo com toda a aparência da raiva. O homem de sedas e pensamentos filosóficos havia sumido numa fúria que cuspia saliva.

Foi tão assustadoramente súbito, que Warwick precisou lutar com todos os nervos e músculos do corpo para não rir. Havia um quê de uma comicidade magnífica naquela bexiga real inchada diante dele, embora sua vida pendesse na balança.

A ânsia de se destruir desapareceu e o deixou fraco e trêmulo.

— Vossa Majestade, não compreendo...

— Ingênuo, então? Sabe, não é essa sua reputação, Ricardo Neville, o homem que levou um rei fracassado até a cela em sua Torre de Londres. Seu rei Eduardo pensa em me intimidar com o senhor? Ele pretende que eu entenda sua presença como alguma ameaça?

Warwick engoliu em seco com desconforto.

— Essa *não* é a intenção dele, eu juro. Se o senhor conhecesse o rei Eduardo, Vossa Majestade, creio que descobriria que ele não é homem inclinado a esse tipo de jogo, a esse tipo de labirinto. Por meu nome e por minha honra...

O rei Luís ergueu a mão limpa e branca.

— Enviei taças de ouro e prata de presente ao senhor, milorde. Mandei que os mercadores de Paris não cobrassem de ninguém de seu grupo, ninguém! Que até as meretrizes se tornassem disponíveis a seus homens sem uma única moeda em troca. Mandei os tecelões, os tintureiros e as costureiras mais habilidosos da França tirarem as medidas de todos os homens que vieram com o senhor do litoral. Por que não, milorde? Eles voltarão para casa com roupas melhores que as que trouxeram da Inglaterra. Meus mestres alfaiates terão mostrado seus produtos a famílias inglesas ricas o suficiente para encomendar mais. Vê? O comércio é a linha que nos une, não a guerra. Os ingleses clamam por vinho melhor do que o de seus pobres vinhedos, tecidos melhores, queijos melhores. Em troca, quem sabe, haverá algo que os senhores tenham que nos possa interessar?

— Arqueiros? — retrucou George, duque de Clarence.

Se sua intenção era defendê-lo ou se era apenas uma reação de insolência e sensibilidade ao insulto, Warwick não fazia ideia. Ele segurou brevemente o braço do rapaz, rápido como um raio, para silenciá-lo.

— Vossa Majestade, não compreendo a fonte dessa raiva — continuou Warwick, apressado. — Desconfio de que tenha havido algum engano, talvez uma mensagem mal compreendida ou algum inimigo com rancor nos lábios...

O rei Luís estreitou os olhos, encarando-os e suspirando.

— Não acredito que tenham lhe contado, Ricardo. É por isso que estou irritado... em parte, em seu nome. O que fará agora? Agora que seu rei o fez de bobo pela segunda vez? Ele o mandou negociar uma princesa francesa e, *zás*, arranca-lhe tudo dizendo "Estou casado". E agora, milorde, ele o manda a mim mais uma vez para assinar um tratado que vale... bom, não interessa. E, enquanto o senhor está na França, ele faz o *próprio* tratado com o duque de Borgonha, sobre comércio e muito mais, milorde. *Muito mais!* Fui informado de que ele fez um *pacto* com o duque de Borgonha, meu caro Felipe! Um pacto de proteção mútua contra a França! Uma traição dessas... e ainda assim, e ainda assim temo pelo senhor, milorde. Ser traído dessa maneira por seu rei! Infame! O senhor acredita que isso significará a guerra entre nós? Seria essa a intenção do rei Eduardo?

Warwick tinha ficado totalmente paralisado, mal consciente do rapaz boquiaberto se remexendo ao seu lado. Não tinha razões para desconfiar que o rei francês mentia. Era grotesco demais, aterrador demais, para não ser verdade. Esse conhecimento se revelou em seu rosto.

— Ah, como eu disse, o ingênuo — continuou Luís, quase com tristeza. — Assim pensei, apesar de sua reputação. Seu rei Eduardo se arrisca muito ao me ofender duas vezes, talvez menos com o senhor.

— Meu irmão não teria razões... — começou Clarence.

Warwick se virou para ele e ordenou que se calasse, fazendo o rapaz engolir as palavras seguintes.

— Milorde Clarence — disse Luís, os olhos cheios de pena. — É claro que seu irmão teve razões, como todos os homens. A Borgonha saberá que os senhores estão em Paris em negociações comigo. Não duvido de que espiões relatarão até mesmo esta conversa, como fizeram ontem e anteontem. Os pombos voam por toda a Paris, por toda a França. Seu irmão terá obtido termos excelentes para o comércio e para a proteção de seu reino, tenho certeza. O fato é que a Borgonha e eu não temos gozado de uma relação pacífica nos últimos anos. Talvez eu tenha empurrado o duque para os braços da Inglaterra. Não sei. Seu rei Eduardo obteve sua rota comercial para todo o continente... e, em troca, se arriscou a fazer da França uma inimiga, e talvez Warwick e Clarence, não é? Quem sabe? Os reis estendem o braço para pegar o que querem, depois estendem o braço de novo, como crianças, até que descobrem não ter mais forças. As coisas assim são.

O olhar do rei passou por Warwick, avaliando sua expressão completamente arrasada, os traços caídos e os olhos perdidos em pensamento íntimo. Luís fez que sim para si mesmo, todas as suas conclusões confirmadas. Warwick não sabia.

— Os senhores podem ficar com seus presentes, milordes. Ainda não somos amigos? Estou desolado, pelos senhores e pela confiança que senti que começava entre nós. Vi glórias à frente, e agora só há devastação. Sinto muitíssimo.

Warwick compreendeu que estava sendo dispensado, mas não conseguia encontrar palavras, nenhuma linha de argumentação para continuar. Soltou o ar lentamente, a boca tensa. Quando ele e Clarence fizeram uma reverência, o rei Luís balançou o dedo erguido mais uma vez.

— Pensei... não. Milordes, eu pretendia dar um último presente a esse belo rapaz: uma armadura feita pelo melhor mestre de Paris. Mestre Auguste trouxe todos os seus melhores projetos. Ele só deseja tirar suas medidas e depois... Ah, bom. Não, seria um *desperdício*! Talvez eu ainda pudesse mandá-la ao senhor, como símbolo de meu respeito e de minha amizade.

A expressão taciturna nos olhos de Clarence se desanuviou completamente ao ouvir esse comentário. Ele deu uma olhada em Warwick, tentando ver se ousava aceitar.

— Com a permissão de milorde Warwick, eu ficaria muito contente de ver uma coisa dessas. Ora, ontem mesmo eu descrevia a armadura que vi em seu pátio de treinamento. Fiquei com inveja... Vossa Majestade, essa oferta é principesca. Estou deslumbrado!

Luís sorriu com o prazer do rapaz.

— Então vá, antes que eu mude de ideia ou calcule o custo. Siga este cavalheiro aqui e ele o levará até mestre Auguste. O senhor não ficará desapontado.

Warwick fez que sim de leve quando Clarence se virou para ele, com um olhar indagador.

— Não se preocupe — disse Warwick. — Descobrirei a armadilha desse negócio. — Ele percebeu que sorria enquanto falava. O entusiasmo do rapaz era contagiante, e o presente, realmente régio.

Quando a porta se fechou atrás do duque de Clarence, Luís se instalou novamente na cadeira de espaldar alto. Warwick se virou para ele com uma das sobrancelhas erguidas, e o rei deu uma risadinha.

— Sim, milorde, achei que seria melhor distrair o jovem durante a próxima hora. Ah, ele terá sua armadura, e mestre Auguste é um gênio; mas a questão não é como o seu rei o desconsiderou só para obter termos melhores. Há outra questão que quero verificar.

Enquanto Warwick franzia a testa, confuso, o rei Luís fez um sinal para o chanceler Lalonde, que respondeu com um gesto para uma série de portas no lado oposto da sala. O conde ficou com a forte impressão de que estava no centro de uma colmeia, com cada porta se abrindo para o que Luís queria mostrar ou se fechando para o que queria manter privado. Apesar de toda a boa vontade do rei, Warwick tinha visto sua fúria e sua inteligência arguta. Ele não o trataria com leveza...

O conde ficou paralisado, a mão caindo onde geralmente a espada descansava no quadril. A lâmina lhe havia sido tirada ao entrar, é claro, uma simples questão de cortesia numa corte estrangeira. Seus dedos se moveram atrás dela, recordando a adaga esguia que tinha sob o cinto. Poderia ser alcançada num instante, se preciso fosse.

Derry Brewer entrou mancando pela porta. Ele caminhava com a ajuda de uma bengala pesada que se abria num carbúnculo sob sua mão fechada e que mais parecia uma maça que o bastão de um aleijado. Warwick sentiu um pouco da tensão abandonar o corpo quando notou a perna arrastada do homem e o olho que lhe faltava. Tentou não demonstrar desconforto quando a figura manca atravessou o piso polido até ficar ao seu lado. O espião-mor vestia um casaco de couro marrom sobre o gibão e meias cor de creme, de lã boa e grossa, mantendo o frio longe de seus ossos.

Inconscientemente, Warwick se empertigou, decidido a não demonstrar medo nem ser intimidado. Percebeu que o medo se fazia presente, embora se esforçasse para ocultá-lo. O homem era seu inimigo, e Warwick conseguia sentir o olhar ardente do rei francês em seu rosto, observando o encontro com desavergonhado fascínio.

— Bom dia, milorde Warwick — saudou-o Derry. — O senhor me desculpará por não me curvar, com essa minha perna. Ela levou uma surra. Já faz alguns anos, mas as cicatrizes ainda estão repuxadas.

— O que você deseja, Brewer? Como pode acreditar que tem algo a me dizer?

— O rei Luís tem sido muito gentil, Ricardo. Eu pedi para encontrá-lo primeiro, caso o senhor quisesse puxar essa pequena adaga aí junto às costelas e começar a brandi-la. Antes que eu arriscasse minha senhora em sua presença, entende.

Warwick ficou frio e imóvel, estupefato. Ele sentia a faca apertada contra a pele debaixo do braço, a bainha de couro úmida de suor.

— A rainha Margarida? — perguntou, dando-lhe o título por força do hábito, embora ouvi-lo fizesse Derry sorrir.

— Acho que você não perderá perder a cabeça por isso, não é, Ricardo? Ela só deseja notícias do marido. Será demais? Dizem que o senhor levou Henrique para sua cela e que o visitou lá. Deixará a esposa de um homem lhe perguntar sobre o marido, milorde?

Warwick sabia que Derry compreendia como esse pensamento era perverso. Margarida tinha sido responsável pela morte de seu pai. Ela havia assistido à execução de York e Salisbury, suas cabeças levadas para serem espetadas nas muralhas da cidade. Se concordasse em falar com ela, encararia os olhos que viram a cabeça de seu pai ser cortada para rolar sobre a terra. Era algo difícil de se pedir.

— Seria uma honra, milorde Warwick — disse o rei Luís atrás dele. Warwick meio que se virou, tentando manter Derry Brewer à vista. — Margarida é minha prima — continuou o rei francês —, e, bom, o senhor estava aqui em Paris. É claro que ela está sob minha proteção. Seria uma grosseria não atender a seu pedido, compreende?

Warwick ficou pensando. Ser informado de outra humilhação por parte do rei Eduardo — e encontrar sua inimiga pouco depois. Ele se perguntou quantas horas de planejamento havia perdido para ser levado àquele lugar naquele exato instante. Ele deu de ombros para Derry Brewer.

— Então a traga. Pode ficar com minha adaga, se quiser. Não me vingo de mulheres, mestre Brewer. No entanto, eu gostaria de tomar essa sua bengala e lhe proporcionar mais uma série de hematomas com ela.

— Seria um prazer, milorde Warwick, se o senhor quiser tentar — respondeu Derry com um sorriso que mostrou que metade dos dentes tinha sumido. Era claro que havia levado uma surra extremamente violenta. Ainda assim, parecia forte, a mão na bengala grossa, com veias ressaltadas. Apenas a perna torta e o olho vazio mostravam o que tinha sofrido.

Margarida entrou sem fanfarra nem criados, deslizando pela sala num vestido azul-escuro que se arrastava atrás dela. Não era a figura alquebrada que havia imaginado: mantinha as costas eretas e o brilho no olhar. A maior surpresa foi o rapaz ao seu lado, de cabelos escuros e cintura fina sob os ombros largos. Eduardo de Westminster ergueu a cabeça ao saudá-lo, e Warwick calculou que o filho dela devia ter uns 14 ou 15 anos. O menino já estava mais alto que a mãe e tinha toda a aparência de um espadachim. Warwick percebeu que estava fascinado.

— Obrigada por concordar, Ricardo — disse Margarida.

— Foi uma cortesia para com meu anfitrião, mais nada — respondeu Warwick. Apesar de tudo, curvou-se de leve, o que a fez sorrir.

— Lamento a perda de seu pai, Ricardo. Dou-lhe minha palavra: fiquei contra York e ele ficou com seu amigo, mas nunca fui inimiga de sua casa.

— Não posso acreditar na senhora, milady.

Para sua surpresa, Margarida virou a cabeça como se tivesse sido ferida.

— Ainda me recordo de quando eu e você estávamos no mesmo lado, Ricardo, contra Jack Cade e seus rebeldes. Lembra-se? Servimos a inimigos, é verdade. Não acredito que nós dois continuemos inimigos para sempre.

— Ah, cavalheiros, senhora — interveio o rei Luís, levantando-se. — Meu serviçal, que faz gestos para mim como uma criança, preparou um pequeno almoço. — O rei atravessou o salão e passou por eles. — Se tiverem coragem, desconfio de que encontraremos algum prato que agrade até aquela maravilha do mundo, o famoso paladar inglês. Sigam-me!

— Onde eu estaria sem você? — murmurou Eduardo, enterrando o rosto entre os seios da esposa. — Sem *eles*!

Seu hálito quente fez cócegas, e ela deu um gritinho, empurrando-o para afastá-lo da curva arredondada da barriga.

— Você deveria estar vestido uma hora atrás — avisou ela, então rolou na cama e se assustou ao ver seu mastim aguardando com paciência. O grande cachorro preto e branco era tão alto, que sua cabeça inteira aparecia acima da borda da cama e ele conseguia fitá-la. — Há quanto tempo você está aí, Bede? Fora, vá para fora.

Ela se virou para o marido, que se sentava na beira da cama, estendendo a mão para tocar seu ombro e se enroscando nele.

— Sem mim você não teria percebido o domínio que aqueles Nevilles exerciam sobre você. Eu vi desde o princípio, com olhar descansado. Em todas as casas, em todas as linhagens nobres.

— Assim como você forçou seus Woodvilles — implicou Eduardo.

Ela bufou com um som rascante que o fez dar uma risadinha.

— Só podamos a trepadeira antes que o sufocasse, só isso! Seja como for, não é a mesma coisa. Minha família é uma raça sólida do campo, não esses larápios e conspiradores. Conhecemos o gado e conhecemos os homens, enquanto esses Nevilles, bom, eles são ainda mais astuciosos do que pensei a princípio. Acho que, com o tempo, eles o prenderiam como um touro num cercado, incapaz de ver o campo ao lado.

Elizabeth passou a mão pelos ombros de Eduardo, maravilhando-se novamente com sua potência depois de uma vida inteira brandindo espada e maça. Os músculos se contorciam com os movimentos dele, cada um se movendo sob sua mão até que ele se livrou das atenções dela e pegou a camisa.

— Não tenho certeza sobre João Neville, Elizabeth. Ele não me prejudicou, e é vil pensar em lhe tirar o que ele mais valoriza na vida.

Elizabeth se sentou empertigada, uma das mãos sobre os seios, e ergueu os joelhos.

— Não é prejudicar, Eduardo, é um equilíbrio, como já discutimos. Os Nevilles ainda são fortes demais, de modo que a política do trono é sempre aquela que os beneficia, mais do que a você ou à Inglaterra! Eu não pedi um Woodville como seu chanceler, só que você negasse esse papel fundamental ao arcebispo, com sua lealdade à família e a Roma.

— Ele não lutou, como você disse que lutaria — murmurou Eduardo. — Ele aceitou como um cordeirinho.

— Tenho certeza de que foi porque você levou consigo homens fortes e o encontrou com apenas alguns criados. Que opção ele teria, Eduardo, além de lhe entregar docilmente o selo? Não, foi bem-feito, uma reparação. Você é a linhagem de York. Se os podar agora, suas filhas e seus filhos não terão de enfrentar outra guerra daqui a trinta anos, nem seus netos depois disso. Encontraremos o equilíbrio outra vez, sem nenhuma família muito mais forte que as demais, a menos que seja a sua!

— A família Percy apoiou o rei Henrique, você sabe. Se eu tirar seu herdeiro da Torre e o puser em Northumberland, transformaria João Neville em inimigo por nada.

— O "rei do norte"? É assim que o chamam. De Northumberland, aquele Neville controla o norte inteiro, da fronteira da Escócia ao rio Trent, com o irmão Jorge, arcebispo de York. Você entende agora? Você só consegue governar metade do reino, Eduardo! Os Percys e os Nevilles lutaram durante uma geração. Há quem diga que toda essa guerra foi provocada pela briga deles. E você deu *Northumberland* aos Nevilles. Meu amor, você tem um grande coração. Você é generoso e crédulo, mais do que um homem deveria ser, mais do que um rei deveria ser. Northumberland é um prêmio grande demais.

— Eu poderia fazer dele marquês, talvez — comentou Eduardo enquanto pensava. — O título não é muito usado, mas é grandioso. Seria uma pequena recompensa por perder Northumberland.

— A Inglaterra não pode ter dois reis — retrucou Elizabeth. — Dentre todos os homens, você é quem deveria sentir isso no fundo da alma. Temo pelo futuro se você permitir que a árvore Neville lance raízes no norte.

Eduardo fez um gesto, cansado dos argumentos da esposa.

— Chega, chega. Vou pensar para ter paz com você. Eu só... Os Nevilles me serviram bem.

— Eles serviram à própria causa — murmurou Elizabeth. A gravidez a fez gemer quando rolou para se afastar. — Ufa! Você terá de usar as criadas hoje à noite, amor. Estou pesada demais com esse filho.

Eduardo fez que sim, absorto em pensamentos, descansando o queixo na mão.

27

— O que quer que eu *faça*, irmão? — perguntou Warwick. — *Exigir* que o rei Eduardo pare de permitir que os Woodvilles se casem? Que nos devolva as honrarias perdidas? Eduardo não levou golpes suficientes na cabeça para preferir minha boa vontade à da esposa!

O verão havia se tornado outono, com o retorno de Warwick da França dois meses antes. Das janelas do Castelo de Middleham, ele e João viam os campos dourados de trigo sendo ceifados, foiçada a foiçada, enfardados e recolhidos por centenas de homens e mulheres locais, aldeias inteiras reunidas para colher e depois festejar com bebida, música, fogueiras e beijos roubados no restolho dos campos.

João Neville voltava a ser lorde Montacute, tornado marquês, um título entre conde e duque. Ele havia esbravejado por causa disso por algum tempo, em particular, com os irmãos, mas graças a Deus nunca aos ouvidos de quem pudesse lhe desejar o mal. Warwick entendia a raiva do irmão, é claro. Permitiram a João que realizasse seu maior desejo e depois o tiraram dele. Mais uma vez, um Percy dominava Northumberland, como havia acontecido durante tantas gerações. Tinha sido um pouco estranho devolver Henrique Percy à Torre de Londres para que pudesse ser libertado de novo, mas o rei Eduardo ficara contente ao encontrar o rapaz com boa saúde, como talvez não estivesse depois de passar anos numa cela. Warwick sabia que Henrique Percy se sentia leal a ele pelo tratamento recebido. A despedida não tinha sido muito diferente da que acontecia entre pai e filho. Middleham estava bem mais silenciosa com apenas o irmão do rei morando ali como seu pupilo. Ricardo de Gloucester ainda sentia um pouco de dor por causa da torção nas costas, mas o fizeram treinar tantas horas com machado e espada, que armaduras inteiras precisaram ser forjadas para uma forma que havia se tornado esguia e forte. Pelo menos, Warwick não o enfrentava mais no pátio de treinamento. Ele tinha ficado lento demais, enquanto o jovem Ricardo era rápido e confiante.

João Neville, marquês de Montacute, não havia respondido às perguntas, preferindo puxar uma coxa de frango da carcaça sobre a mesa e aceitar uma taça de vinho. Quando sentiu o olhar de Warwick ainda sobre ele, fez um gesto irritado. João Neville tinha executado pessoalmente alguns homens para o rei Eduardo. Sua lealdade havia sido absoluta, sem questionamentos. Sua recompensa fora perder o título, passado a um filho dos Percys. Ele pensava demais na injustiça, mas não ousava revelar isso em voz alta, nem mesmo a Warwick. O irmão Ricardo parecia disposto a sofrer todas as humilhações em vez de fazer o que todos eles sabiam que, com o tempo, aconteceria.

Eduardo e a esposa os enxotariam como porcos e gansos antes que terminassem, João tinha certeza. Ele também se enfurecia pelos irmãos, horrorizado com a injustiça do tratamento que recebiam. Warwick tinha sido mandado à França para ser humilhado e usado como peão. Uma espada havia tomado de Jorge o grande selo — e o precioso título de João tinha sido furtado dele e dado a um menino. Era uma campanha, ia muito além de antipatia. A arquiteta responsável se chamava Elizabeth Woodville — esse era o único núcleo certo daquilo. Warwick se sentia humilhado por ter conhecido duas mulheres dispostas a ir até o fim do mundo para prejudicar sua família. Se seus interesses já tivessem coincidido, João desconfiava de que talvez tivessem um Neville no trono da Inglaterra.

Jorge Neville entrou sozinho e atravessou a sala para dar as mãos aos dois irmãos.

— O tio Fauconberg chegou — anunciou ele. — Devo mandá-lo entrar?

— Ele não avisou que viria — respondeu Warwick, franzindo a testa. Olhou de um irmão para o outro. — Ah, o que é isso?

— Mamãe — respondeu Jorge. — Ela achou que talvez fosse sensato reunir os Nevilles num só lugar. Deus sabe que não temos mais o poder de antes. Seis primos aguardam a seu dispor, Ricardo. Um número de dar pena, embora possuam algumas terras boas. *Estamos diminuídos.* Somos farrapos usados como belos estandartes, mas você ainda é o líder da família.

— Mamãe achou que deveríamos pelo menos discutir os próximos anos — acrescentou João Neville —, talvez antes que o rei Eduardo tenha um filho e herdeiro. Três filhas até agora, mas aquela eguinha fértil teve meninos antes. Outro com certeza virá. Então você acha que os homens da casa de Neville serão totalmente banidos? Não imagino que consigamos sobreviver a mais uma temporada do mau humor dela.

Não houve necessidade de explicar de quem ele falava, não naquela companhia.

— Não discutirei *traição* com vocês — sibilou Warwick aos irmãos, furioso. — Teria o máximo prazer em ver meus primos e o tio Fauconberg, mas não para falar de conspirações ou qualquer coisa que dê ao rei Eduardo motivo para questionar nossa lealdade. Vocês querem que esta casa seja incendiada? É o risco que correm. Meu Deus, o *irmão* do rei mora aqui!

— Não sou tolo, Ricardo — disse João Neville em voz alta. — Ele foi mandado à feira para comprar conhaque horas atrás. Se espionasse para o rei, não teria a mínima chance até esta noite ou amanhã. Seja como for, ele não é mais um menino. Eu o mandaria para casa, para ficar com a mãe. Você cumpriu suas obrigações nisso e em muito mais.

— Ele balançou a cabeça, a raiva fervilhando. — Eu não entendo por que você se segura *agora*, depois de tudo o que sofremos.

— Ele aguarda a petição — disse Jorge Neville.

— Ah, é claro — comentou João Neville com azedume. — Você tem esse direito. Nosso irmão ainda tem a esperança de obter permissão para sua Isabel se casar com um Plantageneta. Vou lhe dizer: *ela* nunca permitirá; e o rei Eduardo já demonstrou que dá mais peso à palavra dela do que à de todo o seu conselho de lordes, que tão bem o serviu. O homem se transformou num fantoche na cama dela, essa é a verdade.

— Espero, sim, que minha filha encontre seu marido em George, duque de Clarence — retorquiu Warwick. — Isabel está contente com a proposta. Ele é apenas um ano mais velho que ela, e os dois... combinam. Ela será duquesa e Clarence receberá as propriedades dela quando a hora chegar.

— Quanto tempo faz que você pediu ao rei? — murmurou João.

Warwick balançou a cabeça.

— Não, você não vai me deixar preocupado. Já faz alguns meses; e daí? Uma união de casas como essa não deve ser decidida num capricho, mas lentamente, de forma estudada, com cuidado e olhar atento a possíveis mudanças do vento.

João olhou para o irmão mais velho, sabendo que Warwick estava cego ou preferia não ver. Deu de ombros.

— Você é o líder da família, Ricardo. Espere até o inverno, então, ou até a primavera, se preferir. Não fará a menor diferença, não com Elizabeth Woodville conduzindo a mão do rei. Ela vai querer suas propriedades para os filhos dela.

Eduardo observava sua bebê mamar no seio de Elizabeth. O fogo crepitava, com lenha suficiente para fazer um homem suar naquela sala de Westminster. Bede, o mastim, jazia esticado no chão, junto ao calor, tão perto que Eduardo teve de afastá-lo com o pé antes que o velho cão se queimasse. Além do crepitar das chamas e dos ruídos da criança que arrulhava e se segurava, não havia nenhum outro ruído, e mesmo os criados pessoais tinham sido dispensados.

Elizabeth sentiu o olhar do marido e sorriu para ele ao ver seu contentamento.

— Não imaginei isso quando a vi pela primeira vez — comentou ele. — Só vi folhas e terra, descendo no barranco para salvar seu cachorro dos lobos.

— E caindo! Embora eu me lembre de um grandalhão tolo que não me segurou!

Eduardo sorriu para ela. Com o passar dos anos, essas palavras tinham passado a ser declamadas entre os dois, sem ofensa real. Ele apreciava a intimidade que essas coisas pareciam criar, repetindo lembranças em comum e vendo novamente que Elizabeth gostava de sua companhia.

— Sabe, conheci homens demais que têm de exigir respeito das esposas.

— Isso não é tão estranho assim, marido, com Eva criada para ser a parceira de Adão. É a ordem natural do mundo, como as ovelhas seguem o carneiro.

— É, mas... — Eduardo pressionou um ponto entre os olhos, buscando as palavras. — Os homens *precisam* ser adorados, Elizabeth. Até os fracos, os poltrões, os covardes e os tolos. São criaturas dignas de pena, cujas esposas gritam e brigam com eles. Não são senhores do lar.

— Algumas mulheres não têm a mínima ideia de como tratar seus maridos — disse Elizabeth com um toque de autossatisfação. — Com suas queixas, elas só causam ressentimento e seu próprio sofrimento. São tolas consigo mesmas.

— Mas você, não. — Eduardo sorriu. — Você me trata como se tivesse encontrado uma maravilha do mundo. Quero merecer isso, entende? Quero ser chamado de senhor de meu lar, mas só porque *sou* mesmo o senhor. Não porque as leis do homem ou de Deus me fizeram assim, mas porque fui feito para comandar.

— Feito para ser meu rei — acrescentou Elizabeth com a voz suave.

Ela ergueu a cabeça para ser beijada, e ele atravessou a sala em três passos e pressionou seus lábios contra os dela. A bebezinha começou a fungar e a se remexer quando perdeu o mamilo.

— Eu gostaria de chamar esta aqui de Cecily em homenagem à sua mãe — declarou Elizabeth, reagindo à alegria que via nele. — Se viver, ela lhe dará orgulho.

— Minha mãe ficará satisfeita, embora eu confesse que me sentiria mais feliz com um filho, Elizabeth.

— Você precisará de filhas para adorá-lo na velhice... e para se casar, manter o reino forte e lhe trazer aliados. Você não se arrependerá dessas lindas menininhas nos próximos anos, de nenhuma delas.

— Eu sei, eu sei. Mas eu poderia mostrar a um menino como fazer um falcão voar para caçar pombos e coelhos, como caçar javalis usando apenas cães e uma faca, como se fortalecer para lutar de armadura. — Eduardo deu de ombros. — Eu... *fui* um menino. Lembro-me com carinho daqueles anos. Eu o tornaria escudeiro de um cavaleiro, talvez um de seus irmãos, para aprender quanto trabalho é preciso para manter um homem no serviço real.

— Eu gostaria disso. E você será um belo professor de seu filho, Eduardo. O próximo, prometo. Só espero que seu treinamento seja proteção suficiente caso seus herdeiros sejam desafiados pelos filhos do seu irmão.

Eduardo deu um passo para longe dela, soltando o ar entre os lábios.

— De novo? Eu não fui apressado, como já falei. Dei a essa decisão tempo e meses de paciência e ainda não consigo ver o erro de trazer todas as propriedades e riquezas de Warwick para minha família, sob meu próprio teto!

— Eduardo, isso é importante. Eu gostaria que não fosse. Se permitir que George se case com essa tal de Isabel Neville, ele herdará *centenas* de solares e propriedades, não dezenas. Castelos, aldeias, cidades. Warwick e Salisbury estão combinados agora, e essa herança é a maior fortuna da Inglaterra!

— Que eu daria ao meu irmão! Ele e Isabel têm a mesma idade. Até se amam, pelo que ele diz. Quem sou eu para recusar o amor a um irmão quando isso também lhe dará metade da Inglaterra como dote?

Elizabeth apertou os lábios, com dificuldade para controlar o mau humor. Ela guardou o seio, chamou uma criada e lhe entregou a criança assim que a menina começou a chorar. A ama de leite continuaria a lhe dar de mamar na cozinha.

Quando voltaram a ficar sozinhos, Elizabeth se inclinou para a frente na cadeira, cruzando as mãos no colo.

— Sabe, meu marido, eu o adoro... e você é o senhor de nossa casa, ou de onde nos encontrarmos. Se me der sua palavra final sobre isso, eu a aceitarei, juro que sim. Mas pense nisso: sua linhagem não é real. — Elizabeth ergueu a mão quando Eduardo se virou para ela com raiva crescente. — Por favor. Seu bisavô era Edmundo de York, o *quarto* filho de um rei. Ele não estava ao alcance da coroa que você usa agora, mas tinha riqueza. Casou-se bem, e o filho e o neto foram fortes e inteligentes. Construíram grandes propriedades e acumularam títulos com matrimônios e honrarias até seu pai ter força suficiente para desafiar o trono.

— Compreendo.

Pela contração da mandíbula, ela desconfiou que Eduardo compreendia, mas resolveu dizer as palavras mesmo assim para ter certeza de que ele as ouvia.

— Seu irmão, George de Clarence, também é filho de seu pai, Eduardo. Tem a mesma inteligência, a mesma força. Se deixar que se case com a vasta fortuna de Warwick, ele viverá para desafiá-lo... ou seus filhos, ou seus netos. Você estará acumulando problemas para mais tarde ou outra guerra entre primos e irmãos. Por favor, por mais que doa a George, você deve negar esse noivado pelo bem de seus filhos.

— Essa não é uma razão que eu possa dar a ele — retrucou Eduardo. — Não posso dizer: "George, não quero que você e os seus *prosperem*, caso seus filhos um dia ameacem os meus." Essa é a resposta de um covarde, Elizabeth. Quer que eu me preocupe com meus próprios irmãos? Com George e Ricardo? Minha mãe Cecily não criou homens fracos nem traidores. Eu não tenho medo deles nem de seus filhos.

— Não, embora você tenha vindo de uma linhagem menor. Você é rei agora, Eduardo. Deveria olhar mais longe, daqui a mil anos, começando com as menininhas que amamentei em meu colo. George de Clarence se tornou duque por sua mão. Que se contente. Eu lhe encontrarei outra esposa, e, se mais tarde preferir tomar Isabel Neville como amante, bom, aí é da conta dele, é claro. Essas são escolhas e decisões que um rei tem de tomar, Eduardo. Seu irmão compreenderá.

— E quando ele me perguntar a razão? — indagou Eduardo.

Elizabeth sorriu para ele.

— Diga-lhe que não confia no homem que seria seu sogro, se for preciso. Ou que a moça Neville é estéril, ou que a noite estava escura quando você soube da notícia. Não *importa*. Ele jurou, por sua alma imortal, obedecer a você em tudo. Caso ele pergunte, lembre-o *disso*.

Warwick percebeu que ofegava, embora só tivesse caminhado oito ou nove quilômetros no frio. A propriedade de Middleham tinha ficado silenciosa com o inverno. Metade da grande casa havia sido trancada e isolada, com todas as janelas seladas para impedir ninhos de aves e morcegos. Sem dúvida uma ou outra coruja ou pardal conseguiria entrar. Sempre conseguiam, de modo que o primeiro serviço da primavera era retirar os pequenos cadáveres, sempre mais leves do que pareciam.

— Poderíamos descansar aqui um instante — sugeriu ele. — Mais por você, Isabel, do que por mim, obviamente. Eu conseguiria andar o dia inteiro.

— Espero que sim, pai — respondeu a filha, totalmente desatenta do fato de que o pai sentia dores e estava cansado.

Mas, se ele lhe contasse, ela não teria acreditado. Warwick se encostou num mourão de madeira e olhou para a colina de terra escura tocada pelo primeiro gelo, estendendo-se até o vale. Naquele frio, metade dos passarinhos tinha sumido. Por algum tempo, o único som no mundo inteiro era sua respiração, surpreendentemente ruidosa assim que ele a notou.

Sua filha era linda, Warwick tinha certeza, de pescoço longo e faces vivas, com dentes brancos e regulares, afiados nas maçãs, que ela adorava. Isabel havia crescido em Middleham, assim como ele, embora a maior parte do ano dela fosse passado na companhia da mãe e da avó, três mulheres ansiosas pela propriedade e, para sua eterna gratidão, que se relacionavam bem, pareciam irmãs ou amigas. O irmão João tinha feito um comentário sobre as três idades da mulher que ele havia passado a lamentar, mas Isabel era exatamente a virgem, assim como sua esposa Anne era a mãe e sua mãe Alice se tornara uma velha definhada com a morte de seu pai, como se o velho tivesse levado para o túmulo uma parte vital dela.

Sempre que acordava pela manhã, Isabel procurava alguma carta que pudesse ter chegado à noite. Toda vez, Warwick ficava de coração partido ao ver o desapontamento da filha porque não havia nenhuma. Já havia sido bastante difícil quando ele passava seus dias em Londres com o rei. Ao menos na época seus retornos eram acompanhados por notícias e doces estranhos ou presentes da cidade.

Ele não deixava Middleham havia três meses, desde o outono. O sol tardio lhes tinha fornecido tantas frutas, que vespas bêbadas infestaram a casa, perambulando dentro de todos os cômodos durante semanas. Durante todo aquele período, Warwick havia percorrido o terreno da propriedade, perdendo-se em longas caminhadas, entretanto, mesmo assim, retornando com uma raiva ainda mais profunda. Ele recebeu cartas de Londres, algumas com o selo particular do rei Eduardo. Nenhuma continha a permissão para Isabel se casar com Clarence nem nenhuma menção ao assunto.

Embora Warwick não soubesse, Isabel o observava atentamente e avaliava seu estado de espírito e sua infelicidade. Ela o tinha ouvido vociferar sobre o irmão ter perdido o grande selo e, pior ainda, sobre o título tirado de seu tio João. A sós com a esposa, Warwick desabafava a ofensa e o desapontamento, sem perceber se as filhas ouviam ou sem se preocupar com isso.

O céu era de um azul profundo, sem sinal de chuva. O mundo havia sido tocado pelo gelo, e a frigidez do ar fez pai e filha tomarem consciência da respiração, o inverno penetrando neles. Isabel escolheu seu momento.

— O senhor acha que o rei algum dia responderá ao irmão? — perguntou ela. — George não vem me visitar aqui desde a colheita, e suas cartas não mencionam o noivado, como se não houvesse nenhuma possibilidade. Já faz tanto tempo, que confesso ter perdido as esperanças.

O pai olhou para ela e viu o tremor na boca da filha, que tentava esconder o quanto sua resposta era importante. Ele segurou com força a madeira gelada do mourão, os nós dos dedos se destacando.

— Não, Isabel, sinto muito. Eu esperei seis meses ou mais. Todas as minhas cartas ficaram sem resposta. Não acredito que o rei Eduardo concederá sua permissão, não agora.

— Mas ele lhe mandou uma carta, não mandou? Pelo mensageiro que vi. Talvez o rei Eduardo tenha concordado com o casamento, e só seria preciso o senhor ir a Londres.

— Isabel, toda vez que estou na presença do rei, ele dá um jeito novo de me tirar algo que prezo. É como se guardasse algum rancor contra mim. Imerecido em todos os aspectos, juro. Não sei se aquele homenzarrão tem inveja ou medo de mim ou se é apenas um joguete nas mãos da esposa, mas esses últimos anos têm sido sofridos. É... melhor para mim ficar em minhas propriedades, cuidar delas e de seu povo, longe das intrigas da corte. — Ele respirou fundo o ar que limpou os pulmões. — Pronto! É disso que preciso, não de mentiras e cochichos.

Seu rosto se entristeceu ao ver o pesar de Isabel, e ele se aproximou para poder abraçá-la.

— Eu sinto muito. Sei que é mais difícil para você do que para mim. Perdi a confiança de um rei, enquanto você perdeu seu primeiro pretendente.

— Meu primeiro amor — corrigiu ela, a voz abafada. — Não haverá outro.

— Oh, Isabel... — disse ele com tristeza ao cabelo dela.

— O senhor pedirá de novo por mim? — perguntou Isabel. — Sei que George é quem deveria falar com o rei, mas não sei se ele falou. Se você pedir, terei uma resposta... Mas, se for não, eu não... eu não posso... — Ela chorou, enterrando a cabeça no casaco do pai.

Warwick tomou sua decisão, há muito tempo incapaz de resistir aos apelos da filha.

— Pedirei, é claro. Posso ir lá e voltar numa semana. Como você diz, é melhor ter certeza.

Warwick acariciou os cabelos da filha, que se apoiava nele. Já era quase Natal, e uma viagem a Londres ajudaria a criar uma ocasião mais festiva em Middleham, com presuntos do mercado cobertos de cravos, gansos assados e fogueiras crepitantes.

Warwick foi a Londres com Ricardo de Gloucester cavalgando ao seu lado e os temores e as esperanças de Isabel pesando sobre ele. Era frequente o jovem duque acompanhá-lo à capital, talvez porque ambos percebessem que seu período em Middleham estava chegando ao fim. Eles usavam casacos de couro sobre a cota de malha e calças grossas, com a espada no quadril e poeira suficiente subindo da estrada para parecer que usavam máscaras.

O primeiro dia de viagem para o sul ocorreu quase em silêncio, com Warwick austero com a expectativa do que encontraria em Londres. Comeu um guisado ruim numa estalagem de beira de estrada e murmurou um boa-noite a seu pupilo quando encontraram quartos. Sentiam saudade do coração leve e da conversa de Henrique Percy, que fazia a conversa fluir com facilidade entre os dois. Sem Henrique, tanto Warwick quanto Ricardo achavam o silêncio opressivo.

O conde acordou com dor de cabeça, embora só tivesse bebido uma taça de vinho. Grunhiu e gemeu enquanto comia um prato de mingau de aveia e mel quente, brigando com os criados da estalagem e depois se irritando com a própria falta de autocontrole. Ele descobriu que Ricardo havia selado seu cavalo e o escovado para que seu pelo voltasse a brilhar. Warwick subiu no bloco de montar e passou a perna por cima da sela.

— Obrigado, rapaz. Tenho muitas coisas na cabeça hoje. Creio que eu seja uma péssima companhia.

— Eu compreendo, senhor. O senhor teme que meu irmão o recuse.

Warwick ergueu o olhar, preso entre a surpresa e a preocupação.

— O que você sabe sobre isso?

Ricardo deu um sorriso débil, sentindo a raiva num homem que queria impressionar.

— Isabel pouco falou de outra coisa nesses últimos meses. E George é meu irmão, senhor. Ele me escreve.

Warwick piscou e se calou para não pedir a opinião do rapaz. Não daria certo. Em vez disso, puxou as rédeas e virou o cavalo de frente para o portão do pátio da estalagem, onde a estrada de Londres passava a uns trinta metros.

— Espero que o rei concorde com a petição, senhor. Eu gostaria de ver Isabel feliz.

— Eu também — murmurou Warwick.

Ele estalou o pescoço e saiu trotando rumo à estrada. Ricardo foi atrás, com vontade de retribuir de algum modo a benevolência do homem que havia sido tão gentil com ele.

Warwick conseguiu uma audiência com o rei sem demora. Ao longo do rio, ele foi dos aposentos particulares até o Palácio de Westminster. Ricardo de Gloucester o acompanhou até as portas dos aposentos do próprio rei. Ficaram ali lado a lado, aguardando autorização para entrar. Warwick aproveitou um instante para olhar para o rapaz e bater a poeira de seu casaco. O gesto fez o irmão do rei sorrir, enquanto as portas se abriam e eles entravam.

A expressão de Warwick se enrijeceu ao ver Eduardo e Elizabeth sentados juntos, com os filhos em volta. Era uma cena íntima de família, e de certo modo soava falsa. Warwick queria que Eduardo avaliasse sua petição como rei, não como pai e marido. Naquele lugar, com uma esposa dedicada e criancinhas balbuciando aos seus pés, ele não poderia separar as coisas.

Warwick e Gloucester se ajoelharam diante da família real e se levantaram quando Eduardo avançou para cumprimentá-los. O rei abraçou o irmão com força suficiente para fazê-lo ofegar.

— Você parece forte! — exclamou Eduardo, apertando o braço direito do irmão como um bezerro premiado. — Tenho de lhe agradecer isso — continuou Eduardo, indicando Warwick com a cabeça.

O conde assentiu, ainda tenso.

— Ele trabalhou duro, Vossa Alteza. Espada, lança e acha, equitação, latim, francês... — Sua voz diminuiu, e o irmão de Eduardo o interrompeu.

— Legislação e tática também, Eduardo. Meu desejo é lhe ser útil.

— E será, não duvido — concordou Eduardo. — Minha mãe pergunta sobre meu irmão, Warwick. Você o liberará para mim agora, como seu pupilo?

Warwick hesitou e pigarreou para ganhar tempo.

— Vossa Alteza, não pensei... Não planejei liberá-lo de seus deveres hoje.

— Mesmo assim, estou contente com o que vejo nele. Você tem minha gratidão. Tutelas têm fim, Warwick, e você fez um bom serviço.

Sem graça, sob os olhares do rei e da rainha, Warwick e Gloucester trocaram um aperto de mãos e um abraço rápido e desajeitado. Warwick abriu a boca para falar algo sobre os anos que passaram juntos, mas o rapaz fez uma reverência rígida para o rei, deu meia-volta e saiu da sala.

Warwick se virou e sentiu os olhos do casal ainda sobre ele. Só as crianças pequenas estavam desatentas, recolhidas por uma babá quando se afastavam demais. Sua respiração estremeceu no peito quando ele percebeu que era seu momento, que não lhe seria mais negado.

— Vossa Alteza, já se passaram muitos meses desde que apresentei uma petição para minha filha se casar com seu irmão George de Clarence. Como somos amigos, posso receber uma resposta?

— Eu pensei muito sobre isso, Ricardo — respondeu Eduardo. — Meu irmão George tem apenas 19 anos. Não duvido que acredite estar apaixonado, mas escolherei uma esposa para ele daqui a alguns anos. Minha resposta à sua petição é não.

Warwick ficou imóvel. Embora sua expressão praticamente não tivesse mudado, sua raiva estava ali estampada, assim como seu controle. Atrás de Eduardo, Elizabeth avançou um pouco, fascinada. Sua boca estava levemente aberta, os cantos subindo como se ela bebesse seu desconforto.

— Obrigado, Eduardo. Vossa Alteza — disse Warwick com perfeita cortesia. — Prefiro saber e me desapontar a não saber. Agora, se me dá licença, eu gostaria de visitar as feiras de Londres e comprar gansos para o Natal em Middleham.
— É claro. Eu *sinto* muito, Ricardo — disse Eduardo.
Em resposta, Warwick inclinou a cabeça, os olhos apertados de dor.

Isabel esperou por Warwick na estrada, ocupando o mesmo lugar durante toda a manhã até o anoitecer, passando horas em pé, aflita por notícias. Quando o viu, ela soube a resposta pelo rosto dele, antes que o pai pudesse dizer uma única palavra. Isabel passou três dias trancada no quarto, chorando pelo rapaz que amava e que nunca poderia ter.

Warwick passou esse tempo discutindo com uma série de visitantes, todos indo a Middleham para prestar homenagem ao líder do clã Neville. Por muito tempo, os Nevilles sofreram reveses e mais reveses. Tinham perdido terras, fortunas, títulos e influência. Durante todo esse período, Warwick havia insistido para que suportassem e ficassem em silêncio, sem nenhum grito nem murmúrio negativo sobre o rei. Ele tinha mudado de ideia. Quando janeiro nasceu com frio e escuridão, Warwick decidiu permitir que se rebelassem.

28

O inverno era um período de trevas e morte. Em todas as casas, uma bela manhã gelada poderia revelar o corpo rígido de um velho ou de uma criança nova demais para sobreviver à febre. A estação amarga significava guisados de sangue com aveia e o gosto terroso de legumes velhos, meses ou anos depois de colhidos. Cenouras, cebolas, nabos e batatas velhas entravam todos em caldos com queijo duro e azul ou natas de banha para ajudar a espantar o frio. Com pão, ovo e cerveja, os súditos do rei suportavam a temperatura, acordando no meio da noite para conversar ou remendar algo, depois voltando a dormir até o sol trazer o dia de volta.

 A primavera significava muito mais que brotos verdes e gotículas de neve nas sebes. Era possível ver o renascimento na sensação de ter um objetivo, no despertar do sono com vida nova nas veias. Havia risos a serem ouvidos, e o restante dos alimentos preservados podia ser devorado agora que tinham chegado ao fim de mais um inverno. Carne e verduras frescas voltavam a aparecer nas feiras da cidade. Cavavam-se túmulos na terra que se amaciava, compridos ou pequenos, e os corpos eram trazidos dos celeiros e dos porões frios onde haviam passado o inverno. Homens e mulheres que talvez quisessem encontrar um marido ou uma noiva saudavam a estação com banho e roupas limpas. As pessoas voltavam a suar com o dia de labuta, fazendo coisas para vender ou no preparo da terra para o primeiro plantio.

 Eduardo Plantageneta conseguia sentir a seiva subindo com a luz da aurora. A primavera trazia a primeira caçada desde a cavalgada de ano-novo, com sangue quente, velocidade desregrada, uma festança embriagada longe de cidades e aldeias. A caçada trazia a raiva e o medo à superfície, que revelavam um homem. Eduardo sorriu consigo mesmo enquanto observava o cavalo ser selado nos estábulos reais de Windsor. O casaco de caça tinha sido escovado, mas ainda estava cheio de mofo acumulado durante o inverno. Ele deu um tapinha na roupa e riu da nuvem de pelos e poeira que se ergueu no ar.

Em torno dele, o estábulo estava movimentado e barulhento, com escudeiros correndo para preparar os senhores para a caçada real. Trinta cavaleiros e o mesmo número de criados cavalgariam para espantar a caça para seus cães e pássaros. Eduardo sorriu com aquela energia, coçando o pescoço do cavalo e fazendo o grande garanhão bufar e balançar o rabo para ele.

Nos anos de seu reinado, ele havia reunido um grupo leal para acompanhá-lo nesses dias de céu limpo em que o sol oferecia um pouco de calor. Homens como Anthony e John Woodville, que podiam igualar sua temeridade, para não dizer a habilidade do rei com o falcão.

A grande ave de Eduardo estava encapuzada num poleiro ornamentado, virando a cabeça a cada som. Ele a ouviu chilrear e acariciou suas asas escuras, mais pelo próprio prazer do que por alguma sensação de que a ave apreciasse seu toque. Os falcões-gerifaltes eram matadores selvagens que pareciam sentir muito prazer com a capacidade de dominar e aterrorizar patos, tetrazes ou lebres, mergulhando de centenas de metros de altura, caindo sobre a presa em fuga com incrível velocidade e rasgando a carne com um bico afiado como uma navalha. Eduardo murmurou um cumprimento à ave. Ela caçava com ele havia seis anos e se virou imediatamente para sua voz, reconhecendo-a. Eduardo achava divertido que ela se virasse para encará-lo onde quer que ele estivesse, mesmo encapuzada. Enquanto ele observava, a ave movimentou o bico e fez um som indagador. O falcão estava com fome, e Eduardo sentiu o coração bater mais depressa com a ideia de mandá-lo para o ar.

Ele ergueu o olhar com um ruído de cascos enquanto um cavalo vinha ao lado dos estábulos, segurado com firmeza pela rédea, mas ainda trotando, quase de lado, com os olhos arregalados. O animal tinha se assustado com alguma coisa e havia feito os outros relincharem e baterem os cascos, lembrando-os de predadores atacando o rebanho.

Eduardo encarou, irritado, o sujeito magricela que havia trazido o castrado para agitar os outros animais. Não o conhecia, embora fosse impossível que um estranho chegasse aos estábulos e ao rei sem ter sido interrogado. Eduardo gostava de fingir que não se interessava pelos cuidados dos guardas, mas mesmo assim, quando olhou para o sujeito, ficou satisfeito ao perceber que havia sido revistado. Eduardo observou, de testa franzida, o desconhecido apear e se ajoelhar. Usava cota de malha e um tabardo sobre couro e lã, tudo surrado e quase tão coberto de poeira quanto os cavalos. Eduardo supôs que ele vinha de longe e não se surpreendeu quando o homem falou com forte sotaque do norte.

— Vossa Alteza Real, meu senhor Sir James Strangeways, xerife de York, me mandou ao senhor. Devo relatar um levante dos tecelões das aldeias próximas à cidade, com agitação e alarido em número grande demais para que os homens do xerife de lá possam sufocá-lo, milorde. Sir James pede algumas dezenas de homens, sessenta ou oitenta, nada mais, para irem ao norte. Em nome do rei, ele lembrará aos tecelões que não são eles que decidem quais impostos pagarão e a que leis obedecerão.

Eduardo levantou as sobrancelhas e esfregou os pelos da mandíbula. Não usava mais barba, tendo-a raspado para a primavera. Tinha passado os meses de frio e escuridão trancado em Windsor e Westminster, comendo e bebendo demais, e havia engordado como um rato silvestre. Ele deu um tapinha na própria barriga enquanto pensava e o mensageiro esperava.

— Vá à cozinha e diga-lhes que mandei alimentá-lo bem — disse Eduardo ao homem.

Enquanto o homem fazia uma reverência e saía correndo, Eduardo fitou o sol além dos cavalos, dos guardas e do ruído. Tomou sua decisão com uma risadinha. O reino estava em paz. O inverno tinha cedido lugar à primavera, com todas as promessas que trazia.

— Acho que vou a York — murmurou Eduardo com um sorriso. Ele imaginou a expressão dos tecelões rebeldes quando vissem nada mais, nada menos, que o rei da Inglaterra chegar a cavalo com seus homens. Talvez tivesse de enforcar os líderes ou açoitar alguns; geralmente era assim. Ele faria seu falcão concorrer com o açor que os irmãos Woodville tinham criado desde filhote. Eduardo gostaria de mostrar aos irmãos de sua esposa com que velocidade um falcão real era capaz de voar assim que os tecelões fugissem de volta para casa.

— Anthony! — chamou.

O cavaleiro ergueu os olhos de onde estava ali por perto, depois de observar o mensageiro chegar e partir. Os Woodvilles eram sempre rápidos a atender quando Eduardo os chamava.

— Sim, Vossa Alteza — disse Anthony Woodville ao parar e se curvar. Seu pulso e seu antebraço direito estavam presos por uma tala, enfaixados com tanta força, que os dedos estavam gordos e vermelhos.

— Como está sua mão? — perguntou Eduardo.

— Ainda quebrada, Vossa Alteza. Acredito que vá sarar. Talvez então me concedam a oportunidade de redimir minha honra.

— Se assim deseja — disse Eduardo com um sorriso. Como tinha sido ele quem havia quebrado o pulso do outro no treino de combate, era justo concordar. — Mas sinto muito que você não possa nos acompanhar hoje. Seu irmão pode usar seu falcão; afinal, não fará diferença. — Ele sorriu quando o outro homem ergueu os olhos, fingindo desapontamento. — Acredito que levarei a caçada um pouco mais longe do que tinha planejado. — Eduardo olhou em volta, contando em voz baixa. — Agora, com certeza precisarei desses bons homens aqui, mas também de uns quarenta cavaleiros montados... e uma centena, mais ou menos, dos melhores arqueiros.

— Há apenas alguns poucos mestres arqueiros no quartel daqui, milorde — avisou Sir Anthony. — Posso encontrar mais alguns em Baynard, outros tantos na escola de arqueiros... — Ele se interrompeu com o gesto impaciente de Eduardo. — Sim, Vossa Alteza, eu os reunirei imediatamente.

Ele saiu com passos barulhentos, deixando Eduardo atraindo o falcão do poleiro para seu antebraço. Dava para sentir as garras do pássaro se flexionando, mesmo através das grossas camadas de couro. Era um prazer sentir o crescimento e o verde ao redor. Eduardo deixaria para trás Windsor e toda a umidade e o frio do inverno para caçar, buscar e punir, como achasse melhor. Era uma sensação inebriante, e o falcão a percebeu, batendo as asas e guinchando um chamado para a caça.

Ao meio-dia, toda a cidade de Windsor sabia que o rei estava partindo. Anthony Woodville tinha feito os mordomos do rei trabalharem à exaustão buscando arqueiros em todas as aldeias próximas a Windsor e Londres. Eles cavalgaram até onde ousaram, e o resultado da procura vinha em grupos de três ou quatro homens, aumentando o número de arqueiros do rei até haver duzentos deles, com arcos e aljavas prontos, de rosto radiante e sorrindo com a sensação de aventura. Era uma honra acompanhar o rei, e Eduardo podia ser visto no pátio do estábulo, gracejando alegremente com seus cavaleiros e escudeiros. Ele caçaria como um rei da Inglaterra, com seu falcão no braço. No último minuto, decidiu usar uma armadura mais pesada e trocou o cavalo por seu grande corcel, agora com 16 anos e no auge de suas forças.

Assim como o número de arqueiros dobrou, o grupo de caça havia atraído todo homem que achava que talvez pudesse ser promovido sob os olhos do rei. Pelo menos cem giravam e refreavam as montarias, enquanto quantidade semelhante de cães corria e latia. Era um mundo de algazarra, gritos e risadas, e Eduardo no meio de tudo, contente por voltar ao combate.

— Esperem aí! — Eduardo ouviu alguém gritar.

Ele fez o cavalo dar meia-volta e viu o pai de sua esposa vir trotando numa bela égua, envolto em agasalhos e capas, com uma lança de caçar javalis erguida. Eduardo deu uma risadinha divertida ao ver o conde de Rivers. Ele tinha passado a gostar muito do velho, embora o saudasse com um meneio de cabeça.

— Esses belos rapazes não esperarão pela idade, milorde Rivers. A juventude predominará quando as trompas soarem.

— Vossa Alteza, fico contente apenas de cavalgar mais uma vez. Depois de um inverno rigoroso, é bom sentir o sol no rosto de novo. Se não puder ficar com o grupo principal, recuarei e serei cuidado por meus criados. Não tema por mim, rapaz.

Eduardo deu uma risadinha por ser chamado de "rapaz" pelo sogro, embora o homem tivesse 64 anos e a vida de vinho e cerveja o tivesse deixado com o rosto corado e os olhos turvos. Ainda assim, era uma boa companhia quando a bebida e as histórias desvairadas começavam a fluir.

A menção de criados pelo conde fez Eduardo franzir a testa e examinar o grupo que se agitava em torno dele. O plano original de aumentar o grupo de caça tinha chegado a tal ponto que havia ficado irreconhecível. Com criados, cavaleiros e arqueiros, ele olhava para cerca de quatrocentos homens. E viu Anthony Woodville absolutamente desconsolado com o que perderia. Era um caos barulhento e alegre, e Eduardo percebeu que o número só cresceria se ele ficasse onde estava. Era novamente o poder do rei: os homens queriam segui-lo.

Eduardo ergueu a trompa de caça pendurada no pescoço e fez uma longa nota soar. Quando parou, os homens tinham se calado, embora os cães ainda ganissem e mordessem com empolgação.

— Fui informado de uma agitação perto da cidade de York — gritou para eles. — Os tecelões, cavalheiros! Eles esqueceram que devem sua vida a mim. Nós lhes lembraremos seu dever. Vamos agora! Para o norte e à caçada!

O latido dos cães aumentou e se tornou um lamento quase constante. Trompas soaram, e centenas se deslocaram, aos risos e trotando, acenando para seus entes queridos e para os que ficavam para trás. A primavera havia chegado.

Warwick atravessou o grande salão do Castelo de Baynard, à margem do Tâmisa, em Londres. A última vez que havia passado por aquela lareira tinha sido na noite em que Eduardo se declarara rei no Palácio de Westminster. Warwick balançou a cabeça com a lembrança, sem se arrepender. Havia sido a decisão certa a tomar na época, sem dúvida. Eduardo nunca teria triunfado em Towton sem a aura peculiar da realeza. Apesar de todo o talento do rapaz, Eduardo não conseguiria reunir homens suficientes sem a coroa, não no tempo que tinham. Aquela fora a grande contribuição de Warwick.

Sua recompensa foi uma série de ataques às posses de sua família — e à sua honra. Eduardo parecia disposto a usar a coroa para agir além da lei, sem pensar nas consequências. Warwick trincou os dentes enquanto andava. Pois que assim fosse. Ele poderia suportar todos os desapontamentos que viessem do próprio Eduardo, mas estava claro para o conde que, pela segunda vez na vida, o rancor de uma rainha estava por trás dos reveses de sua fortuna. Margarida de Anjou já havia sido ruim o bastante. Era demais esperar que ele aguentasse isso pela segunda vez!

George, duque de Clarence, entrou no salão, limpando o rosto com um pano quente, pois tinha sido chamado e interrompido quando estava prestes a ser barbeado. Observou com espanto a aproximação de Ricardo Neville.

— Milorde Warwick? O que houve para o senhor me procurar aqui? — De repente, o rapaz empalideceu. — É Isabel? Milorde, ela está mal?

Warwick parou e se curvou para o homem acima dele na hierarquia.

— Isabel está comigo, George. Lá fora e cheia de vida.

— Não entendo — disse Clarence, limpando o pescoço e jogando o pano para um criado pegá-lo no ar. — Devo ir com o senhor para vê-la? Não estou compreendendo.

Warwick olhou de relance para o criado, lembrando-se de que não estavam sozinhos. Fez um gesto para indicar uma porta que ele sabia levar à escada que ia até o telhado de ferro do castelo, onde um observatório tinha sido construído. Seria silencioso e protegido dos ouvidos de quem pudesse relatar suas palavras ao rei.

— O que tenho a dizer é apenas para o senhor, milorde Clarence. Venha comigo, por favor. Esclarecerei tudo.

O jovem duque o seguiu imediatamente, o rosto sem nenhum vestígio de desconfiança enquanto subiam lances de degraus de ferro e abriam a portinhola para o ar livre. Quem subisse atrás deles para escutar seria ouvido, e Warwick respirou mais à vontade do que nos últimos dias ao sentir o cheiro do rio e da cidade enquanto gaivotas giravam e guinchavam no céu.

— Você confia em mim, George? — perguntou Warwick quando o rapaz ficou de pé ao seu lado.

— É claro, senhor. Sei que o senhor apoiou meu pedido ao rei. Sei que o senhor me defendeu e fico grato, mais do que pensa. Só sinto muito que não tenha dado em nada. Isabel está bem, senhor? Não ousei lhe escrever nesses últimos meses. Posso vê-la na carruagem quando o senhor partir?

— Essa escolha será sua, George — disse Warwick, com um estranho sorriso surgindo nos lábios. — Eu vim para levá-lo ao litoral, se quiser me acompanhar. Tenho uma embarcação à espera lá, uma bela e pequena coca para nos levar à fortaleza de Calais. De lá, tenho documentos para passar pelos portões e entrar na França.

Clarence balançou a cabeça.

— Com Isabel, senhor? Não entendo o que quer dizer.

Warwick respirou fundo. Isso era o cerne de tudo e parte do que havia planejado nos meses de inverno.

— Seu irmão não pode *descasá-lo* depois da união, George. Se desposar minha filha, não há nada que Eduardo possa fazer para impedir, não depois de concretizado. Você é irmão dele, e sinto que ele perceberá que é o melhor para você.

George de Clarence o fitou, o vento naquela altura jogando o cabelo na testa e nos olhos arregalados.

— O senhor permitirá que eu me case com Isabel? Na França?

— Milorde Clarence, estará feito antes que o sol se ponha hoje, se o senhor reunir coragem a tempo! Já preparei tudo. A pergunta é apenas se quer o casamento e se está disposto a se arriscar a sofrer a ira de seu irmão.

— Casar com Isabel? Mil vezes sim! — respondeu o rapaz, agarrando o braço do futuro sogro com força suficiente para Warwick fazer uma careta. — *Sim*, milorde. Agradeço. Obrigado! Sim, irei à França, e, sim, irei me casar com sua filha e a protegerei e lhe darei minha honra e meu escudo!

O rapaz observou os barcos no Tâmisa num tipo de admiração atordoada. Seus olhos se obscureceram de repente e ele olhou para trás.

— Mas e o senhor? Meu irmão me perdoará, com certeza. É claro que perdoará minha esposa. Ele mesmo não se casou por amor? Eduardo dará um ataque e quebrará panelas, mas não me castigará, penso eu. Quanto ao senhor, contudo, a raiva dele será... — George se calou, sabendo que não queria dissuadir Warwick de seguir em frente.

— Eu sou o principal conde dele e integrante do conselho — comentou Warwick com calma. — Ele me nomeou companheiro depois de Towton, e minha família tem apoiado Eduardo *e* seu pai desde o princípio. Ele pode ficar furioso, George, sim, tenho certeza de que ficará, mas ele e eu somos amigos e as tempestades passarão.

Warwick falava com tranquilidade, embora não acreditasse mais em nada do que argumentava. Fosse pelo veneno que Elizabeth Woodville pingava nos ouvidos de Eduardo, fosse pela própria ideia de traição e temperamento infantil do rei, Warwick tinha uma noção claríssima do rompimento que viria em seguida. Ele tinha passado várias noites escuras planejando isso.

George de Clarence ouviu o que queria ouvir: que o casamento poderia acontecer e que tudo ficaria bem com o passar do tempo. Ele deu um abraço em Warwick, surpreendendo o conde, antes de descer a escada com tamanha velocidade, que Warwick achou que ele cairia e quebraria o pescoço.

Warwick não conseguiu acompanhar o duque, que galopava pelos salões. Ele chegou às portas do Castelo de Baynard bem a tempo de ver George de Clarence pular no estribo da carruagem aberta. O duque abraçou uma chorosa Isabel Neville, escandalizando o cocheiro, dois guardas e um grupo de transeuntes. Warwick percebeu que corava de vergonha e pigarreou ao se aproximar, fazendo o casal se soltar com expressões iguais de paixão e culpa.

Ricardo, conde de Warwick, embarcou e se sentou deliberadamente entre os dois, com os olhos firmes à frente enquanto o duque e a filha tentavam se olhar.

— Em frente, cocheiro! — gritou Warwick, puxando as peles sobre os joelhos dos três.

O homem estalou o chicote acima da parelha de cavalos negros e eles se puseram a trotar pelas ruas enlameadas. Warwick viu pessoas pararem para apontar para aquela visão estranha, mas a notícia não viajaria tão depressa quanto eles. Quando alguém entendesse o que pretendiam, o casamento já teria sido consumado e o irmão do rei seria seu genro.

Eles atravessaram rapidamente a Ponte de Londres, de onde a cabeça de Jack Cade tinha sido retirada anos antes. Warwick estremeceu ao ver a fila de lanças de ferro ali, que traziam à lembrança dias mais sombrios e o destino de seu próprio pai. Era possível que um homem fosse longe demais. Deus sabia que era difícil questionar isso. Warwick cerrou o punho, escondido de todos em seu colo. Ele havia sofrido bastante sem reagir. Nem um santo teria a paciência que ele tinha demonstrado, mas isso tinha chegado ao fim. Os dados foram lançados, o plano começara. Nem o rei Eduardo nem Elizabeth Woodville o deteriam, não agora. Ele tocou na lateral de madeira da carruagem para dar sorte quando entraram na antiga estrada para o litoral sul, a uns cem quilômetros dali. Enquanto viajavam, o sol ainda nascia acima da capital.

29

O tempo havia se mantido estável, sem chuva e com um sol fraco, dando ao grupo real um céu quase perfeito para a caça. Foi igualmente importante que o falcão do rei Eduardo tivesse feito o açor dos Woodvilles parecer lento. Sir John Woodville conduziu muito bem o pássaro do irmão, mas o defeito era de natureza e não de habilidade. O açor guinchou de fúria quando não conseguiu acompanhar a perseguição, emoção tão clara quanto a sentida pelos homens. O falcão do rei, por sua vez, parecia sentir prazer em demonstrar sua perícia, dando voltas fechadas e mergulhos bem na cara do cavaleiro Woodville, de modo que o açor acabou caindo com a turbulência de sua esteira.

Havia presas para os dois, que eram espantadas de seu abrigo pelos cães, e as lebres saíam correndo ou os tetrazes batiam as asas ensandecidos no ar, com escudeiros berrando e apontando seu curso. Os arqueiros competiam entre si para atingir pássaros em voo ou, em determinado momento, até trutas num rio, apostando moedas de prata com aqueles que diziam que era impossível. Entre eles, o grupo inteiro obtinha o suficiente para se alimentar toda noite, e os criados construíam fogueiras e espetos. Aqueles que erravam o tiro passavam fome durante dias até os amigos sentirem pena deles. Ajudava terem levado cavalos carregados apenas de frascos e ânforas de vinho. À noite, a bebida fluía como um rio, e os homens lutavam e competiam para divertir o jovem rei.

Eduardo estava contente. Preferiria presas mais desafiadoras, mas não haveria sinal de lobos nem cervos tão perto da estrada. Os animais estavam bastante acostumados aos sons dos homens e sabiam quando fugir e continuar em fuga. Com imensa saudade, ele recordou as caçadas nas florestas profundas e nas regiões despovoadas de Gales, onde os animais não estavam tão acostumados ao cheiro do homem.

Não era uma corrida para o norte para levar a justiça do rei a tecelões revoltados. Eduardo e seus cavaleiros aproveitaram a hospitalidade e os banquetes organizados para eles em inúmeros solares e cidades abertas. Houve dias em que foram acometidos com tanta intensidade pela dolorosa doença da bebida que mal avançavam dez quilômetros. O conde de Rivers sofreu um terrível ataque de intestino frouxo durante dois dias inteiros, até que Eduardo achou melhor deixá-lo para trás ou, talvez, lhe dar um novo cavalo.

O jovem rei riu ao se lembrar das expressões mortificadas do velho. O sogro cavalgava um pouco afastado do grupo e olhou para a comitiva real, desconfiado, sem ver o humor que havia reduzido alguns cavaleiros às lágrimas.

À frente ficava a cidade de York, e, ao ver aquelas muralhas e a linha do rio Ouse, Eduardo perdeu a vontade de sorrir. Havia lembranças dolorosas demais ligadas às pedras daquele lugar para chamá-lo de lar. O pior era o maldito Portão de Micklegate, que se abria para o sul. Ele chegou a pensar em mandar demolir aquelas torres e muralhas ou reconstruí-las para que não o deixassem arrasado toda vez que as visse.

Eduardo olhava à frente quando viu uma linha escura aparecer no horizonte em torno da cidade. Ele estreitou os olhos e se inclinou para a frente, protegendo a vista com a mão. Não tinha batedores e, por um instante, sentiu um nó na garganta antes que sua beligerância natural se reafirmasse. Não temeria agitadores.

— Sir John! — gritou ele para trás. — Vá à frente e faça o reconhecimento para mim. Quem são aqueles homens lá?

O irmão mais novo da esposa esporeou o cavalo, que se encolheu e seguiu a galope, uma bela exibição para um homem cuja ave era lenta demais. Eduardo o observou se afastar e, pela primeira vez, lançou os olhos sobre seus homens como uma força armada e não como grande grupo de caça. O que viu não o agradou depois de ter conhecido as fileiras disciplinadas de Towton. Os cavaleiros e os homens de armas que acompanharam o rei rumo ao norte estavam um pouco despreparados para a experiência. Mas seus arqueiros pareciam bastante atentos.

— Graças a Deus — murmurou. Com um assovio, ele convocou um capitão para seu lado e deu uma série de ordens para levar ao grupo heterogêneo algo parecido com uma estrutura.

Sir John Woodville cavalgou de volta algum tempo depois e olhou com interesse para as fileiras firmes de cavaleiros e para as alas de arqueiros que entraram em formação ao redor do rei, ao centro. Apesar de todos os seus defeitos, Eduardo Plantageneta seria um belo capitão; nunca houve dúvida disso.

Sir John começou a apear, e Eduardo ergueu a mão, a irritação evidente.

— Fique na sela, rapaz. O que pôde ver?

A esta altura a linha escura em torno da cidade era claramente formada por figuras distantes. Não se pareciam com quaisquer agitadores que Eduardo já tivesse visto nem com trabalhadores, tecelões ou não.

— Dois mil, talvez três mil, Vossa Alteza. Vi talvez uns cem a cavalo, oitocentos arqueiros. O restante marcha para cá, agora que nos viram.

— Estandartes? Quem os comanda?

— Não vi nenhum, embora estivessem em formação como soldados. Podem ser rebeldes de Lancaster.

— Quais? Não restou nenhum.

Então Eduardo teve um pensamento terrível: que o conde Percy, cujo poder ele próprio havia restaurado, poderia ter se virado contra ele. A ideia o deixou enjoado, principalmente pela expressão que Warwick faria quando soubesse.

— Não importa quem os comanda, estamos em grande desvantagem numérica, milorde — comentou o conde de Rivers, indo para o lado de Eduardo.

O patriarca Woodville trocou um olhar preocupado com o filho mais novo, percebendo a tensão nele. Ambos podiam ver o jovem gigante dando tapinhas no punho da espada enquanto observava o horizonte. Se havia na Inglaterra alguém capaz de transformar uma armadilha em vitória, seria Eduardo, mas o conde de Rivers sabia que suas vidas — a vida de seu filho — dependiam dessa decisão.

— Acredito que seu pai tenha investido contra forças de Lancaster, Vossa Alteza — murmurou o conde de Rivers. — O senhor tem exércitos que lutariam pelo senhor.

— Tenho *duzentos* arqueiros aqui agora — retrucou Eduardo. — E já vi do que são capazes. Pelo que sabemos, esses outros não são arqueiros de verdade, eles só querem nos fazer correr. Homens com cabos de machado e barbante, milorde. Meus duzentos conseguiriam acabar com eles por sua insolência e seus ardis.

— Sim, Vossa Alteza. Ou então esta é uma conspiração para matá-lo e pôr os Lancasters de volta no trono da Inglaterra. O senhor venceu em Towton, milorde, mas estava com seu exército. *Por favor.*

Eduardo olhou para o sogro de soslaio e depois para aqueles que havia levado para o norte. Eram um bom grupo de caça, mas não um exército. Pareciam com medo enquanto as linhas se expandiam diante deles.

— Muito bem, Rivers. Embora isso me parta o coração, escolherei o bom senso e a cautela em vez da ação precipitada e dar aos canalhas golpe a golpe. Para o sul, cavalheiros! Comigo, no melhor andamento agora.

Não escapou a Eduardo que eles estavam muito, distante das forças de que precisavam para reagir à ameaça nem que os caçadores tinham se tornado a caça. Ele ouviu trompas soarem a sua retaguarda, e o rei estremeceu, sentindo frio.

A primavera havia chegado à França, com os campos de um verde vivo e profundo até onde os olhos alcançavam. Os documentos de Warwick eram antigas permissões para desembarque com as datas adulteradas. O capitão do porto, levado até eles num barco a remo, e depois o comandante da fortaleza mal olharam para o pergaminho e para os selos. Ambos se lembravam da visita anterior de Warwick e Clarence e ficaram visivelmente desconcertados com a presença de uma linda moça, radiante de felicidade.

Warwick só havia levado consigo o cocheiro e dois guardas, preferindo a velocidade a uma verdadeira demonstração de força. O pequeno grupo pegou cavalos emprestados do perplexo capitão do rei com a promessa de devolvê-los na manhã seguinte. Todos os oficiais ingleses desconfiaram que alguma cena romântica se desenrolava diante deles, mas guardaram suas perguntas para si.

O pequeno grupo não se afastou muito de Calais, apenas alguns quilômetros pela estrada até a aldeia de Ardres. Lá, Warwick cumprimentou um padre campestre de cabelos brancos e explicou do que precisava em francês fluente. O padre sorriu para todos, aparentemente muito satisfeito com a mera presença deles em sua humilde igreja, embora Warwick também tivesse lhe passado uma bolsa de moedas de prata.

George de Clarence, por sua vez, só conseguia ficar ali parado, com a alegria evidente para qualquer um que olhasse, e segurar a mão de Isabel, mal conseguindo acreditar que o que desejaram por tanto tempo acontecia bem ali naquele momento. Os homens de Warwick tinham arrumado seus cabelos e escovado suas jaquetas com água do poço. Seriam testemunhas e se sentiam bastante orgulhosos.

Warwick ergueu a mão quando ouviu a aproximação de cavalos lá fora. A filha olhou para ele alarmada, mas o conde lhe deu uma piscadela. Ninguém os havia seguido desde o litoral, ele tinha certeza. Só havia mais uma pessoa que poderia ter ido por um pedido seu em particular.

— Isabel, George, se puderem aguardar só um pouquinho... — disse, virando-se para trás enquanto caminhava, descendo da nave e indo até as portas de madeira.

Elas se abriram antes que ele as alcançasse, e dois guardas de armadura entraram, com as espadas desembainhadas. Atrás deles, veio o rei Luís da França, de cabeça descoberta e com as roupas mais simples que Warwick já o tinha visto usar.

— Vossa Majestade me faz uma grande honra — disse Warwick.

Luís sorriu, olhando em volta para o padre estupefato e para os jovens amantes que esperavam para se unir em matrimônio.

— Ah! Pelo visto, não cheguei tarde demais. Que lugar para encontrar, essa pequena Ardres. Continuem, continuem. Eu disse a milorde Warwick que compareceria, se pudesse. Por que não? Um casamento na França talvez seja o melhor de todos, não é?

O rei aceitou as reverências dos homens de Warwick e do próprio padre, que secou a testa e pareceu ter esquecido a cerimônia que havia planejado.

Enquanto o sol se punha lá fora, o padre recitou os votos em latim, com Warwick repetindo-os em inglês e em francês para Isabel e George de Clarence dizerem um ao outro. A igrejinha era silenciosa e empoeirada, mas o dia tinha sido quente, e a primavera era uma época de amor e vida nova. Havia um clima de felicidade naquele lugar, sentido até pelo rei Luís e por seus guardas pessoais, que sorriram e piscaram para os noivos quando o casal se virou de mãos dadas. Warwick comandou os vivas, que ecoaram na igreja vazia enquanto o pequeno grupo se aproximava para dar parabéns e trocar beijos no rosto.

— Milorde Clarence, tenho um presente de casamento — anunciou o rei Luís, o peito inflado. — A armadura que prometi de mestre Auguste, de Paris. Ele disse que nunca fez um conjunto melhor, com suas medidas e espaço para crescer nos ombros e no peito, para que nunca mais precise de outra.

George de Clarence estava maravilhado com Isabel, com a cerimônia, com a presença do rei francês naquele cenário estranho. Ele riu quando o padre lhe entregou um quadrado de pano áspero para secar a transpiração da testa e depois os seguiu até lá fora.

Warwick ficou ao lado do rei Luís, alguns passos atrás dos recém-casados, trocando os sorrisos de homens mais mundanos.

— Sua filha é maravilhosa — comentou o rei Luís. — Suponho que a mãe seja uma criatura extraordinária.

Warwick sorriu.

— Não há outra explicação, Vossa Majestade. Obrigado por ter vindo. É uma coisa tão pequena para assistir, mas eles se lembrarão pelo resto da vida de que o senhor esteve aqui.

— Somos amigos, não somos? — perguntou o rei Luís. — O senhor e eu nos entendemos, creio eu. A paz não importa; o homem sempre lutará e derramará sangue. Meus nobres se rebelam e se irritam sob minhas leis. Até a honra chega ao fim. Mas o amor? Ah, Ricardo. Sem o amor, qual seria a razão de tudo?

— Eu não diria melhor, Vossa Majestade — respondeu Warwick com uma reverência. — O senhor me deu uma grande honra aqui hoje. Jamais esquecerei.

— Creio que não, milorde! — disse Luís com um sorriso. Ele avançou, abaixando-se para passar pelo lintel.

Lá fora estava Isabel, corada de vergonha, felicíssima. George de Clarence exclamava com a espada que havia desembainhado, uma lâmina marcada com desenhos finamente gravados. O restante do presente do rei Luís estava nos alforjes de duas mulas.

— Já está quase escuro. Vai correr de volta para sua fortaleza de Calais, milorde? — perguntou o rei Luís. — Correndo, correndo como ratinhos?

Os olhos do rei francês se semicerraram de alegria ao voltar a ver Isabel, os cabelos longos e escuros presos por uma fivela de prata e chegando até a cintura.

Warwick olhou de relance para o rei Luís, perguntando-se, não pela primeira vez, até onde aquele homem entendia verdadeiramente o que estava acontecendo. Não era algo que se dissesse em voz alta, mas era importante que o jovem casal consumasse o casamento. Ele passaria a noite numa taverna perto da fortaleza de Calais, dando--lhes um quarto só para os dois. Depois disso, nenhum homem, nem mesmo um rei, poderia anular a união.

— São apenas poucos quilômetros, Vossa Majestade, embora tenha sido um longo dia, muito *longo*. Talvez passemos a noite com conforto. E pensar que hoje de manhã eu estava em Londres! A velocidade do mundo é extraordinária.

— Então lhe darei *adieu*, milorde... e boa sorte. Voltaremos a nos encontrar como amigos, não duvido.

O rei Luís aguardou cortesmente que o pequeno grupo montasse e se arrumasse, permanecendo no pátio da igreja até que eles sumissem na noite, a salvo na estrada de volta. Ele não sabia se prosperariam ou se fracassariam, mas tinha lançado pedras boas e sólidas, invisíveis mas ainda assim presentes. O rei suspirou. Ela era muito bela e tão apaixonada que só tinha olhos para o jovem duque ao seu lado.

— Ah, a juventude! — comentou consigo mesmo. — Quando a vida era tão *simples*.

— Vossa Majestade... — disse cautelosamente um dos homens, acostumado aos murmúrios do rei.

— Não é nada, Alain. Leve-me para um abrigo. Leve-me para o calor e para um bom vinho tinto.

Eduardo avançava, embora a lua fosse um junco delgado, e as pedras da estrada, difíceis de ver. Conseguia ouvir o exército que o perseguia, mais próximo a cada quilômetro, a cada passo tilintante. Ainda não havia sinal de estandartes, mesmo quando a luz seria suficiente para enxergá-los. Eduardo fez uma expressão de desagrado, preferindo manter silêncio a especular. Não importava quem fossem, só que ousaram atacar seu grupo e que eram tantos que ele corria um perigo real de ser derrotado. Seus cavaleiros simplesmente não conseguiam cavalgar cem quilômetros sem parar. Era impossível, tanto para os homens quanto para as montarias. Eles já tinham cavalgado um dia inteiro quando avistaram a cidade de York, e Eduardo tinha pretendido descansar no interior das muralhas. Em vez disso, havia sido forçado a dar meia-volta e fugir, os cavalos exaustos, os homens cansados. Atrás deles vinham fileiras descansadas, marchando e cavalgando, a pleno galope para cobrir a distância, estendendo-se por mais de um quilômetro na estrada, em número maior do que Eduardo era capaz de acreditar. Não se tratava de tecelões! Era uma insurreição armada contra a autoridade real, seus inimigos em campo.

Quando as estrelas surgiram no céu, os homens de Eduardo insistiram para que ele continuasse sozinho. Se seu cavalo estivesse descansado, talvez o fizesse, mas a cabeça do animal pendia. Sua esperança azedou como vinagre. O exército que o perseguia não se contentava em conduzi-lo para o sul. Ele pressionava com o máximo de velocidade, cada vez mais próximo. Eduardo e seus homens podiam ver as linhas escuras que se arrastavam e cobriam a extensão de terra na sua retaguarda. Havia milhares em seus calcanhares.

Por algum tempo, a estrada de Londres seguia para sudoeste, levando Eduardo e seus homens pelos vales ondulados onde havia sido travada a batalha de Towton. Os que se recordavam fizeram o sinal da cruz e rezaram uma oração pelos mortos. Ninguém jamais passou a noite ali, não com tantos fantasmas e tanto sangue infiltrado na argila.

A ideia de ser capturado num lugar daqueles fez Eduardo avançar. Ele gritou a seus homens que reunissem coragem e aguardassem a aurora, ao mesmo tempo que pensava furiosamente em algum lugar para ir e em quem conseguiria alcançar a tempo de ajudá-lo.

Quando o sol mostrou as primeiras luzes, Eduardo aceitava a situação de má vontade. Não tinha um quarto dos homens que o perseguiam — com seus homens e cavalos esgotados, o vigor perdido. Os arqueiros estavam pálidos e tropeçavam à luz da aurora, e pararam no momento em que viram Eduardo puxar as rédeas.

Ele virou seu cavalo de batalha para enfrentar os homens que vinham pela estrada. Com ordens vigorosas, seus cavaleiros mandaram os arqueiros formarem uma linha ampla para o caso de a luta começar. Duzentos deles poderiam provocar danos terríveis, embora os homens a cavalo não pudessem sobreviver à troca de flechas.

A princípio, a luz era tênue demais para que vissem além das filas de arqueiros se espalhando do outro lado em reação aos seus. Eduardo balançou a cabeça, irritado. Ele era o rei da Inglaterra, e, além da fúria íntima e contida, seu principal sentimento era a curiosidade. Não havia muitos inimigos com coragem para pegá-lo numa armadilha daquele jeito. Sentiu também um toque de medo, que o fez se lembrar do destino do pai. Eduardo afastou esse pensamento com esforço, decidido a demonstrar apenas desprezo.

Um pequeno grupo de armadura se aproximou, com um arauto na frente para pedir paz. Eduardo se virou para os seus homens e fez um gesto no ar com a manopla de cota de malha.

— Mantenham as espadas abaixadas — ordenou. — Vocês não podem se defender contra tantos e não quero que desperdicem suas vidas.

Houve uma sensação palpável de alívio em seu lado da linha de combate. Os seus quatrocentos enfrentavam muitos mais, e sabiam que estavam exaustos e fracos de fome. Não seria bom para eles se o jovem rei ordenasse que lutassem até o último homem.

— Renda-se à minha custódia, Eduardo. Será bem-tratado, por minha honra.

A voz vinha do centro dos homens de armadura e fez Eduardo estreitar os olhos para ver melhor. Seus olhos se arregalaram um pouco na luz fraca ao identificar os traços de Jorge Neville, arcebispo de York. De armadura em vez de túnica, o homem era tão robusto quanto qualquer guerreiro.

— Traição, então? — perguntou Eduardo, ainda tentando entender o que estava acontecendo. Ao lado do arcebispo, ele viu João Neville, ou marquês de Montacute, como havia se tornado por sua mão. A confusão de Eduardo se esvaiu, e ele fez que sim.

Ao ver o rei resignado com o destino, o arcebispo deu uma risadinha e fez seu cavalo se aproximar. Para espanto de Eduardo, o homem apontou a espada para ele, a ponta firme.

— Agora, renda-se, Vossa Alteza. Diga a palavra, senão vou entregá-lo ao meu irmão e ele cortará sua cabeça. Como o senhor cortou seu título.

Eduardo o fitou por muito tempo, com uma expressão de desprezo.

— Então os Nevilles se voltaram contra mim — murmurou Eduardo.

Apesar da largura dos ombros do arcebispo, o homem não era um guerreiro de verdade. Eduardo teve vontade de arrancar a espada dele e avançar com fúria. Sabia que, se reagisse, o matariam. Ele cerrou o punho e depois soltou a espada, entregando-a e observando-a ser levada para fora de seu alcance. Ele se sentiu mais fraco sem a arma, diminuído.

— Warwick também? — perguntou Eduardo de repente. — Ah, o casamento da filha?

— O senhor nos *deu* razões, Vossa Alteza — respondeu o arcebispo.

— Vou lhe pedir pela última vez agora.

— Tudo bem. Eu me rendo — disse Eduardo com raiva.

Viu a tensão se esvair de alguns dos homens que o enfrentavam e olhou para eles com escárnio.

— Que grande sinal de coragem esconder seus estandartes! Ou é porque sabem que, dentre todos os homens, não perdoo meus inimigos? Compreendo seu medo, rapazes. Se eu estivesse em seu lugar, eu mesmo o sentiria.

Ele observou com desdém os arqueiros formarem um leque ao redor dele, as flechas encaixadas nas cordas para puxar e atirar ao menor sinal de provocação.

— Vossa Alteza — disse o arcebispo —, tenho de amarrar suas mãos. Não quero que o senhor se sinta tentado a correr. Não quero que se machuque.

Eduardo respirou mais fundo quando um cavaleiro desconhecido se aproximou para enrolar seu punho com uma corda, sentindo uma pequena satisfação ao ver o homem se encolher quando seus olhares se cruzaram. Havia no olhar de Eduardo uma promessa de represália que era bastante desagradável.

— Pronto, Vossa Alteza. O senhor tem uma longa cavalgada até o lugar que preparamos. Não precisa se preocupar com seus homens. Não estão mais sob suas ordens, e meu irmão João vai separá-los direitinho.

O olhar de Eduardo encontrou o do sogro. O velho deu de ombros, admitindo que não havia nada a fazer. Eduardo trincou os dentes e permitiu que pegassem as rédeas de seu cavalo. A estrada ia para o sul, e cerca de sessenta cavaleiros foram com ele. Podia ver que seus homens tinham sido quase engolidos, cercados. Forçou-se a se virar e pensar no próprio destino.

— Seu irmão Warwick sabe disso? Ele faz parte desta conspiração traidora? — perguntou Eduardo outra vez.

— Ele é o líder da família, Vossa Alteza. Se o senhor atinge um de nós, atinge-o também. Talvez ele venha visitá-lo no Castelo de Warwick. Não é estranho pensar que meu irmão tem *dois* reis da Inglaterra sob sua custódia? Henrique na Torre, e agora o senhor. — O arcebispo estalou a língua para si mesmo, com assombro pela ideia.

Eduardo balançou a cabeça.

— Você é um tolo por me dizer uma coisa dessas. Não me esquecerei disso nem de nada mais. E só há um rei.

Warwick sorriu, respirando o suave ar da manhã. No cais de Dover, a primeira pesca do dia já estava disposta para ser comprada por mercadores propensos a buscar vendas por preços mais altos no interior. O conde sempre havia adorado os barcos e o mar, sentindo mais prazer no açoite da maresia e na crista branca das ondas do que numa bela manhã de primavera. A carruagem e o cocheiro vinham pelo cais de madeira em sua direção, e sua filha estava de braço dado com o marido, andando e murmurando um com o outro pelo caminho. Warwick teve de assoviar para chamar a atenção dos dois e fazer com que ficassem ao seu lado quando embarcou. Depois de pensar um instante, sentou-se na ponta, para que os recém-casados pudessem ficar juntos.

A filha Isabel corava, sempre dando um jeito de tocar George de Clarence com a mão ou com o joelho. Olhava para ele com adoração, e Warwick avaliou que o rapaz obviamente tinha sido generoso com ela na noite anterior.

Quando a carruagem aberta se afastou com um estalo do chicote acima dos cavalos, Warwick viu que o genro parecia pensativo.

— Você está bem, George? — perguntou Warwick.

— Nunca estive melhor, senhor, embora confesse que não consigo deixar de pensar na reação de meu irmão quando souber. Eu só quero que ele aceite o que tem de aceitar e que não falemos mais nisso. É como o senhor disse: agora eu e Isabel estamos casados, isso não pode ser mudado. O senhor acha que Eduardo aceitará?

Warwick se virou, olhando para a estrada que se estendia na poeira.

— Tenho certeza de que sim. Todos temos de aceitar o que não podemos mudar. Eu não estou preocupado, George. Nem um pouco.

30

— Voltem para casa agora — ordenou João Neville. — Meus homens serão testemunha da justiça aqui.

Ele lançou um olhar furioso para os remanescentes cobertos de lama do grupo de caça real, desafiando-os a se recusarem a obedecer. Depois que o rei Eduardo foi levado, os homens de armas dos Nevilles passaram pelo grupo, usando o cabo dos machados para impor a vontade de seus senhores. Arcos, espadas e quaisquer peças de metal valiosas foram todos removidos, além de várias belas bolsas e bugigangas. A ação foi reforçada com golpes súbitos. Não havia como resistir depois que foram cercados. Os cavaleiros do rei suportaram o tratamento rude com uma indiferença estoica na maior parte do tempo. Os arqueiros tinham poucos bens de valor além dos arcos, e fizeram questão de jogar as armas numa pilha como se nada significassem. Foi um belo gesto, traído pelo modo como seus olhos seguiam os arcos ao serem desencordoados e embrulhados.

Os mais corajosos do grupo do rei protestaram quando os Woodvilles foram isolados. O conde de Rivers e seu filho foram forçados a apear e tiveram as mãos amarradas, levados para longe dos companheiros e dos cavaleiros de Eduardo. Como esses homens continuaram gritando e reclamando, João Neville perdeu a paciência. Com um gesto rápido, mandou seus homens com porretes para aquietá-los. A surra foi breve, mas deixou dois mortos e quatro ensanguentados e atordoados.

O restante dos caçadores foi enxotado e chutado até a estrada, arrastando seus mortos e feridos. João Neville acompanhou sua partida com morte nos olhos, e poucos deles ousaram olhar para trás.

Quando o último dos caçadores sumiu entre as árvores e campos, João Neville mandou montar acampamento não muito longe da estrada. Ele enviou alguns cavaleiros à cidade próxima para indagar sobre o uso de seu tribunal e de sua forca.

— O senhor não tem autoridade para isso — gritou o conde de Rivers. O velho de cabelo branco estava muito sério, sabendo muito bem que havia caído em mãos inimigas. — Nós nos rendemos, senhor, na expectativa de bom tratamento. Que não se percam mais vidas. Peça o resgate que quiser, segundo os antigos costumes. Não fale em tribunais e forcas para me ameaçar. O senhor é um homem de honra ou não?

— Eu sou muitas coisas, milorde — respondeu João Neville com um sorriso maligno. — E fui mais do que sou hoje. Eles me chamaram de cão de Eduardo quando eu matava lordes para ele. Somerset era um dos meus, um duque que estiquei num toco e cuja cabeça cortei. — Ele fez que sim, com satisfação, sugando o ar por um dente quebrado enquanto o conde de Rivers empalidecia. — E fui conde de Northumberland por algum tempo também. Mas sua filha não gostou disso, não é? Ela pediu ao marido que me tirasse minha terra e meu lar.

— E, em troca, o senhor quebrou seu juramento de vassalagem. Uma traição que o fará queimar na chama eterna.

João Neville riu da ameaça, um ruído sombrio, quase um soluço.

— O senhor devia ter dito isso a meu irmão, milorde. Isso perturba terrivelmente a cabeça dele. Eu? Eu me confessarei e ficarei limpo como um bebê. Mas primeiro farei justiça no senhor. Meus homens serão testemunhas.

Então o filho Woodville se aproximou, livre para andar, embora com as mãos amarradas nas costas.

— Não há caminho de volta para o senhor se matar a família da própria rainha, entendeu? Sem redenção, sem paz, nunca mais. Se nos libertar agora, podemos levar suas exigências à minha irmã. É Northumberland que quer? Pode ser sua outra vez, com documentos e selos para *nunca* mais lhe ser tirada!

— Ora, por Deus, o garoto é advogado? — zombou João Neville, os olhos cintilando. — Eu não sabia que você podia me fazer uma bela oferta como essa! E eu confiaria em sua palavra, é claro, depois que o título já me foi tirado uma vez!

Com um rosnado, ele chutou as pernas do jovem cavaleiro e observou sua queda.

— É *marquês* de Montacute agora. Ainda que eu tema ter ficado com as sobras, ainda é tudo o que tenho. — Ele ergueu os olhos para os rostos espantados em volta. — Tragam-me um machado e mais alguns guardas para testemunhar. — Enquanto pai e filho pareciam dominados pelo medo, João Neville levantou a voz. — Existe tribunal melhor que o capim verde de Deus? Ou o solo inglês? Haverá mais justiça no carvalho? Nas grades de ferro? Não, rapazes. Aqui somos homens honestos. Não preciso de juiz além de Deus no alto e de minha consciência; e declaro aberta a sessão desta corte.

Seus homens se reuniram ao redor, e João Neville forçou o conde de Rivers a se ajoelhar ao lado do filho, empurrando-o para a terra molhada.

— Vocês dois, Woodvilles, sem nenhuma linhagem, são acusados de serem maus conselheiros do rei da Inglaterra, de fazer seu ninho de peles e veludos finos enquanto destruíam uma família superior e de sangue melhor.

Em torno, os homens se juntaram, de pé e observando em silêncio. João Neville se inclinou para o conde de Rivers.

— *O senhor* é cúmplice do furto dos títulos de um bom homem e de tomar seu lugar. *Tesoureiro, conde.*

Ele fez as palavras soarem como acusações com seu desdém. Com um safanão, João Neville empurrou o velho, que caiu de costas. O filho gritou de medo quando seu torturador foi para o seu lado. O rapaz olhou ao redor, para os rostos duros por todos os lados, ainda na esperança de que fosse uma brincadeira cruel.

— E *você*, que desposou uma velha duquesa só para lhe furtar o título. No meu tempo, cavaleiros eram homens honrados. Quanta vergonha, filho.

Ele também foi derrubado de costas.

João Neville fez um gesto e um dos seus homens avançou rapidamente com uma alabarda apoiada no ombro. Os Woodvilles se esforçaram para ficar de joelhos, sem ousar se levantar. Pai e filho observaram a lâmina pesada com partes iguais de terror e desdém no rosto.

— Considero os dois culpados por desonrar seus títulos e por prática desonesta — sentenciou João Neville. — Condeno-os à morte. Suponho que não seja adequado que o juiz os execute, portanto serei uma testemunha. Avisarei as famílias, não se preocupem. Eu sou bom em escrever cartas para as famílias.

João Neville acenou com a cabeça para a multidão.

— Um de vocês, corra até a cidade atrás do outro rapaz. Não precisaremos do tribunal, não agora. E traga pão quente e um presunto. Acho que estou com fome.

Ele fez um gesto para o grandalhão que tinha dado um passo à frente.

— Termine o serviço, filho. A justiça será feita. Quanto a vocês dois, que Deus tenha misericórdia de suas negras almas Woodville.

Embora lhe desse o nome que mais usava, o Castelo de Warwick não era um dos lares preferidos de Ricardo Neville. Construído às margens do rio Avon, era úmido e frio pela manhã. A imensa estrutura se espalhava por um pátio quase grande demais para a escala humana. Ao contrário de outras propriedades suas, o vasto castelo era, muito claramente, uma fortaleza construída para a guerra e não para o conforto humano.

O rei Eduardo estava confinado numa sala no alto da torre oeste, guardado por dois homens à porta e mais dois ao pé da escada. Não havia risco de que escapasse, embora sua força e seu tamanho fizessem dele uma ameaça para qualquer homem ao seu alcance. O rei havia prometido não fugir, mas a promessa só seria cumprida se tentassem negociar com ele ou combinar o pagamento de um resgate, mas nisto Warwick sabia que o rei não acreditaria, pois ele não precisava do resgate de um rei.

Dois guardas estavam de pé logo atrás de Eduardo, honrando-o com o modo como o vigiavam para que não se lançasse sobre Warwick. Era difícil relaxar sob aqueles olhares fixos, mas Eduardo parecia conseguir, recostado na cadeira, com os tornozelos cruzados. O conde procurou algum sinal de desconforto com o cativeiro e não encontrou nada.

— Então não tem queixas? Meus homens o trataram com cortesia?

— Além de manter prisioneiro o rei da Inglaterra, sim — respondeu Eduardo, dando de ombros. — Seu irmão gorducho, o arcebispo, crocitou que você tem dois reis em celas. Eu lhe disse então que só havia um. Imagino que já esteja descobrindo que há uma *diferença* entre prender Henrique de Lancaster e me prender.

Eduardo o observava com atenção, e Warwick manteve o rosto inexpressivo, esforçando-se para não revelar nada. Ficou irritado vendo Eduardo se recostar de novo e sorrir como se tivesse visto algo digno de nota.

— Os dias passam devagar aqui, com apenas uma Bíblia para ler. Quanto tempo se passou, dois meses? Um pouco mais? Uma bela primavera perdida, porque não posso sair desta torre. É difícil perdoar um homem por isso, Warwick, por me fazer perder uma primavera como esta. Quanto tempo mais até me libertar? O que acha?

— O que o faz pensar que o libertarei? — perguntou Warwick.

— Seu irmão George é meu genro. Eu poderia colocá-lo no trono, se quisesse... e partir daí.

Para sua irritação, Eduardo deu uma risadinha e balançou a cabeça.

— Acha que ele confiaria em você se o fizesse? Eu o conheço melhor que você, Ricardo. Ele é um tolo, sim, e um seguidor, *sim*, mas não será rei enquanto eu viver... e não o perdoará se eu for morto. Acho que você sabe muito bem disso, e é por isso que tenho de suportar os dias longos aqui enquanto você tenta corrigir o erro terrível que cometeu.

— Não cometi erros — retrucou Warwick, irritado.

— Não? Se me matar, nunca voltará a dormir, com medo de meus irmãos. Mais cedo ou mais tarde, algum seguidor deles lhes oferecerá sua cabeça. Por enquanto, o reino inteiro sabe que você aprisionou o rei da Inglaterra. Sussurros, Ricardo, por todo o território inglês. Você achou que seria como foi com Henrique? Acredito que sim! Uma criança fraca e frágil que ninguém via havia quantos anos? Lordes e plebeus não se importaram quando Henrique foi capturado. Só a mulher dele os incitou a lutar por Henrique, mas eles chutaram algumas pedras, olharam para o outro lado e não fizeram absolutamente nada.

O olhar de Eduardo se endureceu, e Warwick sentiu a raiva fervilhando sob a superfície. O cabelo do rei tinha crescido muito e estava embaraçado, parecia uma juba. Havia algo verdadeiramente leonino nele ali recostado, insolente e forte.

— Eu não sou Henrique — declarou Eduardo. — Imagino que você descobriu que me prender é um problema um pouco maior do que esperava. Sim, vejo isso em seu rosto! Quantos condados já se rebelaram até agora, pedindo sua cabeça? Quantos xerifes foram assassinados, ou juízes, ou bailios, ou homens da lei? Quantos integrantes do Parlamento foram perseguidos nas ruas pela turba raivosa? Eu sou o *rei* da Inglaterra, Ricardo! Agora tenho laços de sangue e aliados em metade das famílias nobres do reino... e sinto cheiro de fumaça no ar.

Tudo que Warwick conseguiu fazer foi observar o rei farejando o ar, o olhar inabalável, inspirando profundamente.

— Sim... *há* fumaça, Ricardo. A Inglaterra em chamas. Então... quanto tempo até você me libertar agora, hein?

Irritava Warwick o fato de as previsões de Eduardo só se equivocarem em magnitude. O jovem rei não as havia exagerado o suficiente, essa era a terrível verdade. A reação à captura do rei por Warwick foi demonstrada com revoltas e agitação na Inglaterra inteira. Seu irmão arcebispo havia sido perseguido por uma multidão e teve de fazer uma barricada dentro de uma abadia para não ser morto. Vários solares dos Nevilles foram queimados e cidades inteiras se rebelaram, enforcando as autoridades da lei e saqueando tudo... mas sempre as posses dos Nevilles primeiro.

Era possível perceber a mão que conduzia tudo na precisão dos ataques, mas Warwick achava que eles tinham ido muito além até das maiores esperanças de Elizabeth, como um incêndio fora do controle que pulasse de floresta em floresta. Nos anos decorridos desde o casamento, era claro que ela havia encantado ou lisonjeado todos os homens influentes que atendiam ao rei Eduardo. Seu chamado tinha chegado a mil gargantas e ainda dobrava a cada dia, espalhando-se de propriedade em propriedade, de aldeia em aldeia, dos portos do sul até Gales e a fronteira da Escócia. O pior era que a captura do marido por Warwick condizia muito bem com o que ela havia sussurrado antes. Os Nevilles eram traidores comprovados, exatamente como Elizabeth Woodville tinha afirmado. Ninguém poderia negar, agora que capturaram Eduardo na estrada do rei e o mantinham em cativeiro.

Margarida de Anjou nunca havia tido um décimo do apoio obtido por Elizabeth em apenas alguns meses, pensou Warwick. Dito isso, ela nunca tivera um Eduardo como marido. Tudo o que o rei tinha dito era verdade... e muito mais. Henrique nunca havia vencido uma batalha, enquanto Eduardo fora visto por metade dos combatentes do reino em Towton, comandando a vanguarda. Os homens que lutaram por York naquele dia ainda viviam. Eles se lembravam da cavalgada ensandecida de Eduardo para esmagar o ataque ao flanco. Viram o rei cavalgar por eles e lutaram em apoio a Eduardo, para queimar e caçar os lordes Nevilles.

Henrique de Lancaster havia se escondido em priorados e abadias, enquanto Eduardo saía para caçar e visitava tribunais e cidades, divertindo-se como um rapaz e comprando presentes luxuosos para a família. O pobre Henrique nunca havia tido capacidade de encantar os homens que o seguiriam de bom grado. Isso ia além do porte físico de Eduardo ou de sua habilidade com cães e falcões. Ele era um tipo rude de rei, mas muito mais próximo da ideia de um rei do que Henrique jamais fora.

Warwick observou a expressão satisfeita do rapaz e quis eliminar sua confiança. Balançou a cabeça e sorriu como se reprovasse uma criança, sabendo que isso enfureceria Eduardo.

— Eu poderia tirar Henrique da Torre. A mulher e o filho dele estão bem na França. Uma linhagem inteira... Melhor ainda, a *verdadeira* linhagem, o verdadeiro rei restaurado. Ouvi dizer que Eduardo de Westminster é um belo rapaz, bem alto agora.

Eduardo se inclinou para a frente ao ouvir esse comentário, o humor zombeteiro sumido.

— Você... Não, você não faria isso. — E ele continuou falando, antes que Warwick pudesse perguntar. — Ah, eu tenho certeza de que você poria Henrique em meu trono, se isso pudesse ser feito. Agora, acompanhe meu raciocínio, Ricardo. Tive tempo suficiente para pensar sozinho aqui. Você teve a oportunidade de matar aquele santo pálido. Não matou. Não me queixo, Ricardo. Estou vivo também, portanto sou grato! Mas a verdade é que você não é um assassino com sangue-frio. Você precisaria disso para pôr a coroa na cabeça de Henrique outra vez. Compreende isso? Desconfio de que sim, senão já teria acontecido. Você teria de chapinhar em sangue: matar todos os Woodvilles, inclusive minhas filhas. Você não faria uma coisa dessas. Não o homem que conheço e respeito desde menino. Isso não está em você.

Warwick olhou para ele por tempo suficiente para perceber o vestígio de preocupação por trás da fanfarronice do rapaz. Ele compreendeu, pensando em suas próprias meninas. Os filhos eram reféns da fortuna, vulneráveis a inimigos. Só por existir, podiam tornar fraco um homem forte que, em outra situação, riria com desdém da própria morte.

— Não, tudo isso é verdade — disse. Eduardo grunhiu com alívio mal escondido, recostando-se outra vez enquanto Warwick continuava: — É verdade que eu não conseguiria mergulhar as mãos em tanto sangue. Mas tenho um irmão, João Neville. Quantos ele matou por ordem sua nos anos após Towton?

Eduardo baixou a cabeça, a mão esfregando a barba por fazer em torno da boca. Ele sentiu a verdade nas palavras e tentou não demonstrar medo. Warwick fez que sim, quase com tristeza.

— O conde de Rivers agora está frio na terra. Seu filho John está morto. A raiva de meu irmão, Eduardo. Achou que conseguiria tirar seu título sem nenhuma consequência? Até um cão leal morderá se você lhe tirar o osso vezes demais. — Warwick balançou a cabeça com tristeza. — Achou que eu aguentaria todas as facadas? Se tiver de escolher um caminho, não deixarei meus inimigos vivos! Não, se fosse você, eu rezaria para que eu possa controlar as malditas revoltas antes de ser forçado a tomar uma decisão sobre seu destino!

Então Warwick se levantou, irritado consigo mesmo por deixar escapar um fiapo de informação para o rei, ali sentado boquiaberto. Antes, tudo tinha sido suposição e adivinhação, mas agora Eduardo sabia que realmente havia agitação com sua captura.

— *Liberte-me*, Ricardo! — gritou, erguendo os punhos fechados.

— Não posso! — respondeu Warwick com rispidez.

Ele saiu da sala e, quando Eduardo pulou de pé, seu caminho foi bloqueado pelos dois soldados, encarando-o com raiva e colocando as mãos em seu peito. Por um momento, Eduardo pensou em derrubá-los, embora portassem maças de ferro para esmagar sua cabeça caso tentasse — e havia mais guardas embaixo.

— Eu sou o *rei*! — berrou Eduardo, tão alto que os dois guardas se encolheram. — Liberte-me!

Warwick o deixou rugindo até chegar à luz do sol e montou para voltar a Londres, o rosto sombrio como o inferno.

O coração da Torre de Londres era a parte mais antiga da estrutura, uma torre de pedra branca de Caen mais alta que as muralhas externas, com vista para a cidade e para o Tâmisa correndo ao lado. Certa noite, Elizabeth havia subido por uma minúscula escotilha e saíra num telhado antigo, com liquens e ninhos de passarinho. Desde que tinha chegado ao ar livre, o vento agitou seus cabelos e suas roupas, enquanto ela observava a cidade escura. A lua oferecia o mais leve dos brilhos a algumas casas e ao próprio rio, mas, fora isso, a única luz vinha das tochas dos agitadores que marchavam a noite inteira, pois ela havia ouvido seus passos mesmo nos sonhos inquietos. Eles rugiam pelo sangue Neville e caçavam Nevilles, esse era o terror e a satisfação daquilo.

É claro que Elizabeth sabia que seu marido era amado e visto com admiração. Elizabeth havia percebido alguns sinais de que os mercadores, os cavaleiros e os lordes nobres da Inglaterra também se alegraram com a vitória de Eduardo ao banir o rei fraco para uma cela e deixar que sua mulher francesa fugisse para a casa do pai. Mesmo assim, ela não tinha avaliado o grau da lealdade dos homens, a extensão de sua ofensa com a captura do rei.

A notícia havia se espalhado com palavras furiosas em reuniões nas cidades, com todos gritando e arrombando as portas das moradias oficiais, saqueando os itens mais valiosos e depois pondo fogo para esconder seus crimes. Toda cidade e aldeia que ficava sabendo mandava mensageiros a outra e mais outra, até que houve grandes marchas de dez mil com tochas e foices. Oradores e capitães que lutaram em Towton exigiam que os traidores Nevilles fossem caçados.

Elizabeth exibiu os dentes, embora fosse mais uma expressão de dor do que de satisfação. O vento a enchia, fazendo-a se sentir tão leve quanto o ar gelado. A única ponte sobre o rio não ficava longe da Torre. De onde estava, conseguia ver uma linha de tochas vindo de Southwark, homens selvagens que davam vivas e voltavam para casa — e, a distância, do outro lado do rio, um brilho fraco na escuridão enquanto alguma grande casa ardia em seu terreno.

Elizabeth havia convocado lordes leais e tinha clamado por vingança, de olhos ardentes e vazios de lágrimas. Os Nevilles iniciaram os incêndios, que agora cresceriam numa conflagração que consumiria todos eles. Ela ofegou ao vento, sentindo seu toque como se mãos frias a apertassem.

Desde o princípio, ela sabia com que profundidade os Nevilles penetraram o reino, como lagartas numa maçã. Tinha encontrado cada vez mais provas, para onde quer que olhasse. Seu marido amado e crédulo havia sido cego a tudo isso. Fazia todo sentido tentar romper seu controle antes que o arruinassem.

— Eu estava certa — sussurrou para o vento, consolando-se quando as palavras foram ditas e se perderam imediatamente no ar. — Eu vi, mas eles eram mais fortes do que imaginei, e mais cruéis.

As lágrimas foram lançadas sobre o cabelo quando o vento aumentou, gemendo como se sofresse de alguma dor lancinante. O pai e o irmão tinham sido assassinados por Nevilles. Não haveria misericórdia para eles depois disso. Tinham traçado uma linha no sangue de sua família, e ela não descansaria enquanto não virassem cinzas.

Alguns a chamaram de bruxa nos primeiros anos do casamento pelo modo como ela havia dominado o marido e a corte. Não passava de maldade de homens femininos e mulheres masculinas. Mas, naquela ventania, Elizabeth desejou que estivessem certos. Naquele momento, ela daria sua alma imortal em troca do poder de buscar seus inimigos e espalhar seus cérebros numa pedra. O pai não havia merecido esse destino. Ela o havia levado para a corte, e isso tinha lhe custado a vida. Elizabeth cerrou os punhos, sentindo as unhas se cravarem na palma da mão.

— Que morram todos agora — sussurrou. — Que os Nevilles *sofram* como sofri, como merecem. Se Deus e os santos não me responderem, oh, espíritos das trevas, escutem minhas palavras. Acabem com eles. Devolvam meu marido, e que todos eles *queimem*.

31

Eles vinham depois do pôr do sol, marchando em fila indiana por trilhas campestres vazias. Apareciam em tavernas para limpar a poeira dos quilômetros de caminhada por estradas, revelando-se para aqueles em quem confiavam. Quando a noite chegava, amarravam panos no rosto e levavam óleo e lanternas escuras, fechadas para proteger as chamas do vento.

Às vezes os criados fugiam e se permitia que escapassem. Outros preferiam ficar para avisar à família depois de anos de lealdade. Então não eram poupados, nem as famílias nem aqueles que as serviam. O fogo destruía tudo.

Eles chamavam a si mesmos de "Incendiários", e seu ofício obscuro se revelava na pele. Estavam sempre de rosto vermelho e sujo de fuligem, os olhos inflamados, o que os tornava assustadores. Acendiam suas tochas e libertavam os cavalos para que corressem; então, queimavam os estábulos. Quando aqueles que estavam dentro saíam correndo, encontravam um círculo de homens com cutelos e foices, o rosto coberto para não serem reconhecidos. Espancavam qualquer homem que saísse, às vezes até a morte, deixando uma cabeça quebrada. Então o incêndio continuava, construção a construção, celeiro a celeiro, até o campo todo ficar iluminado pelo tremeluzir de ouro avermelhado e o ar frio se transformar numa brisa quente que levava o cheiro de fuligem e destruição. Quando os fazendeiros e os bailios locais chegavam a cavalo, o incêndio já havia crescido demais para ser controlado. Antigos solares foram reduzidos a madeira enegrecida, ardendo dias e noites. Então, a sessenta ou cento e vinte quilômetros de distância, os Incendiários voltavam a aparecer no meio da noite, formando seu círculo com as tochas crepitando.

Já havia tido levantes, grandes e pequenos, contra o tratamento cruel ou por uma centena de razões. O povo da Inglaterra sempre havia sido lento para se rebelar, em parte por medo do que sentia por dentro. As pessoas suportaram a crueldade e a pobreza com uma raiva silenciosa, bebendo muito e extravasando o ressentimento em brigas e esportes sangrentos. Elas aguentaram cobradores de impostos que levavam suas moedas, embora Deus soubesse que eram os mais vis de todos os pecadores. Elas sentiram o açoite da lei que as deixava balançando na brisa — e aqueles que as amaram saíam para incendiar e matar como vingança. Em toda geração, alguns dos incitadores eram pegos e enforcados, como aviso a quem pensasse em segurar o porrete que os atingia. As coisas eram sempre assim, e o campo distante, de certa maneira, era bem mais sombrio que as ruas da cidade. Havia aldeias que eram lugares de silêncio e pecado, com a fúria fervilhante em meio ao gado e à paz. Vidas severas produziam homens e mulheres severos, capazes de portar uma tocha ou uma lâmina quando viam necessidade. Afinal de contas, eles cortavam, matavam e trabalhavam simplesmente para sobreviver.

Naquele ano, foi diferente. Os Incendiários foram a lugares que nunca tinham ouvido falar deles. Também se tornaram mais cruéis conforme os meses se passavam com o rei Eduardo ainda preso por traidores. Grandes solares arderam em chamas, com as portas pregadas com grandes cravos. Os gritos ficaram sem resposta. Castelos de pedra foram incendiados pelos próprios criados, com as famílias nobres assassinadas por seu séquito, leais a vida inteira até deixarem de ser.

Houve exceções: aldeias mais antigas que Jesus se aproveitaram da agitação para acertar antigas contas. Havia corpos em todas as ruas e praças de aldeia, e alguns tinham sido mortos apenas por rancor ou bebedeira, com os homens da lei trêmulos em casa, à espera do golpe final. Contudo, a maior parte das propriedades destruídas pertenciam a um clã, a uma única família — em particular, a um homem. Rebanhos dos Nevilles foram chacinados. As minas de carvão de Warwickshire foram incendiadas. Embarcações dos Nevilles foram queimadas nos portos, e as grandes casas de Ricardo Neville se transformaram em cinzas e carvão, com corpos carbonizados.

Enquanto os meses se passavam sem notícia da libertação do rei Eduardo, os ataques e os incêndios se tornaram ainda mais evidentes. Homens chutavam as portas das tavernas de Warwickshire e berravam perguntas. Se as respostas não fossem corretas, eles jogavam potes de óleo e tochas acesas, então ficavam do lado de fora com forcados para mantê--los lá dentro. Os Incendiários tinham seus líderes, três assassinos, *todos* conhecidos como Robin de Redesdale. Juntos, eram a voz dos soldados de Towton. Eram a voz do rei em cativeiro e gritavam em seu nome.

No fim do verão, a colheita não foi feita como devia, por medo de que os celeiros cheios atraíssem os Incendiários e porque os trabalhadores se mantinham afastados das propriedades dos Nevilles para não serem espancados a caminho de casa. A safra apodreceu no campo, e rebanhos inteiros desapareceram ou, pior, foram encontrados com a garganta cortada. As minas de carvão não puderam ser apagadas, e fumegavam no ar como uma pira funerária que podia ser vista por todo o condado; elas queimariam até o fim dos tempos, as chamas chegando nas profundezas da terra para arderem ocultas.

Fauconberg apertou a barriga com dois dedos rígidos, grunhindo de dor. Estava sentado na cozinha do Castelo de Middleham, com toda a criadagem dispensada para não ver sua humilhação. A cadeira que Warwick ordenou que lhe trouxessem era macia e estofada, mas o conde idoso não encontrava uma posição confortável.

— Está piorando, Ricardo — comentou ele, baixando uma tigela cheia de vômito leitoso. — Mal consigo comer agora... e, quando como, tudo volta. Não acredito que eu tenha muito tempo.

Warwick se apoiou na imensa mesa de madeira, com pernas mais grossas que as suas. Ele tentou não demonstrar seu choque ao ver quanto peso o tio havia perdido. Fauconberg nunca tinha sido grande, mas seus ossos estavam salientes em seu rosto escurecido, e suas pernas e seus braços pareciam frágeis. Até o cabelo havia ficado mais fino e pendia em filetes em tufos dos ombros. Alguma coisa o corroía por dentro, e Warwick concordou com a avaliação, embora não comentasse.

— E quem me aconselhará quando o senhor não estiver aqui? Hein, tio? Vamos, meu velho, eu preciso do senhor. Não que eu tenha demonstrado muita sabedoria nem esperteza em minhas decisões recentemente.

Fauconberg tentou dar uma risadinha, embora o movimento causasse dor e o deixasse ofegante. Ele pousou a tigela com seu conteúdo fétido e apertou o lado do corpo de novo, sentindo algum alívio.

— Você encontrará um jeito de se safar, Ricardo, pela família. Deus sabe que já lutamos através de espinhos. — Mesmo na dor, Fauconberg lançou os olhos sobre o sobrinho, perguntando-se como convencê-lo. — Desconfio que você já saiba qual é a melhor opção, caso seu orgulho lhe permita dizer em voz alta.

— Então me aconselha a libertar Eduardo? — questionou Warwick, irritado. — Se eu pudesse voltar atrás e tomar uma decisão diferente, digo-lhe que o faria. Eu não entendia na época o que aconteceria quando pusesse o rei atrás de grades e carvalho. — Warwick fez uma careta para si mesmo com a lembrança amarga. — Sabe, tio, ele mesmo me *disse* isso. Eduardo, quando o visitei. Ele falou que eu havia capturado Henrique e não tinha compreendido que ele não era amado, que era um rei fraco. E *tinha razão*, embora isso me doa. Achei que conseguiria manobrá-los como peças no tabuleiro. Eu nunca percebi que o jogo inteiro poderia ser arruinado se eu tocasse no rei errado.

Fauconberg não falou nada. Suas propriedades ficavam ao norte da cidade de York, e até ele havia sofrido com o incêndio de celeiros e o assassinato de um juiz local, muito longe das cidades grandes e da agitação. Cada mês trouxera notícias piores, e o fogo ainda parecia se espalhar. Ele achava que o sobrinho só tinha uma opção, mas sabia que não viveria para ver. Sua barriga guardava uma bola dura de alguma imundície estriada, como uma criatura que vivesse a sua custa. Ele tinha visto coisas assim quando havia matado animais de criação no passado, trazidos a ele como curiosidades. Fosse o que fosse, talhara seu sangue. As veias maiores tinham escurecido com os venenos da coisa, e Fauconberg sabia que não sobreviveria. Só poderia esperar que Warwick mantivesse a família a salvo. Era difícil não lhe dizer o que tinha de fazer.

— Mas onde estavam suas verdadeiras esperanças, Ricardo? Eu estava lá enquanto planejávamos, mas a conversa era toda sobre como levar Eduardo para o norte com poucos homens ou como você iria à França com o irmão dele e sua filha. Você estava ocupado com a empolgação de mil pequenos detalhes, mas não houve muita conversa sobre o que viria depois.

— Devíamos ter conversado mais — admitiu Warwick. — Mas eu estava tão furioso que só pensava em mostrar a Eduardo como ele havia tratado mal seus homens mais leais. Ainda o vejo como o menino que ajudei a treinar em Calais. Não como rei, tio, não mesmo. De todos os homens da Inglaterra, fui o único que ficou cego ao que ele se tornou. Eu é que entendi tudo errado.

Fauconberg deu de ombros.

— Você não foi o único. Seus irmãos pensaram o mesmo, se bem me lembro.

— Todos vimos o menino voluntarioso, embora eu tivesse lutado a seu lado em Towton. Vimos o *homem*, não o rei. Seja como for, a decisão foi minha. Eu poderia ter dito a João e Jorge que suportassem e ficassem quietos.

— João? Há tanta raiva nele que acho que teria transbordado de qualquer forma. Agora mesmo ele já pode ter sido enforcado ou perdido a cabeça por algum ato impulsivo.

Warwick suspirou, estendendo a mão para a jarra de vinho para servir duas taças.

— O senhor consegue segurar o vinho?

— Se me trouxer minha vasilha, tentarei — respondeu Fauconberg.

Warwick escondeu sua repulsa, esvaziou a vasilha de vômito num balde de água suja e a limpou com um pano seco antes de entregá-la com uma taça de clarete. Com uma expressão astuta, Fauconberg a ergueu num brinde ao sobrinho.

— Que vejamos esses acontecimentos apenas uma vez — disse ele, e bebeu, estalando os lábios. — E acho que a família da mulher dele teve seu papel na revolta do reino. Alguns de nossos problemas foram comprados com moedas dela, Ricardo. Esses malditos "Incendiários". Aposto que dá para ouvir o tilintar da bolsa dela por trás de todos os celeiros e casas em chamas.

— Achei que talvez eu pudesse oferecer o trono a Clarence. Digo isso ao senhor sabendo que o levará para o túmulo, tio. Mas para isso eu precisaria de Eduardo morto, não só preso. Nem tenho certeza se consigo mantê-lo prisioneiro por muito tempo. Há gente demais clamando por sua libertação, e, se ele escapasse... — Warwick se interrompeu, imaginando o grande lobo enfurecido e livre. O conde estremeceu. — Ele *é* o rei, tio. E isso é o mais estranho. Vejo isso agora e me encho de medo pelo erro que foi sua captura. Eu só quero encontrar um jeito de colocá-lo de volta no trono que não provoque a destruição e a desonra imediata de todas as casas dos Nevilles.

— As coisas poderiam ter transcorrido assim *antes* que João executasse o pai e o irmão da rainha.

A garganta dele pulsava e, enquanto Warwick olhava, Fauconberg levou a vasilha à boca e derramou nela uma torrente de um líquido vermelho leitoso. Warwick desviou o olhar para não assistir àquele desconforto. Aguardou até os barulhos chegarem ao fim e olhou de relance para ver o tio pálido, secando o suor do rosto.

— Não é muito agradável — sussurrou Fauconberg. — Como estou morrendo, talvez eu devesse levar o machado ao pescoço do rei como meu último ato. Você poderia me culpar por toda a conspiração e recuperar alguma honra com Clarence.

— E ver seu nome afundado na lama? — indagou Warwick. — Não, tio. Ele me disse que eu recuaria diante da ideia de assassinato e tinha razão. Matá-lo seria provocar muitos outros. Minhas mãos não ficarão tão sujas de sangue. Não. De qualquer forma, na situação atual não sobreviveremos aos incêndios que serão iniciados pela morte de Eduardo!

— Não há mais ninguém — retrucou Fauconberg, a voz se fortalecendo. — Nenhum dos irmãos do rei confiaria no homem que matou Eduardo! Se coroar Clarence ou Gloucester, você estará pondo a própria cabeça no patíbulo. Não, você precisa fazer as pazes com o rei. É a única saída.

— Eu já pensei nisso; o senhor acha que não? O senhor não o tem visto, tio. Ele está *insano* de raiva. Três meses numa cela, e Eduardo já quebrou a porta duas vezes e matou um dos guardas. Tive de mandar consertarem as portas com ele de pé, tentando se safar de espadas desembainhadas, me desafiando a matá-lo. Em outros dias, ele fica sentado, come e me conta calmamente o que eu deveria estar fazendo no reino. Eduardo está entediado, irritado e com sede de vingança, e o senhor quer que eu o liberte? Eu gostaria de ser capaz.

— Se não fosse pela morte dos Woodvilles, eu diria que sim, que você pode libertá-lo. Nunca soube de uma promessa que Eduardo tivesse quebrado, nem uma vez. Ele tem um código, recebido do pai ou talvez de você, não sei. Você vive dizendo que ele não é mais o menino que conheceu, que ele é um rei. Pois confie nisso! Faça Eduardo assinar a anistia de todos os seus crimes, uma proteção contra a lei e contra todas as represálias, jurada por sua alma imortal, pela vida de seus filhos, o que você pedir!

— O senhor acha que posso confiar na palavra dele? *De verdade?* — questionou Warwick, o desespero se revelando na tensão do rosto.

— Eu acho que, se o resto do mundo pegasse fogo, você ainda seria capaz de confiar na palavra dele, sim.

— O resto do mundo *está* pegando fogo! E o título de João? — indagou Warwick.

Fauconberg balançou a cabeça.

— Eu não iria tão longe, Ricardo. Foi um presente de Eduardo que ele podia tomar de volta. Se encontrar outra maneira, eu adoraria ouvi-la, talvez antes que minha dor se torne muito maior.

— Sinto muito, tio — disse Warwick, de ombros caídos com o sentimento de derrota. — Muito bem. Eduardo *é* o rei. Farei com que assine a anistia e o perdão. Ele não é o garoto irritado que conheci, não mais. *Tenho* de acreditar em seu juramento. Eu não tenho opção.

32

Ricardo Neville puxou as rédeas diante do imenso portão do Castelo de Warwick. Ergueu uma lança acima da cabeça, com o brasão do urso e do bastão bordado no pano que pendia dela. Uma leve garoa gelava ainda mais seu espírito, e ele se sentia cansado. Estava a três dias de Londres, embora pudesse até ser outro reino. Era um dia horrível no meio da Inglaterra, e o lugar parecia tão soturno e desolado quanto ele havia passado a esperar.

Pelo menos os Incendiários não tinham disseminado seus sussurros por lá. Conforme os ataques aumentavam em número e selvageria pela Inglaterra, Warwick havia ordenado que sua fortaleza mais importante se fechasse totalmente, com turnos de vigia e ordens de sítio. Ninguém entrava nem saía e não havia contato nenhum com a população local. Warwick tinha dado ordens claras para que seus soldados mostrassem as bestas a qualquer homem ou mulher que se aproximasse das muralhas, com ordem de atirar em quem não recuasse.

Isso fez com que caçadores ilegais da região acabassem com cervos e tetrazes de suas florestas, é claro, mas não havia como impedi-los. Com o reino à beira da insurreição e do caos completos, Warwick não deixaria escapar a notícia de que o rei Eduardo estava preso lá.

Os guardas nas altas passarelas lançaram a ele olhares inexpressivos quando lhes mostrou o sinal. Um tabardo numa lança era bastante claro, e Warwick parou de agitá-lo quando seus braços começaram a doer, esperando que os besteiros chamassem um sargento. Abrir o portão principal sob ordens de sítio era uma decisão séria. Warwick aguardou enquanto a chuva apertava e começava a deixá-lo encharcado. Seu cavalo tremia, o grande pescoço e os flancos se arrepiando em reação ao frio. Quando a primeira fresta surgiu no portão, ele estava com os lábios roxos e mal fez que sim para os guardas, que o reconheceram e recuaram. O portão foi fechado e trancado atrás dele, a grade de ferro ressoando até se encaixar com um clangor. Warwick sacudiu a chuva do rosto e do cabelo enquanto conduzia o cavalo a passo pelo caminho da morte. Eram apenas uns quarenta passos, mas estava cercado de plataformas e passarelas que poderiam estar apinhadas de arqueiros. Quando chegou ao fim, fechou os olhos um instante, sentindo o cheiro de frio e pedra úmida. O castelo estava isolado novamente. Com o rio correndo ao lado, tinham um suprimento interminável de água limpa e carne salgada e cereais suficientes para fazer pão durante anos. O mundo, com todos os seus problemas e pesares, tinha se tornado um lugar fora daquelas muralhas.

Warwick relaxou. Entregou o cavalo a um rapaz e atravessou o portão interno que levava ao grande pátio. Não pôde impedir que seus olhos se voltassem para a torre onde ficava a cela de Eduardo. Warwick percebeu o mordomo do castelo sussurrando sobre alguma parte da propriedade ou dos arrendamentos. Não se deu ao trabalho de prestar atenção, e olhava para onde ia. O mordomo se calou quando Warwick lhe agradeceu, sua atenção claramente em outra coisa. O homem ficou para trás quando o conde atravessou o pátio interno, cercado pelas janelas da grande casa que começavam a brilhar com suas luzes douradas conforme as lâmpadas eram acendidas para dar as boas-vindas ao senhor. Enquanto avançava, ele deu um tapinha no embornal que levava ao ombro, sentindo o peso dos documentos lá dentro.

Eduardo não havia mudado nada no verão de seu cativeiro. Warwick tinha ouvido falar que ele passava horas todo dia de um lado para o outro no quarto, levantando as cadeiras e a cama, ou exercitando os braços em posições esquisitas no chão, erguendo e baixando o corpo. Recusaram-lhe uma espada, até mesmo uma arma cega de treinamento, com medo do que ele faria. Também lhe negaram uma navalha e, em consequência, estava com uma longa barba preta que o deixava parecido com um eremita louco.

Como ainda estava com 20 e poucos anos, pelo menos a forma física do rei não tinha sofrido muito, pensou Warwick com uma pontada de inveja. Ele sentiu o cheiro do suor de Eduardo ao entrar no quarto, um odor rançoso e almiscarado e não totalmente desagradável, como urina nas patas de um cão.

Eduardo usava a mesma camisa desde quando havia sido capturado, embora Warwick pudesse ver que tinha sido lavada e uma costura fora até refeita. O mordomo e a criadagem não tinham razão para maltratá-lo, e seriam tolos se o fizessem.

Sem dizer nada, Warwick indicou uma grande poltrona estofada, sentindo que uma reunião já difícil poderia correr um pouco melhor se impedisse que Eduardo se elevasse acima dele. O rei gostava de ser superior. Sempre havia gostado.

Eduardo torceu o lábio e se deixou cair na cadeira. Não havia nele nada relaxado. Todos os músculos estavam tensos, e ele parecia pronto a pular de pé à menor provocação.

— Então, por que você está aqui agora? — perguntou Eduardo.

Warwick abriu a boca, mas o rei continuou antes que pudesse responder.

— Podem lhe dizer que estou bem num bilhete enviado por pombo ou mensageiro. Não, você está aqui agora por uma de duas opções.

Eduardo se inclinou para a frente enquanto falava, as mãos agarrando os braços da cadeira. Warwick tinha consciência da ameaça do homem mais novo. Ficou de pé e pôs sua cadeira entre os dois, e nada nessa ação foi inconsciente. Os olhos de Eduardo avaliavam friamente, um homem prestes a perder a paciência. Talvez fosse o odor de transpiração, mas Warwick sentiu que era ele a caça. Olhou de relance para os dois guardas que esperavam, vigiando o primeiro sinal de ataque do prisioneiro. Estavam com maças de ferro maciço para bater na cabeça e nos ombros de Eduardo. O conde fingiu alongar as costas e se sentou outra vez, encarando o jovem gigante que fazia a cadeira parecer pequena perto de sua estrutura.

Eduardo sorriu para ele com fúria ao perceber seu nervosismo.

— Não para me matar, portanto, senão você teria dado a ordem aos guardas.

Seu olhar recaiu sobre a bolsa de Warwick, o couro marrom desgastado e reluzente por conta do uso prolongado. As sobrancelhas de Eduardo se ergueram.

— O que você tem aí, Ricardo?

— Em todo o tempo que o conheço, nunca vi você quebrar um juramento. Lembra-se de quando conversamos sobre isso? Antes de Westminster, quando você me perguntou o que esperavam de um rei? Eu lhe disse que o rei seria um homem que mantivesse sua palavra.

— Não você, então — murmurou Eduardo. — Você quebrou o juramento que fez a mim. Pode ter condenado sua alma, Ricardo, e para quê?

— Se eu pudesse desfazer o que fiz, desfaria. Você tem minha palavra, se é que ela vale alguma coisa.

Eduardo ficou surpreso com a intensidade do homem diante dele. Fitou-o e depois fez que sim.

— Acredito que diz a verdade. Peça-me perdão, conde de Warwick. Quem sabe... Talvez lhe seja concedido.

— Eu pedirei — disse Warwick.

Ele se sentia como um suplicante, não como o homem que impunha os termos. Havia algo poderoso na presença do rei, como se ele tivesse nascido para usar a coroa. Warwick sentiu isso como uma maré e teve vontade de se ajoelhar. Como uma âncora, o destino de seus irmãos o manteve firme.

— Eu lhe pedirei anistia e o perdão de todos os crimes, todos os pecados, todos os juramentos quebrados. Para mim e minha família. Confio em sua palavra, Eduardo. Conheço-o desde que você tinha 13 anos e lutava com os soldados de Calais. Nunca vi você quebrar um juramento, e aceitarei seu selo nos documentos que meus escribas prepararam.

Sem desviar o olhar de Eduardo, Warwick enfiou a mão na bolsa e procurou as duas partes de prata do grande selo do rei. Eduardo baixou os olhos quando ouviu o tilintar.

— Perdão por me manter prisioneiro — disse Eduardo. — Por quebrar o juramento que fez a mim. Para seus irmãos Jorge e João Neville, por quebrarem o juramento que fizeram a mim.

Warwick enrubesceu. A ferida poderia ser limpa se enfiassem no fundo uma lâmina aquecida e deixassem sair todo o veneno.

— Por *tudo*, Vossa Majestade. Por todos os erros, pecados e tropeços passados. — Warwick respirou fundo pelo nariz. — Por todas as mortes de homens leais. Pela execução do conde de Rivers e de Sir John Woodville. Pelo casamento de seu irmão George, duque de Clarence, com minha filha Isabel. Anistia a tudo, milorde. Eu desfaria quase tudo se pudesse, mas não posso. Em vez disso, tenho de fazer com que seja esse o preço de sua liberdade.

Eduardo semicerrou os olhos, e a sensação de perigo emanava dele como ondas de calor.

— Você quer que eu perdoe os homens que mataram o pai de minha esposa?

— Você é o rei, Eduardo. Eu lhe disse o que tem de ser. Não posso voltar atrás uma palavra. Se eu pudesse voltar àquela manhã em Towton, quando encontramos a ponte caída antes que começasse a nevar, voltaria. E ficaria a seu lado outra vez. Peço seu perdão agora a mim e à minha família.

— E, se eu não perdoar, você me deixará aqui — completou Eduardo.

Warwick corou sob o escrutínio do outro.

— Preciso ter seu selo e seu nome nos perdões e nas anistias, Vossa Alteza. Não há outro jeito. Pois, como pode ver, sei que os honrará, embora sejam o preço de sua liberdade. Embora sua esposa vá ficar furiosa quando souber que concedeu o perdão a homens que ela odeia desde que chegou à corte.

— Não fale de minha esposa — disparou Eduardo de repente, a voz profunda e dura.

Warwick inclinou a cabeça.

— Muito bem. Tenho tinta e cera. Tenho uma pena e seu selo. Peço seu perdão.

Warwick estendeu a bolsa com seu conteúdo, sentindo um toque de vergonha com o tremor que viu na mão de Eduardo, o rapaz ainda mal ousando acreditar que seria libertado e não morto. Warwick se preparou para se manter imóvel, quase prendendo a respiração. Ele viu Eduardo desembrulhar o maço de folhas de pergaminho, enfiar a mão na bolsa e procurar a pena e a garrafa metálica de tinta de lula. Sem ler, Eduardo rabiscou "Eduardo Plantageneta Rex" em cada página e depois jogou a pena para trás.

— Você está com meu selo. Termine o resto você mesmo. — Eduardo se levantou com Warwick e passou os documentos para seus braços. — Pronto. Você já tem o que queria. Veremos agora se é capaz de redimir alguma parte de sua honra, de sua palavra. Terei permissão de sair deste castelo?

Warwick engoliu em seco. Estava com um medo terrível de ter provocado sua própria ruína. Preocupava-o terrivelmente Eduardo não ter lido as páginas que havia assinado. O rei havia forçado a prova de sua honra, encontrando por instinto o ponto mais importante daquilo tudo. Seria importante a boa redação de Warwick nos documentos a serem assinados e selados? O que mais importava era a palavra de Eduardo. O conde só conseguiu fazer um gesto para os guardas, que se afastaram da porta. Pela primeira vez em sete meses, ela ficou aberta.

Eduardo atravessou o quarto em três passos ligeiros, sua rapidez deixando os guardas tensos, trocando olhares. À porta, o rei hesitou e olhou para os degraus escuros que desciam.

— Acho que você deveria descer comigo, Ricardo, não acha? Não quero que seus guardas enfiem uma flecha em meu peito por acidente. Eu preferiria um cavalo, embora possa andar se for preciso.

— É claro — concedeu Warwick, de repente tão cansado que mal conseguia pensar.

Deus sabia que ele já havia cometido erros. Eduardo o forçara a compreender que tudo se resumia a confiança. Foi até a escada, e Eduardo se virou para ele.

— Acho que, depois disso, não o convocarei à corte, Ricardo. Embora esteja preso pelas anistias e pelos perdões, não posso dizer que sejamos amigos, não agora. Creio que seria mais seguro se você também não cruzasse o caminho de minha esposa por algum tempo. Onde ela deita a cabeça agora? Eu a verei de novo, com meus filhos.

Warwick baixou a cabeça e sentiu ao mesmo tempo perda e vergonha.

— Na Torre Branca, juro que por opção dela própria. Não houve maus-tratos. Não a vejo nem ouço há meses.

Eduardo fez que sim, as sobrancelhas unidas com irritação.

Warwick acompanhou o rei até o estábulo, onde o cavalariço-mor escolheu um belo cavalo de batalha de peito largo para levar o rei. Warwick ofereceu uma capa a Eduardo, que a recusou em sua impaciência de partir do lugar de seu confinamento.

Na escuridão, os grandes portões se abriram mais uma vez, e o rei Eduardo, a meio-galope e com as costas eretas, se lançou para a noite.

O cavaleiro estava imundo com a poeira da estrada, a barba completamente suja. A poeira marcava cada ruga do rosto e cada dobra das roupas, embora ele não usasse capa, e os braços estavam negros até o cotovelo, como os de um ferreiro. Bastava seu tamanho para fazer as pessoas se espantarem e fitá-lo quando passava. Nem um em mil tinha visto o rei pessoalmente quando Eduardo subiu os degraus do Palácio de Westminster e os convocou para marchar rumo ao norte. Na ocasião ele estava resplandecente, com capa e tecidos com ornamentos de ouro. Estava de barba feita, com o cabelo mais curto, não a massa embaraçada de sujeira e nós que o cavaleiro tinha amarrado para trás com uma tira de pano rasgada do gibão.

Eduardo levava o corcel a passo lento, a cabeça do animal caída como a de seu senhor. As noites eram longas, e a luz, fraca, enquanto, um a um, homens e mulheres saíam nas ruas atrás dele, cochichando, perguntando em voz alta, ousando acreditar.

Um jovem monge correu ao lado do cavaleiro cansado, descansando a mão na lama grossa grudada ao estribo. Olhou para cima, ofegante, correndo, esforçando-se para enxergar através da barba e da sujeira.

— O senhor é o rei?

Eduardo abriu um dos olhos e o fitou.

— Sou. Eu voltei para casa.

O monge se afastou ao ouvir suas palavras, e ficou boquiaberto na estrada até ser cercado por uma multidão.

— Então, o que ele disse? É o rei Eduardo?

— Quem mais poderia ser? Daquele tamanho!

O monge fez que sim, um sorriso incrédulo no canto dos lábios.

— *É* ele. O rei Eduardo. Ele disse que voltou para casa.

Eles deram vivas ao ouvir isso, erguendo as mãos. Como se fossem um só, os moradores de Londres começaram a correr atrás do cavaleiro solitário que ainda avançava rumo à Torre, cada vez mais deles, vindos de todas as ruas, lojas e casas por onde passavam. Quando Eduardo chegou à casa da guarda da Torre de Londres, mil súditos seus estavam atrás dele, com mais ainda chegando. Alguns até traziam armas, prontos para receber quaisquer ordens.

Eduardo sabia que havia cavalgado com velocidade suficiente para vencer qualquer mensageiro. Tinha levado o cavalo à exaustão. Em consequência, não sabia se os guardas do portão tinham sido informados de sua liberdade. Ele trincou os dentes. Era o rei, com seu povo atrás. Não importava o que tivessem lhes dito. Ele se encheu de confiança, foi à frente e bateu na madeira com o punho fechado; depois, aguardou, com a sensação de que olhos rastejavam por ele.

— Quem está aí embaixo? — perguntou uma voz.

— O rei Eduardo da Inglaterra, de Gales e da França, senhor da Irlanda, conde de March, duque de York. Abra este portão.

Eduardo viu centelhas de movimento, enquanto homens se inclinavam por sobre a alta muralha. Ele não olhou para cima; simplesmente esperou, impassível. Fechaduras e correntes começaram a soar do outro lado, depois o barulho de uma grade de ferro sendo erguida. Eduardo olhou para o mar de rostos que aguardava ao redor dele.

— Fui aprisionado, mas agora estou livre. Foi a lealdade de vocês que me libertou. Alegrem-se com isso.

Assim que houve espaço suficiente sob as grades que subiam, Eduardo passou por baixo, livrando-se dos toques da multidão às suas costas. Ele atravessou o pátio interno de pedra rumo à Torre Branca e à esposa Elizabeth.

33

Eduardo observava as filhas brincarem, a mais velha agitando um pedaço de maçã fora do alcance de outra. Os dois meninos do primeiro casamento de Elizabeth competiam para levar as meninas pelas salas de Windsor, correndo ao entrar e sair pelas portas abertas com uivos como chamados de caça. Eduardo não sentia nenhum afeto especial pelos meninos. É claro que havia nomeado tutores e mestres espadachins para instruí-los, para que não o envergonhassem. Depois disso, não se interessou mais, como faria com qualquer desconhecido.

Quanto às três meninas, Eduardo tinha descoberto que as adorava quando não estavam por perto, como se a ideia da existência delas fosse uma alegria maior que a realidade de seus gritos e de suas exigências constantes de atenção. Ele as amava mais em sua ausência.

Elizabeth olhava de soslaio para o marido, sorrindo enquanto lia os pensamentos dele com a mesma facilidade que conhecia os seus. Assim que Eduardo começou a franzir a testa, ela fez todos os gritos se silenciarem, enxotou as crianças e fechou a porta para conter o barulho.

Quando o clamor morreu, Eduardo piscou de alívio, ergueu os olhos e compreendeu o que havia acontecido ao ver o sorriso dela. Elizabeth era solícita ao cuidar dele, embora não de um jeito que o fizesse parecer fraco, ou assim esperava. Eduardo retribuiu o sorriso ao pensar nisso, embora a expressão dela tivesse se tornado séria. Enquanto olhava para a esposa, ela mordeu o lábio inferior.

— Não o incomodei com isso, exatamente como pediu — começou ela. — Já faz um mês.

Eduardo gemeu ao ouvir essas palavras, entendendo imediatamente para onde ia a conversa. Embora a esposa afirmasse ter ficado calada a respeito desse assunto, ele tinha percebido em seu olhar, todos os dias, uma repreensão silenciosa.

— E dou graças por isso! — exclamou ele. — *Obedeça*, Elizabeth. Se isso não for deixado para trás, causará um ressentimento perene entre nós. Concedi perdão a todos os crimes. Anistia às traições. Não haverá desonra, execução, punição nem represália.

— *Então* você deixará a erva daninha voltar a crescer — acusou Elizabeth, a boca uma linha fina e pálida. — Não fará nada enquanto a trepadeira viceja até estrangular seus próprios filhos!

Enquanto falava, Elizabeth passou uma mão protetora no ventre. Ainda não havia um verdadeiro crescimento ali, embora ela conhecesse os sinais. Já havia começado a sofrer com vômitos pela manhã, tão violentos dessa vez, que veias de seu rosto se romperam. Isso lhe dava esperanças de ser um filho.

Eduardo balançou a cabeça, sem consciência dos pensamentos da esposa e demonstrando apenas teimosia e raiva quando ela o pressionava.

— Eu já dei minhas ordens, Elizabeth. Já lhe disse. Agora, *obedeça*. Isso ficará entre nós dois, se você não desistir. Não posso mudar o que ficou no passado. Meu irmão está casado com Isabel Neville, e eles estão esperando a primeira criança. Posso desplantar a semente? Seu pai e seu irmão João estão mortos. — Ele franziu os lábios. — Não posso trazê-los de volta, Elizabeth! Agora seu irmão Anthony é o conde de Rivers. Gostaria de que eu tirasse o título dele? Esse é um caminho para a loucura. Já basta eu ter proibido a corte real aos Nevilles. Você não precisa vê-los em seu pesar. O resto... O resto está no passado, e não vou cutucá-lo até o sangue voltar a escorrer!

Ele percebeu até que ponto sua voz havia subido em raiva e volume e desviou o olhar, o rosto enrubescido e envergonhado.

— Acho que você passou tempo demais limpando e suspirando sobre os palácios de Londres, Eduardo — retrucou a esposa, suavizando a voz e tocando o braço dele. — Você precisa cavalgar, talvez para levar a justiça do rei aonde o xerife e os bailios ainda não foram substituídos. Há muitas aldeias que precisam deles agora. Meu irmão Anthony estava me falando de um lugar a pouco mais de trinta quilômetros ao norte. Três homens foram acusados de assassinato, pegos com a faca ainda rubra e as joias roubadas de uma grande casa. Deixaram para trás pai e filha mortos. Mas dormem bem na cela e riem da milícia local. O povo de lá não tem autoridades do rei. Houve revoltas sangrentas alguns meses atrás, e eles estão com medo. Não ousam julgar os patifes sem um juiz presente.

— O que tenho a ver com isso? — retorquiu Eduardo. — Quer que eu julgue cada ladrão e bandoleiro do mundo? Ora, então por que tenho juízes, xerifes e bailios? Isso é algum comentário sobre o tratamento que dei aos Nevilles, Elizabeth? Se for, você é sutil demais para mim. Não entendo o que quer dizer.

A esposa ergueu os olhos para ele, mantendo-se o mais ereta possível, as mãos unidas contra o peito. Ela falou devagar e com uma intensidade que Eduardo achou arrepiante.

— Talvez você precise soprar a espuma de suas divagações, cavalgar velozmente e arrancar as teias que o tornaram tão lento e pensativo. Você *verá*, Eduardo, quando falar com os homens e os julgar como seu senhor feudal. Você verá no modo como aqueles aldeões olham para você como rei. Anthony sabe onde fica. Ele lhe mostrará.

— Não. Eu não entendo isso, mas não vou sair correndo só porque você planejou algo com seu irmão. Chega de sussurros e conspirações, Elizabeth. Diga-me o que é, senão não sairei deste lugar, e esses homens podem apodrecer na cela até que novos juízes sejam nomeados e eles sejam levados a julgamento.

Elizabeth hesitou, de olhos arregalados. Ele conseguia sentir o tremor das mãos dela através da blusa.

— Os assassinatos aconteceram há apenas duas semanas — explicou ela. — Esses homens afirmam que Ricardo Neville é seu senhor: o conde de Warwick, traindo sua autoridade.

— Por Deus, Beth! Você já não me ouviu? Eu os *perdoei*.

— Eles acusam Warwick e Clarence também, Eduardo! Meu irmão Anthony os interrogou a ferro e fogo. Não há dúvida. Eles citaram

Warwick numa conspiração para matar você e pôr Clarence no trono! Esses crimes são *recentes*, Eduardo, não cobertos pela anistia nem pelo perdão. Você entende? Meu pai não tem descanso, não foi vingado. Você entende, Eduardo?

O rei olhou para a esposa, vendo que o ódio e o pesar lhe deram rugas, furtando o que restava de seu viço juvenil. Ela nunca havia parecido velha demais para ele, mas parecia agora.

— Ah, Elizabeth, o que foi que você fez? — questionou ele em voz baixa.

— Nada mesmo. Esses homens citaram dois de seus principais lordes como traidores que conspiram contra você. Anthony os interrogou, a ferro e fogo, e a verdade foi dita. Eles não mentem.

— Você não me dirá a verdade, nem agora?

Elizabeth trincou os dentes, o olhar impetuoso.

— Esses crimes são *recentes*, Eduardo. Você não cometerá perjúrio. Sua preciosa anistia foi para tudo o que aconteceu antes. Não será violada.

Eduardo desviou o olhar, entristecido.

— Muito bem. Eu *irei* até eles, Elizabeth. Ouvirei suas acusações contra Warwick e contra meu próprio *irmão*. — Ele respirou lentamente e ela fugiu de sua fúria, dando um passo atrás. — Não prometo nada além disso.

— Isso basta — disse Elizabeth, de repente obcecada em sanar a rixa que havia surgido entre os dois. Deu beijos na boca do marido em meio a lágrimas. — Quando ouvir o que esses homens têm a dizer, você pode prender os traidores. Talvez então vejamos o fim que merecem.

Eduardo suportou os beijos, sentindo a frieza entre os dois. Elizabeth não tinha confiado nele, e ele não conseguia se lembrar de como olhava para a esposa antes de sua prisão. Isso os fez se recordar das vezes em que deixou um cão para trás e voltou meses depois. O animal parecia o mesmo, mas com o cheiro e com o toque da pelagem um pouquinho diferentes. Levava tempo para encontrar o antigo conforto, e, até que voltasse, sempre parecia outro cão. Talvez não fosse o tipo de assunto que pudesse discutir com Elizabeth, embora parecesse praticamente a mesma situação. A morte do pai a havia endurecido ou tinha lhe tirado um pouco da suavidade que antes ele considerara imutável.

Ele a deixou com os olhos brilhando de lágrimas, embora não soubesse se eram de alívio ou de tristeza. Eduardo desceu aos estábulos e fechou a cara ao encontrar o cunhado Anthony aguardando com o cavalo de batalha de Eduardo, pronto para ser montado. O pulso quebrado do homem tinha se recuperado havia muitos meses. Como no caso de Elizabeth, Eduardo não havia recuperado o desembaraço com o cavaleiro Woodville, embora achasse que talvez a causa fosse a mesma. Ele havia enlouquecido por algum tempo quando mataram seu pai. Talvez não surpreendesse que os Woodvilles tivessem ficado mais duros e amargos com a perda dos seus.

Eduardo pisou no bloco de montar e subiu à sela, sentindo a antiga força se contrair e se reunir. Estendeu a mão para a espada e a prendeu na cintura, sobre as abas do casaco. A última vez que havia deixado aquele lugar a cavalo tinha sido para sua própria captura. Balançou a cabeça ao pensar nisso, como se uma mosca tivesse pousado nele. Não teria medo. Não o permitiria.

— Mostre-me essa aldeia — pediu a Anthony Woodville quando ele atravessou o pátio e montou em seu próprio cavalo.

O irmão de Elizabeth baixou a cabeça e depois saiu ao sol com Eduardo a meio-galope, os portões se abrindo diante deles.

Warwick estava ao ar livre, suando com os exercícios de espada no Castelo de Middleham, apreciando o sol e o pensamento em tortas e geleias de frutas o outono inteiro, com todas as guloseimas feitas de maçã, ameixa, rainha-cláudia, morango, uma série de frutas com bastante polpa. Era impossível conservar todas elas em chutneys, salmoura ou vinagre, por isso os aldeões se empanturravam até não aguentar mais; depois, punham o resto em porões frios ou mandavam para longe, vendendo as frutas a preços altos nos mercados. Talvez fosse sua época do ano preferida, e ele voltou a pensar na corte de Londres, que tinha deixado para trás como uma espécie de sonho febril. Já na casa dos 40 anos, Warwick considerava que os anos de guerra e intriga tinham seguramente ficado para trás. Era o que esperava. Não haveria outra Towton em sua vida, embora ele batesse na moldura de madeira da janela e fizesse o sinal da cruz só de pensar nisso. Homens mais velhos que ele lutaram em batalhas. Ainda se lembrava do primeiro conde Percy, com bem mais de 60 anos quando caiu em St. Albans.

Warwick percebeu que tremia, como se a sombra de uma nuvem atravessasse o sol. Seu tio Fauconberg se fora, encontrado frio na cama poucos dias depois de Warwick ter falado com ele pela última vez. Havia ficado surpreso com a dor que sentira com essa perda. Warwick tinha passado tanto tempo achando o irmão de seu pai irritante que não percebeu como tinham se tornado íntimos no fim. Ou talvez ele só tivesse ficado vazio por dentro com a morte do pai.

Viu dois cavaleiros chegarem pela entrada principal, percebendo primeiro a poeira que levantavam. Isso fazia a visão ficar menos nítida atrás deles e chamou sua atenção. Warwick fixou o olhar nos dois, observando, com um sentimento de tensão, as figuras escuras se aproximarem a galope. Tamanha velocidade e urgência nunca era um arauto de boas notícias. Sentiu vontade de voltar para dentro do castelo e fechar as portas. Podia ser o machado caindo finalmente, o golpe no pescoço que temia e esperava desde que Eduardo tinha voltado a Londres.

Um mês inteiro havia se passado sem notícia de nenhuma agitação, embora Warwick tivesse criados e espiões em todas as casas da capital para avisá-lo se o rei fosse para a estrada com uma força armada.

Engoliu em seco com desconforto. Atrás de si, podia ouvir homens e mulheres gritarem sobressaltados ao avistar os cavaleiros. Seus guardas já estariam reunindo cavalos e equipamentos, preparados para protegê-lo ou avançar a uma ordem sua. Warwick ficou sozinho diante da grande casa, os olhos semicerrados. Tinha no quadril uma velha espada curta, embora fosse mais uma ferramenta do que uma arma, e um cutelo numa correia de couro pendurado no cinto. Ele o usava no jardim para rachar lenha velha, mas sua empunhadura era um consolo. Num impulso, soltou-o e o encostou num banco ao lado, pronto para ser pego.

Sua preocupação se tornou pânico quando viu que um dos homens era seu irmão Jorge, e o outro, Ricardo de Gloucester, já um cavaleiro muito melhor que o arcebispo. O irmão de Warwick sacolejava e se segurava com todas as forças, com sorte por não ter sido derrubado.

Warwick sentiu que seu coração batia acelerado quando Jorge Neville e o irmão do rei pararam, provocando uma nuvem de poeira ocre que subiu em volta deles quando apearam. Warwick tossiu, cobrindo a boca com a mão, sentindo um nó na garganta ao ver a expressão dos dois.

— É o rei?

O bispo Jorge Neville fez que sim.

— Ou a esposa dele. Seja como for, encontraram homens dispostos a acusá-lo de traição. Acredito que estamos à frente de seu mandado de prisão, mas eles devem estar poucas horas atrás de nós. Sinto muito, Ricardo.

— George de Clarence também é citado — cuspiu Gloucester, a voz falhando. — Meu irmão. O senhor pode avisá-lo?

Warwick olhou de relance para o rapaz, que tinha sido seu pupilo. Não mais um menino, Ricardo de Gloucester estava pálido, de cara fechada, com uma camisa coberta de poeira.

— Como posso confiar em você, Ricardo — disse Warwick em voz baixa —, com a mão de seu irmão voltada para mim?

— Foi ele quem me deu a notícia — disse o bispo em resposta. — Se não fosse ele, os homens do rei o alcançariam primeiro.

Warwick esfregou o suor do rosto e tomou uma decisão rápida. Ele havia se planejado para o desastre antes mesmo de libertar o rei Eduardo do cativeiro. Embarcações e cofres de moedas foram levados a terras que possuía na França, sem que ninguém soubesse daquele lado do canal, com tudo pronto para a fuga caso a notícia chegasse. Ele só não tinha imaginado que o marido da filha estaria incluído na acusação.

Com o irmão e Ricardo de Gloucester o encarando à espera, Warwick se forçou a respirar e pensar, imóvel. O litoral ficava a dois dias de cavalgada, onde encontraria um belo barco de vinte metros que o aguardava, tripulado por quatro homens, de prontidão o tempo inteiro. A filha e o marido estavam numa agradável propriedade cinquenta quilômetros ao sul, aguardando o fim do confinamento de Isabel e o nascimento do primeiro filho.

— Clarence não foi avisado? — perguntou. O irmão fez que não.

— Certo. Podemos buscá-los lá com Isabel. Ela também vai querer a mãe por lá, com o bebê tão perto de nascer. Não é longe e há mais de uma estrada. Se o rei mandou um exército, seu avanço será lento. Se enviou poucos homens, lutaremos para passar por eles. — Warwick ergueu a mão quando o bispo começou a falar. — Não, não deixarei minha esposa nem minha filha à mercê de Elizabeth Woodville. Mandou recado a João?

— Mandei — respondeu o irmão —, e não estou sugerindo que você abandone Isabel ou Anne. Envie um mensageiro a Clarence agora, num cavalo descansado. Estou todo roxo com esta sela e não conseguiria cavalgar mais cinquenta quilômetros... Um dia na estrada e o mesmo tempo de volta? Meu Deus, Ricardo, até lá os homens de Eduardo estarão aqui.

Warwick praguejou, tentando pensar.

— O jeito mais rápido seria navegar pela costa e depois cavalgar para buscá-los. Mesmo assim, mandarei um mensageiro num cavalo rápido na esperança de lhes dar mesmo que poucas horas antes que eu chegue para buscá-los. E você, Jorge? Você vem?

O irmão olhou rapidamente para o jovem duque de Gloucester e deu de ombros.

— Nem eu nem Ricardo fomos citados. Minha anistia ainda se mantém. Acho que Eduardo não se preocupa muito comigo, embora eu ouse dizer que a esposa dele ainda se interessa. Ela é a Eva neste paraíso inglês, Ricardo. Você deveria tomar cuidado com ela.

— Tive lobas tentando morder meu pescoço a vida inteira — comentou Warwick. — Boa sorte então, Jorge. Eu gostaria de que você cuidasse de mamãe. Agora ela está meio cega e não sei quanto ainda entende. Tenho certeza de que ela apreciaria sua bondade.

Os dois irmãos se entreolharam, com total consciência de que, assim que se separassem, talvez não se vissem de novo durante anos, se é que se veriam. Jorge abriu os braços e eles trocaram um abraço forte. Warwick fez uma careta quando a barba por fazer do irmão arranhou seu rosto.

Ricardo, duque de Gloucester, estava de pé, nervoso, um estranho com o rosto profundamente corado. Warwick segurou seu braço.

— Por seu papel me trazendo esse aviso, você tem minha gratidão. Não me esquecerei disso.

— Sei que o senhor é um bom homem — declarou Gloucester, os olhos baixos.

Warwick deu um grande suspiro.

— Não o suficiente, imagino. — Ele sorriu para o bispo pela última vez. — Suas orações seriam muito bem-vindas, irmão.

Jorge Neville fez o sinal da cruz no ar; Warwick baixou a cabeça e depois correu para dentro de casa.

Apesar das horas intermináveis que havia passado planejando o que fazer caso Eduardo os perseguisse, o resultado foi bem diferente da tranquilidade que Warwick tinha imaginado. A tripulação do barco sumira misteriosamente e teve de ser arrancada de uma taverna local, encabulada e meio bêbada. Parecia que tantas semanas de prontidão sem nenhuma tarefa real foram demais para sua disciplina.

Quando se lançaram ao mar, os nervos de Warwick se acalmaram um pouco. Ninguém sabia onde ele estava e só precisava alcançar seu grande barco *Trinity*, atracado em Southampton, para ter tripulação, soldados, suprimentos e dinheiro. Não seria ruim recolher a filha e o marido e depois passar dois dias no mar com bom tempo.

Isabel e Clarence esperavam nas docas quando a embarcação lançou a âncora. Warwick ficou boquiaberto com o tamanho da filha quando ela foi tirada de um barco a remo minúsculo pela amurada. Sua mulher arrumou um lugar para ela no banco do pequeno barco, embora não houvesse anteparo nem proteção contra borrifos d'água. Isabel segurava as mãos da mãe com força e olhava ao redor com olhos escuros, com olheiras roxas, claramente apavorada com o barco. O marido havia trazido dois grandes sacos e nenhum criado no pânico da fuga. O jovem duque de Clarence se ocupava em colocar cobertores em torno da mulher e da sogra, garantindo o maior conforto possível a Isabel, tão perto da hora.

Os quatro tripulantes ainda estavam envergonhados com sua falta de prontidão, embora em pouco tempo tivessem içado as velas e as enfunado com o vento. O pequeno barco zarpou mais uma vez e se foi, ziguezagueando pela costa. Estavam longe e a salvo, com gaivotas guinchando no céu e Isabel aconchegada contra a brisa e a espuma do mar, com o rosto pálido. Warwick tentou relaxar, mas percebeu que fitava à frente enquanto a tripulação organizava turnos para dormir. O sol se pôs atrás dos morros à direita, e por muito tempo ele observou a lua subir e as estrelas girarem. Tinha planejado tudo isso, porém, mesmo assim, enquanto a situação se desenrolava, não ousava se permitir sentir desespero nem raiva. Fosse ou não sua culpa, do rei Eduardo, dos Woodvilles ou do desprezo do irmão João, isso significava um rompimento. Significava um fim. Não importa o que acontecesse, ele tinha perdido mais do que ousava calcular.

Warwick ainda não havia se sentado desde que recebera a notícia. Mas no barco não tinha aonde ir nem nada para fazer além de esperar o sol nascer de novo. Ele ouviu alguém se inclinar na popa e vomitar incontrolavelmente. Na escuridão, sem ser visto, Warwick fechou os olhos e sentiu as lágrimas virem.

34

Pela manhã, o pequeno barco contornou a borda leste da Inglaterra e tomou um curso contra o vento pela costa até Southampton, talvez o melhor porto e embocadura de rio do mundo para embarcações grandes. O canal ficava movimentado assim que havia luz suficiente para enxergar, com cocas mercantes vindo do continente e partindo até para o litoral da África. Para entrar no porto profundo, era preciso navegar por recifes assustadores, que exigiam os serviços de um timoneiro experiente. Pequenos barcos a vela iam até cada coca mercante, prontos para guiá-los até os mercados da Inglaterra.

Warwick sentiu seu ânimo melhorar ao ver a aglomeração de velas brancas, triângulos e quadrados tesos em mil embarcações diferentes. Sem dúvida sua pequena embarcação passaria sem ser notada entre tantas outras, e ele aguardou que a tripulação manobrasse ao redor da ilha de Wight.

O membro mais velho da tripulação caminhou até Warwick, movendo-se com facilidade no balouçar do barco enquanto o vento aumentava. O marinheiro tinha o sotaque da Cornualha, aquela raça que conhecia os caminhos do mar melhor que os da terra. Ele ergueu a voz para ser ouvido, aproximando-se de Warwick e apontando o corpo d'água entre a ilha e o continente.

— Aqueles barcos ancorados lá, senhor, eu os conheço. O preto é o *Vanguard*; o outro, o *Norfolk*.

Warwick sentiu um aperto no coração. Ele já havia ouvido esses nomes.

— Tem certeza?

O marinheiro fez que sim.

— Tenho, senhor. Antes desta missão, passei seis meses no *Trinity*, em Southampton. Conheço todas as embarcações deste litoral, e aquelas duas estão sob o comando de Anthony Woodville, almirante do rei.

— Não podemos nos esgueirar por elas? Este barquinho conseguiria escapar.

— Está vendo aqueles barcos na água, milorde? Eles bloquearam todo o estreito de Solent lá. Creio que sabem que tentaremos entrar. Eles não nos identificaram no meio dos outros barcos, ainda não. Acredito que tenham homens no convés procurando, milorde.

Warwick engoliu em seco. Não era preciso muita imaginação para ver que Anthony Woodville moveria céus e terras para capturá-los. Sabendo disso, Warwick viu como os barcos menores a remo ou a vela passavam pela embocadura do Solent. Nada que flutuasse passaria pelo porto de Southampton sem ser questionado, parado e abordado.

Enquanto estava ali parado com a mão apoiada no mastro e olhando para o mar, Isabel deu um grito. Warwick se virou bruscamente, mas sua esposa chegou lá primeiro, empurrou uma xícara de água para os lábios da filha e descansou a mão no volume do ventre sob o pano. Enquanto fitava desalentado, Warwick viu a esposa afastar a mão, como se algo a tivesse mordido.

— O que foi? A criança chutou? — indagou Warwick.

Sua esposa Anne estava pálida e balançou a cabeça.

— Não, foi uma contração.

Isabel gemeu e abriu os olhos.

— É a criança? Ela está vindo? — perguntou, queixosa.

Warwick se forçou a dar uma risadinha.

— De jeito nenhum! Às vezes há cólicas muito antes do parto. Eu me lembro de que com sua mãe foi igual. Não foi, Anne? Semanas antes do dia do parto.

— É, é, é claro — disse a mãe de Isabel. Ela colocou a palma da mão na testa da filha e se virou para Warwick de olhos arregalados, de modo que a filha não pudesse ver.

O conde afastou os tripulantes o máximo que pôde, até o gurupés, onde podiam ver a água passar formando espuma.

— Preciso chegar a um porto seguro — murmurou Warwick.

— Não aqui, senhor. Os homens do almirante nos perseguirão assim que souberem quem somos.

Warwick se virou, olhando para trás. O dia estava claro, mas o litoral da França ficava longe demais para ser visto.

— O vento está bom. Consegue chegar a Calais?

Como se quisesse esporeá-los, Isabel deu outro grito, a voz subindo num guincho como o das gaivotas no céu. Isso pareceu fazer os tripulantes decidirem por ele.

— Se o vento oeste se sustentar, levo o senhor até lá, milorde. Doze horas no máximo.

— Doze! — exclamou Warwick, em voz suficientemente alta para a esposa e Clarence erguerem olhos questionadores. Ele baixou a voz e chegou mais perto dos homens. — A criança estará aqui até lá.

O marinheiro balançou a cabeça com pesar.

— Em nossa melhor velocidade, somos tão rápidos quanto qualquer coisa que flutue, mas não posso dar mais velas do que o barco aguenta. Doze horas seria uma bela corrida, milorde... e isso se o vento soprar constantemente. Se puder fazer melhor, farei.

— Vamos voltar para terra, Ricardo? — perguntou a esposa de Warwick. — Isabel precisa de um lugar quente e seguro.

— Isso não existe, não na Inglaterra, não agora, não com a mão do rei voltada contra nós! — retrucou Warwick, assoberbado com as exigências que lhe eram feitas. — Iremos para Calais.

O leme foi puxado com força, e as velas adejaram quando a proa se virou, até que se puseram mais uma vez num novo rumo.

Warwick assumiu um turno no leme, sentindo a vida da embarcação que se tensionava sob sua mão. Os gritos de Isabel ficaram mais penosos a cada hora, o esforço das contrações deixando-a exausta. Não havia mais dúvida sobre o que eram. O bebê estava vindo, e o litoral verde da França assomava à frente. A tripulação havia se ocupado o dia inteiro, puxando cabos e ajustando as velas gêmeas em frações de segundos para ganhar um pouco mais de velocidade. Quando passavam, eles lançavam olhares nervosos à mocinha de rosto vermelho, pois nunca tinham visto nada parecido.

À frente, Warwick via a massa escura que conhecia tão bem quanto suas propriedades. Na verdade, Calais tinha sido seu lar durante anos, quando o rei Eduardo era apenas um menino. Ele podia olhar para a fortaleza e para a cidade com algo próximo da saudade. O dia tinha permanecido claro, e o canal se estreitara enquanto voltavam de Southampton pela costa, de modo que ele conseguia ver os penhascos brancos de Dover de um lado e a França e a liberdade do outro. Cada segundo que passava o aproximava da segurança, no entanto o afastava de tudo o que amava e valorizava.

Warwick foi arrancado do devaneio pela filha, que gritou, o som mais agudo e mais longo que antes. Os marinheiros fizeram o possível para não olhar, mas não havia nenhum lugar realmente privado naquele barco aberto. Isabel estava sentada nas tábuas de pernas abertas, ofegando e segurando a mão da mãe de um lado e a do marido do outro. Estava morrendo de medo.

— Não vai demorar agora — comentou Warwick. — Aproximem-se o máximo possível e larguem a âncora. Ponham meu estandarte no alto do mastro, para não nos retardarem.

— Não há quilha profunda nesta embarcação, milorde — avisou o marinheiro da Cornualha. — Posso levá-la até o cais.

Warwick olhou com desespero para a água cheia de barcos. Além deles, a fortaleza se erguia em muralhas de pedra. Ele sabia o número e o peso exato dos tiros de canhão que podiam dar. A fortaleza não podia ser sitiada por terra, porque seria suprida por mar. Não podia ser atacada por mar por causa dos grandes canhões. Calais era a posse inglesa mais fortificada do mundo, e qualquer embarcação que ousasse desdenhar de suas defesas seria transformada em lenha. Mesmo assim, ele pensou no caso, perguntando-se se conseguiria se abrigar atrás de outros barcos e depois disparar para as docas antes que alguém percebesse sua intenção.

— Estão vendo aquelas fumacinhas? — perguntou ele com amargura.
— Eles têm projéteis de ferro aquecidos até ficarem rubros nos braseiros, prontos para serem erguidos com tenazes e jogados no cano da arma até um tampão molhado. Podem atingir um quilômetro e meio no mar, e o que for atingido pega fogo. Temos de aguardar o capitão do porto.

Enquanto ele falava, um dos tripulantes içou suas cores. O vento aumentava, e o estandarte adejou com força enquanto as ondas começavam a mostrar cristas brancas. A embarcação adernava e mergulhava, desprezando a pequena âncora e sacudindo todos eles. Warwick se segurou numa corda que parecia um pedaço de ferro e ficou de pé na amurada, agitando um braço para transmitir a urgência à terra. Atrás dele, Isabel chorava e gritava, mordendo o lábio até sair sangue, com as faces marcadas por veias rompidas.

— A criança está *vindo*, Ricardo! — gritou a esposa. — Você não pode atracar? Que Jesus e Maria nos protejam. Você não pode nos levar para terra firme?

— Eles estão vindo! Aguente aí, Isabel. O capitão do porto pode avisar aos canhões da fortaleza, e o vento ainda está vindo do lado certo. Chamarei um médico para ajudá-la...

Ele se virou para dar novas ordens à tripulação, mas os homens estavam prestes a cortar o cabo da âncora e baixar as velas mais uma vez. Seria um trabalho grosseiro, mas eles estavam esperando seu sinal.

O barco deu um forte solavanco e o vento uivou, aumentando constantemente e jogando espuma em todos eles. Nuvens escuras deslizavam rapidamente no céu, e Isabel gritou. Warwick olhou para baixo e viu as pernas nuas da filha totalmente abertas. Ele avistou de relance a cabeça do bebê surgindo e engoliu em seco. Sua esposa havia abandonado toda pretensão de privacidade e tinha se ajoelhado nas tábuas, tremendo com os borrifos de água do mar, mas decidida e pronta a tomar nas mãos o minúsculo retalho de vida.

Warwick observou o barco do capitão do porto avançar lentamente em sua direção. Ele imaginou que podiam ouvir os gritos de Isabel, embora parecessem não ter pressa nenhuma. Sem dúvida o som era levado até lá acima da água. Os gritos pareciam tão penetrantes para os ouvidos de Warwick que ele achou que toda a guarnição saberia que uma criança estava nascendo.

Quando o barco do capitão do porto chegou à distância de um grito, Warwick rugiu a plenos pulmões. Apontou para o urso e o bastão na ponta do mastro e depois gritou com as mãos em concha, pedindo um médico que ajudasse um parto. Estava feito, e ele relaxou, ofegante e vendo pontos brancos piscarem diante dos olhos pelo esforço. O vento aumentava, fazendo as cordas tremerem e o barco ancorado subir e descer com fortes solavancos, de modo que o horizonte parecia mergulhar e subir de um jeito nauseante.

Warwick ficou espantado e confuso quando o esquife do capitão do porto continuou avançando, sem sinal de içar a bandeira para os vigias na fortaleza. Ele berrou de novo, apontando e acenando, enquanto o barquinho vinha com um farrapo de vela, grandes cortinas de água salgada quebrando na proa. Warwick conseguiu ver um homem de pé como ele, agarrado a uma corda e balançando perigosamente enquanto gesticulava em resposta. O vento tinha aumentado ainda mais, e Warwick não conseguiu entender todas as palavras. Em vez de esperar, ele pediu novamente um médico, dizendo várias vezes que era Warwick e que uma criança estava nascendo. Em meio a sua fúria, ele ouviu um gemido alto, agudo e gaguejado. O vento diminuiu por um momento, inconstante e com rajadas. Ele olhou para trás e viu um dos marinheiros de pé, constrangido, estendendo uma faca com cabo de chifre para a mãe de Isabel cortar o cordão.

Warwick ficou balançando, a boca aberta, a mente vazia. Havia sangue no convés, espalhando-se com a água que era lançada sobre eles até correr pelas rachaduras da madeira antiga e pelas tábuas. Isabel havia sido novamente envolvida em cobertores. Ele observou Anne colocar a criancinha por baixo da blusa de Isabel, não para mamar, mas apenas para sentir o calor e sair do vento frio e do ar úmido.

— Uma menina, Ricardo! — gritou a esposa. — Uma filha!

Foi um momento de assombro, e, quando ele se virou novamente para o porto, viu que o esquife do capitão do porto tinha chegado perigosamente perto. Havia apenas quatro homens a bordo, e ele reconheceu o sujeito que já havia recebido Clarence e Isabel uma vez, quando foram se casar. Naquela vez, o homem tinha sido só sorrisos e gentilezas. No frio, seu olhar era duro.

Warwick o chamou mesmo assim, agora que estavam perto o bastante para se ouvir apesar do vento.

— Uma criança nasceu, senhor. Preciso de um médico para cuidar de minha filha. E de uma estalagem com um bom fogo e um bom vinho de ervas também.

— Sinto muito, milorde. Tenho ordens do novo capitão de Calais, Sir Anthony Woodville. O senhor não pode desembarcar, milorde. Se coubesse a mim, eu permitiria, mas minhas ordens foram seladas pelo rei Eduardo. Não posso ir contra elas.

— Onde você *quer* que eu desembarque? — indagou Warwick, desesperado. Para onde quer que se virasse, parecia que o irmão da rainha havia chegado antes dele. Warwick estava tão perto que pôde ver o homem de Calais dar de ombros com a dor que ouvia em sua voz. Ele encheu os pulmões e gritou novamente, acima das ondas e da espuma.

— Escutem-me! Uma criança nasceu no convés há poucos minutos, minha neta! Não, sobrinha do rei Eduardo! Nascida no mar... Suas ordens que se danem, senhor! Nós vamos entrar. Cortem essa maldita âncora!

Os marinheiros cortaram o cabo e o barco virou imediatamente, indo de um pedaço de madeira que boiava preso à âncora a algo vivo assim que ela se partiu. Warwick pôde ver o capitão do porto gesticular, mandando-o se afastar, mas ele fez um sinal com a cabeça a seus homens indicando que içassem vela suficiente para que pudessem manobrar. O movimento do barco se firmou e ele começou a singrar as águas.

Um estalo duplo soou na massa escura da fortaleza em terra, que parecia um corvo agachado sobre um cadáver. Warwick não conseguiu acompanhar o voo dos projéteis aquecidos, mas viu onde caíram. Ambos atingiram o mar em torno deles, sem dúvida mirados quando ele, ancorado, tinha se tornado um alvo fácil. Sabia que a guarnição dos canhões treinava em barcos ancorados comprados como alvos. Ele mesmo havia supervisionado esse trabalho.

A segunda bala caiu tão perto, que Anne gritou e Clarence, com medo, abraçou a esposa pálida. O projétil errou a embarcação, mas eles puderam ouvir um borbulhar agitado quando ele cedeu seu calor à água. Das profundezas subiu um forte cheiro de ferro em brasa.

— *Ricardo*! — gritou a esposa. — Tire-nos daqui, por favor! Eles não nos deixarão desembarcar. Não podemos forçar o caminho até as docas. *Por favor*!

Warwick fitou ao longe, sabendo que os próximos disparos poderiam fazer o barco em pedaços e matar todos a bordo. Ainda não conseguia acreditar que haviam atirado nele, com seu estandarte no mastro. Seus homens aguardavam sua ordem, os olhos agitados. O conde ergueu a mão e eles se moveram, então o barco deu meia-volta, com as velas afrouxadas. Isso pode tê-los salvado, porque o canhão soou outra vez, o estrondo atravessando a superfície do mar. As balas em brasa erraram o alvo, com nuvens de vapor que subiam sibilando, enquanto a tripulação de Warwick os fazia recuar e a embarcação se firmava mais uma vez.

— Qual o curso, milorde? — perguntou o marinheiro da Cornualha.

Warwick andou pelo comprimento do barco, olhando para trás enquanto Calais começava a desaparecer.

— Pelo visto não resta lealdade na Inglaterra agora — comentou com amargura. — Sigam a costa até Honfleur e então peguem o rio para Paris. Acho que tenho alguns amigos lá que podem nos ajudar nessa hora de necessidade.

Ele ficou espantado quando Isabel deu um gemido, um som de imensa dor e parecido com o lamento de um animal ferido, algo que nunca tinha ouvido. Warwick foi até ela e viu que Isabel tinha aberto a blusa para ver a bebezinha aconchegada. Ela não se mexia, a pele enrugada levemente arroxeada. Isabel havia sentido o frio em sua pele aumentar, e agora tentava dar o seio a uma boca imóvel. Ela jogou a cabeça para trás e gritou com pesar até George de Clarence apertá-la contra o ombro e segurar tanto a mãe quanto a filha morta, as lágrimas acompanhando a respiração ofegante.

Epílogo

Warwick conseguia sentir o cheiro de Paris enquanto aguardava no corredor. Ao contrário do Palácio de Westminster, construído ao lado do rio e fora de Londres para se beneficiar de brisas mais agradáveis, o Louvre ficava bem no coração da capital francesa. Como resultado, era praticamente impossível de frequentar nos meses de verão, quando miasmas venenosos subiam das ruas apinhadas, e toda a corte francesa fazia as malas e se mudava para o campo. Ainda havia uma sensação de caos nas centenas de salas por onde havia passado enquanto a criadagem polia, varria e abria as janelas para deixar a luz e o ar inundarem os claustros trancados.

Ele estava sentado num banco numa pequena alcova, descansando a cabeça numa estátua muito mais antiga que Jesus Cristo, de algum grego com a barba muito encaracolada. A filha tinha se retraído completamente e mal falava, mesmo com o marido Clarence. Os dois ficaram inconsoláveis quando sepultaram a criança minúscula num campo francês, a sobrinha de um rei inglês. O túmulo havia sido marcado, e Warwick tinha jurado levar o caixão de volta à Inglaterra quando estivessem livres para isso a fim de lhe dar uma tumba e uma cerimônia apropriadas. Era tudo o que tinha sido capaz de oferecer.

Uma porta se abriu, interrompendo seus pensamentos. Ele se sentou ereto e depois se levantou quando o rei Luís saiu a sua procura. Warwick se ajoelhou enquanto o rei francês limpava as mãos num pano. Os dedos do rei estavam escuros de tinta, e ele os encarou com dúvida quando pegou o braço de Warwick.

— Ricardo, soube de suas tragédias. Deixei meu trabalho com essas novas prensas, essas máquinas de imprimir que substituem uma dúzia de monges por apenas três homens e uma máquina! Sinto muitíssimo, tanto por você quanto por seu cunhado, por sua filha. Ela deu nome à criança?

— Anne — respondeu Warwick num sussurro.

— Isso é terrível. Vivi isso de muitíssimas maneiras, com frequência demasiada para suportar. As crianças mortas que nem podem ir para o paraíso sem batismo! É crueldade demais. E seu rei Eduardo! Permitir tais acusações contra seu conde e seu próprio irmão! É inacreditável. Ofereço-lhe minha hospitalidade e minha simpatia, é claro, tudo o que pedir.

— Obrigado, Vossa Majestade. Isso significa muito para mim. Tenho recursos e algumas pequenas propriedades...

— *Ora*! Assinarei mil libras para suas despesas. Você e seus companheiros são meus hóspedes, amigos desta casa. Há andares inteiros sem uso neste palácio, milorde. Há lugares piores para chorar do que Paris, creio eu. É claro que fica a seu critério. Apenas ofereço e aconselho.

Warwick ficou genuinamente comovido e fez outra reverência para mostrar seu prazer com o tratamento tão generoso. O rei se curvou solenemente em retribuição.

— Espero que fixe residência neste lugar, Ricardo. Não ficará sozinho. — O rei fez uma pausa, tapando os lábios com os dedos. — Eu deveria lhe contar, talvez. Você já foi um cavalheiro quando fui grosseiro a ponto de presumir suas boas maneiras. Foi errado de minha parte lhe forçar a presença de alguém que talvez o deixasse pouco à vontade.

— A rainha Margarida, Vossa Majestade? — indagou Warwick, acompanhando a torrente de palavras com um pouco de dificuldade.

— É claro, Margarida, com aquele bandoleiro que ela chama de Derry Brewer, que afirma não falar nada de francês, mas presta muita atenção a tudo o que é dito na frente dele.

— Eu não compreendo, Vossa Majestade.

O rei Luís o encarou.

— Milady Margarida de Anjou é novamente minha hóspede, Ricardo. Não gostaria que você se sentisse pouco à vontade, embora ela tenha falado bem de você depois que se encontraram aqui. O filho a acompanha também. Talvez você encontre em si a capacidade de contar ao menino uma ou outra história sobre o pai dele. — O rei olhou nos olhos de Warwick como se conseguisse ver através dele o homem atrás dos dois. — Se não for possível, compreenderei. Você sofreu mais do que muitos. Traído por seu rei, com uma neta morrendo no mar diante de seus olhos. A criança teria vivido se você não tivesse sido forçado a fugir? É claro, é claro. É cruel demais.

O rei Luís secou os olhos, embora Warwick não tivesse visto neles nenhum vestígio de lágrimas.

— Sabe, Ricardo, alguns nunca aceitaram totalmente Eduardo de York como rei. Um rei tem de comandar, é claro, mas não só no campo de batalha, entende? Seu papel é incentivar seus nobres, criar uma maré crescente que levante todas as embarcações, não só a dele. Talvez eu devesse organizar outro belo almoço para você contar a Margarida e ao filho tudo o que aconteceu. Seria agradável, milorde? Muito me agradaria. O rei Henrique ainda está vivo na Torre, não é? Ainda está bem?

— Continua o mesmo — respondeu Warwick. O conde sentiu uma onda de raiva com a manipulação, depois deu de ombros. Tinha sido expulso da Inglaterra, deixado para apodrecer como havia acontecido com Margarida de Anjou. E se houvesse um caminho de volta?

— Ah, fico contente — disse o rei Luís. — A esposa dele me diz que ele não tem vontade própria, pobre homem. Que tragédia. Mas você conheceu o filho dele. Um tártaro e tanto! Se concordar em ver o rapaz de novo, acho que ficará espantado ao notar como cresceu em tão poucos anos. Tem uma postura mais real, se é que me entende. Isso, é claro, se concordar, Ricardo.

Warwick se curvou uma terceira vez. Margarida era responsável pela execução de seu pai. Ele havia imaginado mil vezes sua morte, embora menos nos últimos anos, com ela tão longe de seus pensamentos. Fez que sim, sentindo que as brasas esfriaram e que ele por fim conseguiria pôr de lado uma raiva antiga, agora que tinha descoberto uma nova.

Ele havia sentido desespero ao sepultar o corpo da neta. As palavras do rei francês trouxeram uma luz naquela escuridão íntima e profunda e lhe deram esperança.

— É claro que me encontrarei com a rainha Margarida e com o filho dela — declarou Warwick. — Seria uma grande honra.

Luís olhava para o conde com atenção, e o que viu provocou um brilho nos olhos do rei.

— Quem suportaria uma vida sem desafios, sem riscos, Ricardo? Eu não! Sinto isso em você também. Enquanto somos todos jovens, por que não deveríamos viver? Como aves de rapina, sem arrependimento nem medo demasiado do que nos espera. Digo-lhe que prefiro tentar e cair a me sentar e sonhar. Não acontece o mesmo com você?

Warwick sorriu, sentindo a depressão sombria começar a ceder, afetada pelo prazer que aquele homem sentia com o mundo.

— Sim, Vossa Majestade.

Nota histórica

Gens Boreæ, gens perfidiæ, gens prompta rapinæ
"Gente do norte, gente pérfida, gente pronta a rapinar."

      Abade Whethamstede, usando uma bela frase em
      latim para descrever o exército de Margarida.

Depois da batalha do Castelo de Sandal em dezembro de 1460, hoje conhecida como Batalha de Wakefield, quatro cabeças foram levadas e penduradas nas muralhas da cidade de York. O duque de York era uma delas, com uma coroa de papel para mostrar sua ambição vazia. A segunda era o conde de Salisbury, pai de Warwick. A terceira cabeça pertencia a Edmundo, conde de Rutland, filho de 17 anos de York. Por fim, com terrível simetria, a quarta cabeça pertencia a Sir Tomás Neville, filho de Salisbury. Sir Tomás também tinha 17 anos e, por questões de enredo, preferi não pôr outro jovem Neville na mesma batalha. O perigo desse período é que sempre há primos, filhas, filhos e tios demais para manter a linha principal da trama em movimento. Alguns sem papel importante têm de sair. No entanto, é interessante notar quantos lordes de Towton tinham razões *muito* pessoais para buscar vingança.

Os dois títulos principais de Salisbury passaram para seus filhos: Salisbury para Warwick e Montacute para João Neville. João Neville se tornou conde de Northumberland por algum tempo, mas depois foi forçado por Eduardo IV a devolver o título ao herdeiro Percy. O título de Montacute foi promovido a marquês para compensar João Neville, embora eu desconfie de que nada conseguiria compensá-lo. O título de marquês, mais ou menos entre conde e duque, é raro e pouco conhecido na Inglaterra — com exceções notáveis e famosas, como o marquês de Queensberry, que organizou o boxe, e o moderno marquês de Bath, proprietário da mansão de Longleat, da garganta de Cheddar e de cerca de quatro mil hectares.

João Neville de fato foi capturado por algum tempo pelas forças da rainha Margarida, mas ainda estava preso em York quando Eduardo entrou na cidade depois de Towton e, portanto, não lutou naquela batalha.

Em relação ao evento extraordinário de 1461 em que Londres se recusou a permitir a entrada da rainha, do rei e do príncipe de Gales, a razão parece mesmo ter sido o medo dos nortistas. É verdade que o exército de Margarida teve permissão de furtar, matar e queimar em seu caminho pelo campo; sem soldo, os homens tiveram rédea solta. Naquela época, os nortistas falavam um dialeto que seria quase irreconhecível para os ouvidos de Londres (o abade Whethamstede o descreveu como parecido com latidos de cães). Os moradores de Londres teriam ainda mais medo dos escoceses do exército de Margarida — verdadeiros "selvagens" de um reino que, na época, era inimaginavelmente distante e desconhecido. É difícil hoje compreender a sensação de invasores estrangeiros, mas ter escoceses no exército não favoreceu Margarida aos olhos da população.

Sir Henry Lovelace realmente teve seu papel nos preparativos da segunda batalha de St. Albans. Warwick criou defesas muito complexas, todas voltadas para o norte, e Lovelace fez o exército da rainha mudar o rumo para oeste em Dunstable e depois atacar o exército de Warwick pela retaguarda do batalhão esquerdo, abrindo caminho até a força central. Embora Derry Brewer seja um personagem fictício, mais uma vez deve ter existido uma figura como ele para obter esse tipo de informação útil. Lovelace pode ter recebido a promessa de um condado por revelar os detalhes. É verdade que ele pertencia ao séquito mais próximo de Warwick. Mudei seu nome para Sir Arthur Lovelace porque já havia outro Henrique no conde Percy, mais um em Henrique Beaufort, duque de Somerset — e, naturalmente, o próprio rei Henrique. Com tantos Ricardos e os vários Eduardos, às vezes parece que os nobres da Inglaterra medieval escolhiam seus nomes entre meia dúzia num chapéu.

Depois da segunda batalha de St. Albans, em 1461, aquela derrota desastrosa, o lado yorkista perdeu o controle do rei Henrique — e, com isso, grande parte de sua autoridade e de como era visto. Eles precisavam de outro rei, e Eduardo Plantageneta estava com o estado de espírito apropriado para estender a mão para a Coroa. Como todas as decisões militares ousadas da história, esse seria o momento decisivo do destino da casa de York. A preparação foi um pouquinho mais cuidadosa do que descrevi, encabeçada pelo bispo Jorge Neville, que se tornou um ator fundamental pela demonstração de apoio da Igreja. Foi o bispo Neville que, em 1º de março, declarou o direito de Eduardo de reinar em Londres. Capitães empolgados correram pela cidade levando a notícia de que Eduardo de York seria rei. Em 3 de março, um "Grande Conselho" um pouco mais formal se reuniu no Castelo de Baynard, às margens do Tâmisa. O processo inteiro foi montado em tempo curtíssimo e deve o sucesso à pura audácia — e à rejeição da casa de Lancaster pela cidade de Londres. A cidade escolheu seu lado quando impediu a entrada do rei Henrique e sua única opção era apoiar York.

Em 4 de março de 1461, Eduardo fez seu juramento de coroação no Palácio de Westminster. A partir daquele momento, recebeu uma torrente de partidários e recursos importantíssimos. Os banqueiros de Londres lhe emprestaram 4.048 libras para se somar às 4.666 libras, 13 xelins e 4 *pennies* anteriores. Também houve empréstimos individuais feitos por pessoas e casas religiosas da cidade. Os soldados tinham de ser pagos, alimentados e equipados.

Em 6 de março, Eduardo mandou proclamações aos xerifes de trinta e três condados ingleses, além de cidades grandes como Bristol e Coventry. Lordes e plebeus vieram lutar por Eduardo Plantageneta, ao mesmo tempo que um efetivo ainda maior e vinte e oito lordes se uniam ao rei Henrique e à casa de Lancaster no norte. Isso explica melhor do que tudo por que Eduardo se declarou rei. A partir desse dia, ele assumiu o poder e a autoridade da Coroa sobre os lordes feudais e seus seguidores.

A velocidade com que exércitos tão grandes se formaram é impressionante em termos modernos. No padrão medieval muito mais lento, essa foi uma corrida imensa e *furiosa* para a batalha. O exército de Eduardo deve ter levado oito ou nove dias para marchar duzentos e noventa quilômetros até Towton. A primeira escaramuça ocorreu em 27 e 28 de março, em Ferrybridge, envolvendo Eduardo, Fauconberg e Warwick — e a morte de Clifford, que tentava voltar à segurança da força principal e foi alcançado e morto com uma flecha na garganta.

Em 29 de março de 1461 — Domingo de Ramos —, numa nevasca intensa, as linhas de combate se encontraram em Towton. O que se seguiu foi, sem dúvida, a batalha mais sangrenta que já houve em solo inglês. As estimativas históricas chegam a vinte e oito mil mortos, como relatado por Jorge Neville, bispo e chanceler, numa carta escrita nove dias depois da batalha. São cerca de oito mil baixas acima do primeiro dia da batalha do Somme, em 1916. Vale notar que, na Primeira Guerra Mundial, existiam armas modernas, como a metralhadora com tripé. Em Towton, todos os homens que morreram foram atingidos por flecha, espada, maça, alabarda ou machado. O rio correu vermelho durante três dias depois do combate.

Os relatos do efetivo em combate variam enormemente, das estimativas mais prováveis de sessenta mil a centenas de milhares. O número de baixas ficou por volta de um por cento de uma população de apenas três milhões de habitantes. Em termos de impacto na sociedade, portanto, seria o equivalente a uma batalha com seis a sete *centenas de milhares* de mortos hoje. Em toda a extraordinária tapeçaria da história inglesa e depois britânica, Towton se destaca.

O nome Towton vem da aldeia vizinha. A antiga estrada de Londres passava por ela, mais conhecida do que Saxton, embora a batalha se travasse a meio caminho entre as duas, num lugar hoje chamado de "Bloody Meadow" — o prado sangrento. Recomendo a visita. É um lugar desolado. Os lados íngremes do riacho Cock Beck são bastante intimidadores por si sós. Na neve, para homens de armadura, seriam um obstáculo intransponível para os lancastrianos que tentavam recuar. Towton se tornou o nome estabelecido daquela terrível matança, embora no passado fosse chamada de York Field, Sherburn-in-Elmet (uma cidade ao sul), Cockbridge e Palm Sunday Field (campo do Domingo de Ramos).

Nota sobre armas: alabarda, acha e espada. A palavra inglesa *broadsword* — espada larga ou espada montante — não era usada no século XV. Ela surgiu muito depois para distinguir as espadas medievais das espadas de duelo dos séculos XVIII e XIX. Com armas produzidas individualmente como parte tão importante do equipamento do cavaleiro, havia quase tantos nomes quanto armas a serem descritas.

Uma arma medieval de uso comum era o alfanje, um cutelo de um só fio muito parecido com o machete moderno por ter lâmina larga e a ponta pesada. Para trabalhadores não treinados convocados por decretos ou comissões de alistamento, armas boas e sólidas desse tipo seriam melhores.

A alabarda (*billhook*) e a acha (*pollaxe* ou *poleaxe*) são semelhantes em vários aspectos, embora a lâmina principal da alabarda costumasse ter uma única ponta para perfurar armaduras e a acha tivesse uma lâmina de machado em meia-lua e, com frequência, um martelo do lado oposto. Ambas as armas costumavam ter pontas parecidas com baionetas e eram semelhantes, no sentido de terem de um a dois quilos de aço afiado presos a um cabo de machado ou um cabo de lança mais comprido. Com bom equilíbrio, eram devastadoras nas mãos de agricultores e moradores urbanos sem treinamento — homens, contudo, que conheciam bem as ferramentas de picar e podar. A alabarda era mais usada na Inglaterra do que a acha, embora ambas tivessem chegado às mãos dos exércitos de Towton. Alguns crânios quebrados e esmagados encontrados em valas comuns na área só podem ter ficado assim com múltiplos golpes enfurecidos — seis ou dez, digamos, dados com uma acha num corpo já morto há tempos. O nível de selvageria é comparável a um esfaqueamento frenético. Claramente, é difícil interromper um assassinato violento depois de começado.

Espero ter descrito com exatidão os principais fatos acontecidos em Towton. O contato de lorde Fauconberg com as linhas lancastrianas é um exemplo de como o bom comandante precisa reagir a fatores como mudanças do tempo e do terreno. Sob as ordens de Fauconberg, os arqueiros lançaram milhares de flechas e, imediatamente, recuaram para fora do alcance do inimigo. Sob a neve pesada, com a visibilidade muito reduzida, as linhas lancastrianas responderam às cegas, desperdiçando flechas preciosas. Os homens de Fauconberg recolheram alegremente esses projéteis — e os mandaram de volta. As linhas lancastrianas sofreram baixas imensas nessa única ação; com certeza, milhares. Eles foram forçados a atacar, e os dois exércitos se chocaram.

Fauconberg usou o vento e a pouca visibilidade para aniquilar as posições inimigas, mesmo antes que as forças principais entrassem em contato. Seu nome é quase desconhecido quando comparado ao do sobrinho Warwick, mas não é exagero dizer que Fauconberg provavelmente era melhor em tática. Ele viveu poucos anos depois de Towton, embora eu o tenha mantido vivo por mais tempo, até a segunda parte do livro, para que Warwick o consultasse e também porque gostei dele.

Como costuma acontecer com os momentos decisivos da história, a sorte e o clima tiveram papel fundamental. No caso de Towton, a sorte favoreceu Eduardo de York. O fato de a ala direita de Norfolk ter se perdido e ficado para trás acabou se tornando o fator-chave que alquebrou o espírito lancastriano. Norfolk nunca afirmou ter planejado a ação, portanto devemos assumir que foi o que pareceu: um desastre absoluto transformado numa chegada tardia tão decisiva quanto o surgimento de Blücher em Waterloo. Oito ou nove mil soldados descansados surgindo num flanco minariam o espírito de combate de homens que achavam que aguentariam a luta. Na neve e no escuro, isso aniquilou as forças de Lancaster — e os derrotados se afogaram ou foram mortos enquanto tentavam escapar, esmagados e espancados.

A ficção histórica costuma ser uma luta entre o desejo de contar a história principal e o desejo de revelar histórias secundárias extraordinárias, pelo menos em minha experiência. É muito comum eu conhecer determinada cena que, simplesmente, não consigo encaixar no arco do enredo. Um romance não pode se atolar. Minha segunda parte começa em 1464 e, assim, omite a tentativa de Margarida de recuperar o reino em 1462, que poderia facilmente ser um livro por si só. Em troca de penhorar Calais, Margarida obteve do rei francês quarenta e três barcos e oitocentos soldados para apoiar as tropas ainda leais na Inglaterra. Ela buscou o rei Henrique na Escócia, fez um desembarque armado e retomou castelos como Alnwick, em Northumberland. Deslocando-se com rapidez, Margarida levou a frota de volta ao mar, onde naufragou numa tempestade súbita. A embarcação avariada de Margarida conseguiu chegar a Berwick e ela fugiu novamente para a França. Seu pai, Renato de Anjou, lhe permitiu que morasse numa pequena propriedade no ducado de Bar, e ela lá ficou na pobreza, com cerca de duzentos partidários: o lamentável resto da corte de Lancaster. Margarida nunca perdeu a esperança, apesar de sofrer reveses que fariam muitos desistirem.

Depois da traição, Henrique acabou capturado em 1465 e levado por Warwick para a Torre de Londres. Não há registro de que tenha escrito cartas, poesia ou qualquer outra coisa. Desconfio de que Henrique era uma figura fragilizada nessa época, um recipiente vazio. Cinco integrantes da criadagem de Eduardo IV foram bem pagos para atender ao rei Henrique, e outros eram levados quando necessário. O padre William Kymberley celebrou a missa com ele todos os dias de seu confinamento. Como sempre, o consolo de Henrique foram a fé e a oração.

Também não há registro de maus-tratos. Um texto posterior sugeriu que o rei foi torturado, na tentativa de fazer Henrique ser reconhecido como santo. Não há prova de nada disso, mas existem registros da confecção de roupas novas, além de vinho levado das adegas reais. Num estágio posterior, há sugestões de que Henrique se tornou desleixado, talvez imundo, porém é mais provável que, nessa época, ele estivesse com uma grave doença mental e incapaz ou sem vontade de cuidar de si. Como isso afeta a decisão de Margarida de deixá-lo para trás é tema de discussões. Essa decisão fez alguns se voltarem contra ela nos séculos posteriores. É apenas opinião minha, mas não a julgo com muita severidade por não amar um homem que lhe trouxe tanta dor e nunca foi um marido de verdade.

Elizabeth Woodville chegou à corte em 1465, com cinco irmãos, dois filhos e sete irmãs solteiras. Mais velha que Eduardo, de nenhuma grande casa, viúva com filhos, é verdade que Eduardo a desposou em segredo e só o admitiu a Warwick quando ele estava no processo de negociar uma noiva francesa.

Como os Nevilles antes dela, Elizabeth Woodville se pôs a semear sua família em todas as casas nobres da Inglaterra, criando e garantindo o apoio das famílias mais poderosas do reino. O casamento de John Woodville (19 anos) com a duquesa viúva de Norfolk (65 anos) foi, obviamente, uma tentativa de conquistar o título, parte dos sete grandes casamentos arranjados por Elizabeth Woodville nos dois anos após ser coroada rainha consorte. O duque de Norfolk, que lutou em Towton, morreu em 1461. Na verdade, ele tinha um filho que estava vivo no momento do "casamento diabólico". Mas esse duque morreu de repente, deixando apenas uma filha, e o título caiu em desuso. Se John Woodville tivesse sobrevivido à Guerra das Duas Rosas, poderia ter se tornado duque, livre para se casar de novo.

Além dos sete grandes casamentos, vários títulos vieram pela generosidade do rei Eduardo com a família da esposa. Seu cunhado Anthony Woodville se casou com a filha do barão Scales, aquele que despejou fogo grego sobre a multidão de Londres. Com isso, Anthony Woodville herdou o título. Sob Eduardo, ele também se tornou cavaleiro da Ordem da Jarreteira, lorde da Ilha de Wight, lugar-tenente de Calais e comandante da Armada do Rei, para citar apenas alguns títulos. O pai de Elizabeth Woodville se tornou tesoureiro do rei e conde de Rivers.

O rei Eduardo era um homem propenso a gestos grandiosos, de generosidade extraordinária. Ele fez de João Neville conde de Northumberland, mas, como parte da poda da trepadeira dos Nevilles, perdoou e restaurou o herdeiro Percy, tirando o jovem Henrique Percy da Torre e lhe devolvendo as propriedades da família. A ideia de que Henrique Percy possa ter passado parte do tempo de confinamento com Warwick é invenção minha. No entanto, Ricardo de Gloucester, futuro rei Ricardo III, passou alguns anos da infância em Middleham e, aparentemente, foi feliz lá.

É interessante notar que a tomada do grande selo do arcebispo Jorge Neville aconteceu como descrevi, com o rei e homens armados indo a cavalo até uma estalagem em Charing Cross para exigi-lo de volta. É improvável que o rei Eduardo esperasse uma reação armada, mas isso mostra até onde a influência da esposa o tinha posto contra a família Neville. O nome "Charing Cross" pode ser corruptela de "Chère Reine" Cross (cruz da querida rainha), por causa das cruzes comemorativas erguidas por Eduardo I depois da morte de sua amada esposa Leonor. Ou essa história pode ter sido fundida com "Cierring", palavra anglo-saxã que significa uma curva na estrada ou no rio. Na verdade, a história é uma coletânea de histórias — e às vezes uma mistura de fato e ficção.

Também é verdade que Eduardo mandou Warwick à França e depois fechou um acordo de comércio e apoio militar mútuo com a Borgonha, na época um ducado autônomo, enquanto Warwick estava fora. Nunca se saberá se Eduardo teria aceitado o rei Luís XI como aliado. Desde o começo, o rei inglês pareceu favorecer os duques da Borgonha e da Bretanha — qualquer um, na verdade, disposto a desdenhar da corte francesa. É especulação, mas Eduardo tinha sido bem-sucedido nos campos de batalha de Gales e de Towton. Não seria absurdo se o rei guerreiro da Inglaterra sonhasse com outra Azincourt para reconquistar terras perdidas tão recentemente.

Uma delegação borgonhesa foi à Inglaterra e houve muitas lisonjas e elogios. Anthony Woodville travou uma justa famosa e violenta com seu campeão, um homem com a maravilhosa alcunha de "o Canalha da Borgonha". Em Paris, Warwick foi novamente humilhado — e o mais importante foi o rei Luís ser publicamente desprezado. O rei francês que havia feito por merecer o apelido de "Aranha Universal" começou a pensar no problema de Eduardo e em como resolvê-lo.

É verdade que Margarida de Anjou passou algum tempo em Paris por volta desse período. Não se sabe se ela e Warwick tiveram algum contato nesse estágio.

Para Warwick, os anos de casamento de Eduardo com Elizabeth Woodville resultaram numa série de humilhações públicas e pessoais. A gota d'água foi a proibição do rei Eduardo de que George, duque de Clarence, se casasse com Isabel Neville. Do ponto de vista de Warwick, era um casamento perfeito, uma ascensão de status para contrabalançar a riqueza extraordinária da herança da filha. Para o rei Eduardo, era uma união que poderia gerar filhos que ameaçariam seus herdeiros. A casa de York tinha subido ao trono no lugar de uma linhagem mais antiga; ele não poderia deixar que George, duque de Clarence, criasse *outra* linhagem real mais rica que a dele.

Além disso, é razoável supor que Elizabeth tivesse preferido encontrar um Woodville para Isabel Neville, talvez um de seus filhos. Claramente, a diferença de idade não era um problema, e deixar em outras mãos um prêmio como a fortuna de Warwick nunca aconteceria com o consentimento dela. O único caminho que restou a Warwick, Clarence e Isabel foi desafiar o rei Eduardo. Eles viajaram para Calais, e a filha de Warwick se casou com George de Clarence em 1469, contra o desejo e a ordem de Eduardo.

Nos dois primeiros livros, tentei explorar a completa admiração que alguns tinham pela figura do rei da Inglaterra. É o único motivo que explica por que o rei Henrique continuou vivo, apesar de capturado pelos yorkistas e aprisionado durante meses. Mas também faz parte da natureza humana que haja menos admiração quando se vê um menino crescer e se tornar rei. Nenhum homem é profeta na própria casa, e Warwick ficou suficientemente exasperado com Eduardo e a esposa para jogar tudo para o alto e organizar a captura e a prisão do rei. A história é um pouquinho mais complexa, embora em essência eles tenham incitado e estimulado rebeliões no norte para atrair Eduardo para lá — e depois armado uma emboscada. Jorge Neville, arcebispo de York, realmente participou daquela captura, assim como João Neville, na época marquês de Montacute. É verdade que o conde de Rivers, pai de Elizabeth Woodville, e seu irmão Sir John Woodville foram ambos executados depois de um grosseiro simulacro de julgamento. A família Neville tinha sido roubada e ofendida. Sua vingança foi, ao mesmo tempo, selvagem e espetacular.

Não se sabe a duração exata do cativeiro de Eduardo IV, mas, no verão de 1469, Ricardo Neville, conde de Warwick, tinha dois reis da Inglaterra sob sua custódia. Henrique de Lancaster estava na Torre de Londres; Eduardo de York, no Castelo de Warwick e no Castelo de Middleham. Acima de tudo, foi essa situação inacreditável que deu a Ricardo Neville, conde de Warwick, o apelido de o Fazedor de

Reis. Ele deve ter suposto que se beneficiaria com a prisão de Eduardo, embora suas verdadeiras intenções nunca possam ser conhecidas. Seria pôr George de Clarence no trono? Restaurar o rei Henrique? Havia várias opções, e Warwick não escolheu nenhuma porque o reino se incendiou. Depois de uma vida inteira vendo Henrique reduzido a um peão inútil e sem o amor de ninguém, isso não é tão surpreendente assim, mas Warwick avaliou de forma *completamente* errada a reação da população.

Rebeliões, assassinatos, incêndios e agitações se espalharam pelo reino com rapidez extraordinária. Elizabeth Woodville tinha algo a ver com isso, sem dúvida, mas também havia dezenas de milhares de soldados que lutaram com Eduardo em Towton. Passados apenas nove anos, eles ainda estavam vivos e não aceitariam com facilidade a prisão do rei.

Warwick foi longe demais. Em setembro de 1469, ele procurou Eduardo e lhe ofereceu a liberdade em troca do perdão e da anistia completos por tudo o que já havia acontecido. Eduardo sempre foi um homem de palavra e, claramente, Warwick confiava nele e acreditava que o acordo seria cumprido. Para o leitor moderno, é surpreendente que ele acreditasse francamente nisso, ou talvez apenas não tivesse opção.

Desconfio de que a extensão da revolta contra os Nevilles não tenha sido prevista por Warwick nem por ninguém. Ele podia estar muito preocupado, temendo pela própria vida. Dessa vez, o imenso número de propriedades era um fardo, impossíveis de serem protegidas contra os ataques organizados, vulneráveis a incêndios provocados à noite e a agitações locais. Imagino que restassem poucas opções quando Warwick decidiu confiar na palavra de Eduardo e libertá-lo.

Em defesa de Eduardo, é preciso dizer que ele *não* rompeu a anistia e o perdão que concedeu. Cinco séculos depois, é impossível saber se o que aconteceu em seguida foi um plano para achar uma falha no perdão ou algo novo. Após alguns meses de paz, rebeldes lancastrianos aparentemente citaram Warwick e George de Clarence como traidores, embora nunca possamos saber com certeza se as acusações eram verdadeiras. O reino ainda fervilhava de agitação, com várias pequenas revoltas. Essa informação era nova e, potencialmente, um crime não coberto pela anistia que Eduardo havia concedido. Ele ordenou devidamente a captura dos dois homens — e eles preferiram fugir para o litoral com Isabel, na época nos últimos estágios da gravidez. O primeiro plano de Warwick era chegar ao seu grande barco *Trinity*, ancorado em Southampton. Foi impedido de alcançá-lo por Anthony Woodville, na época almirante de Eduardo de York. Warwick, a esposa Anne, George, duque de Clarence, e Isabel, duquesa de Clarence, pegaram uma embarcação menor para a França. Mas Eduardo já havia mandado avisar aos comandantes distantes que deveriam recusar qualquer ajuda a Warwick e Clarence, em cartas importantíssimas enviadas tanto para a Irlanda quanto para a fortaleza de Calais.

Eles foram proibidos de entrar em Calais pela guarnição de lá. Os quatro ficaram à deriva, presos no mar, com a Inglaterra e a França fechadas para eles. Isabel deu à luz a bordo, e é verdade que a menina, primeira neta de Warwick, nasceu morta ou morreu com o frio e a água do mar. Sua reação e sua fúria com esses eventos o lançariam nos braços de Margarida de Anjou — e abalariam os alicerces da Inglaterra.

Conn Iggulden
Londres, 2015

Este livro foi composto na tipologia Adobe
Garamond Pro, em corpo 12,5/16, e impresso
em papel off-white no Sistema Cameron da
Divisão Gráfica da Distribuidora Record.